D0865330

## Das Buch

Die Digitalisierung verändert unsere Wahrnehmung der Welt: Unsere Körper, die Natur, unsere sozialen Beziehungen – alles erscheint in höherer Auflösung, durch immer mehr Daten analysierbar. Feinste Unterschiede werden erkennbar, das Individuelle überlagert das Allgemeine. Lässt sich unser gesellschaftliches Ideal der Gleichheit vor diesem Hintergrund aufrechterhalten? Im Umgang mit komplexen Daten sind uns Computer zusehends überlegen. Wer sind wir noch, wenn Intelligenz und Rationalität nicht mehr als allein menschliche Merkmale gelten können? Müssen wir uns vom Homo rationalis zum Homo irritabilis entwickeln, um uns von intelligenten Maschinen abzugrenzen?

Christoph Kucklick erklärt die grundlegenden Umwälzungen unserer Zeit. Er zeigt, dass wir den Herausforderungen nur mit einem neuen humanen Selbstverständnis und einem veränderten Gesellschaftsmodell begegnen können. In der granularen Gesellschaft lösen sich auch unsere Gewissheiten auf: Die Digitalisierung wird wie einst die Verbreitung des Buchdrucks dazu führen, dass wir Menschen uns neue Selbstbeschreibungen und Weltbilder zulegen müssen.

## Der Autor

Christoph Kucklick, Jahrgang 1963, ist promovierter Soziologe und Chefredakteur von *GEO*. Als Autor schrieb er unter anderem für *Die Zeit, brand eins* und *Capital*. Seine Dissertation *Das unmoralische Geschlecht* ist bei Suhrkamp erschienen. Kucklick lebt in Berlin und Hamburg.

Christoph Kucklick

# DIE GRANULARE GESELLSCHAFT

Wie das Digitale unsere
Wirklichkeit auflöst

Ullstein

Besuchen Sie uns im Internet:
www.ullstein-taschenbuch.de

Ungekürzte Ausgabe im Ullstein Taschenbuch
1. Auflage März 2016
2. Auflage 2016
© Ullstein Buchverlage GmbH, Berlin 2014 / Ullstein Verlag
Umschlaggestaltung: bürosüd° GmbH,
nach einer Vorlage von semper smile Werbeagentur, München
Titelabbildung: © shutterstock / Kesu
Satz: Pinkuin Satz und Datentechnik, Berlin
Gesetzt aus der Aldus Nova Pro
Druck und Bindearbeiten: CPI books GmbH, Leck
Printed in Germany
ISBN 978-3-548-37625-7

# INHALTSVERZEICHNIS

# EINLEITUNG

Als ihr Sohn Felix im Alter von vier Jahren frühkindlichen Diabetes entwickelte, wusste Vivienne Ming sofort, was sie tun würde: den Krankheitsverlauf ihres Sohnes so präzise erfassen, wie dies zuvor noch bei keinem Kind geschehen war.

Was sie nicht ahnte: dass sie ihren Sohn damit in eine andere, eine neue Welt führen würde.

Bei Diabetes gibt es zwei schädliche Zustände: Wenn Felix zu wenig Blutzucker hat, verliert er rasch die Kontrolle über sein Verhalten, seine Hirnleistung sinkt und er wird aggressiv. Hat er zu viel Zucker, ist er kaum ansprechbar, in sich versunken, »wie ein Autist«, sagt Vivienne. Beide Phasen kosten wertvolle Lebenszeit, in der Felix sich nicht weiterentwickeln kann.

Vivienne Ming und ihre Frau Norma wollten möglichst genau herausfinden, wann und unter welchen Umständen Felix über- oder unterzuckert. In Excel-Tabellen trugen sie detailliert jede Mahlzeit ein: Frühstück, eine Scheibe Vollkornbrot, 96 Gramm, Anteil Kohlenhydrate: 33 Prozent, außerdem Erdnussbutter, 17 Gramm, 2,1 Gramm Kohlenhydrate. Sie verzeichneten, wie aktiv Felix war, wann er spielte, wann er apathisch war. Sie baten die Kindergärtnerinnen um minutiöse Berichte über Felix' Verhalten.

Aber das reichte Norma und Vivienne nicht, was auch daran liegt, dass beide im Umgang mit Daten geübt sind. Vivienne Ming arbeitet als Neurowissenschaftlerin an der Universität im kalifornischen Berkeley und bei einem Startup namens Gild, das mit Hilfe raffinierter Datenanalyse verborgene Talente für Hightech-Firmen sucht. Norma erforscht an derselben Universität, wie digitale Technologien den Schulunterricht verbessern können.

Also versahen sie Felix mit dem präzisesten digitalen

Blutzuckermessgerät, das sie finden konnten, sie begannen rund um die Uhr seinen Herzschlag aufzuzeichnen, sie banden ihm eine Uhr um, die Stresssymptome wie Schwitzen und Hautwiderstand misst, und mit einem Fitbit, einem mit Sensoren ausgestatteten winzigen Armband, registrierten sie jede Bewegung ihres Sohnes.

Felix wurde zum bestvermessenen Vierjährigen.

Die Daten verarbeiten die Mütter mit Hilfe komplexer Algorithmen, wissenschaftlich gesprochen: mit einem hierarchischen, multiskalaren Bayes-Modell.

Als die Mütter schließlich genügend Daten gesammelt hatten, gingen sie zurück in eine Welt, die sie, ohne es zu ahnen, bereits verlassen hatten. Sie hatten Felix' Ärzte bislang als kompetent und freundlich wahrgenommen. Auf die Datenfülle aber reagierten die Mediziner konsterniert und verärgert; und sie beharrten auf der Standardprozedur. Dafür mussten die Mütter innerhalb der nächsten drei Monate eine einzige Woche aussuchen und dann dreimal am Tag den Blutzuckerspiegel von Felix auf einem Blatt Papier eintragen. »Wollen Sie mich auf den Arm nehmen?«, fragte Vivienne zurück. »Wir haben genauere Daten in jeder Minute!«

Als sie das Blatt Papier mit den 21 Datenpunkten zu den Ärzten zurückbrachte, beugten diese sich darüber, »kniffen die Augen zusammen« und legten auf dieser Grundlage ihren »Behandlungsplan« vor. Vivienne war außer sich. Da hatten die Mediziner präziseste Daten – und ignorierten sie. Aber nicht nur die Daten: Sie ignorierten ihren Sohn! Die Einzigartigkeit seiner Krankheit, seines Lebens, die Norma und Vivienne mittlerweile erfasst hatten.

Es ist, als gäbe es Felix zweimal.

Der eine Felix lebt in einer ungenauen, nur grob vermessenen Welt, in der Diabetes anhand eines einzelnen

Blatt Papier behandelt wird. In der eigentlich nur bekannt ist, dass Felix an einer schweren Krankheit leidet, die etwas mit Blutzucker zu tun hat. Felix ist in dieser Welt bloß ein grober Umriss. Ein unscharfes Bild.

In der anderen Welt erscheint Felix wie auf einem Retina-Bildschirm, hochaufgelöst und in minutiösen Details erkennbar. Sogar das Innere seines Körpers wird ohne große Schwierigkeiten beobachtet und laufend analysiert.

Papier-Felix wird anhand des Durchschnitts bewertet, den Ärzte aus wenigen Daten von vielen Menschen errechnet haben. Der kleine Junge wird mehr oder weniger so behandelt wie alle anderen kranken Kinder. Eigentlich wird also nicht Felix behandelt, sondern der Durchschnitt.

Digital-Felix hingegen erhält eine maßgeschneiderte Diagnose, eine singuläre. Aufgrund ihrer Datenanalyse können Vivienne und Norma die Insulinpumpe so programmieren, dass sie ihrem Sohn automatisch die richtige Dosis spritzt, *bevor* er über- oder unterzuckert. Ihre Prognosen sind inzwischen derart treffsicher, dass sie Felix 40 Prozent mehr Zeit jenseits von Aggression und Apathie schenken. Mehr Zeit für ein aufmerksames, normales Leben.

Papier-Felix entstammt einer Welt, die wir »Moderne« nennen. In ihr haben wir enormes Wissen angesammelt und gewaltige technologische Sprünge gemacht: von der industriellen Revolution bis zur Raumfahrt. Aber jetzt sehen wir, wie grob dieses Wissen dennoch ist. Daten sind rar und der Einzelne gilt zwar als Individuum, aber bloß in Abweichung vom Durchschnitt – der Maßeinheit der Moderne.

Der digitale Felix hingegen lebt in einer neuen Gesellschaft. Sie ist hochauflösend und kümmert sich nicht mehr um den Durchschnitt. Weil sie etwas Besseres hat: dichte, detailliertere Erkenntnisse. Das verändert grundlegend, wie wir leben, wie wir die Welt sehen und wie wir uns selbst verstehen.

Diese Gesellschaft neuen Typs nenne ich: die granulare Gesellschaft.

Unter Granularität verstehen Computerwissenschaftler das Maß der Auflösung, die Präzision von Daten: je feinkörniger, desto granularer. Durch die Digitalisierung ziehen wir alle Schritt für Schritt in diese feinauflösende Gesellschaft um.

Denn Digitalisierung bedeutet vor allem: Wir selbst und unsere Gesellschaft werden auf neue Weise vermessen. Unserer Körper, unsere sozialen Beziehungen, die Natur, unsere Politik, unsere Wirtschaft – alles wird feinteiliger, höher auflösend, durchdringender erfasst, analysiert und bewertet denn je.

Wir erleben: eine Neue Auflösung.

Daten aus sozialen und anderen Netzwerken wie Facebook oder Handy-Netzen schenken uns ein hochaufgelöstes Bild unserer Gesellschaft. Sensoren in der Natur vermessen ganze Landschaften von den feinsten Details des Mooswachstums bis zur sekundengenauen Brutdauer von Vögeln. Philologen vermessen dank digitalisierter Bücher den Bestand aller unserer Wörter neu. Im Verlauf des Buches werden uns zahlreiche weitere Beispiele begegnen, von neuaufgelösten Unternehmen und Wahlkämpfen bis zum Wandel des Straßenverkehrs und dem Siegeszug der Roboter.

Diese Neue Auflösung erzeugt eine ganz neue Welt. Der französische Historiker Fernand Braudel hat vom »Inventar des Möglichen« gesprochen. Dieses Inventar verändert und erweitert sich derzeit dramatisch und erzeugt bislang undenkbare Möglichkeiten: Denn mit der Detailgenauigkeit, mit der wir unsere Realität wahrnehmen, verändert sich diese Realität selbst.

Die Umrisse dieser neuen Welt lassen sich anhand von drei Revolutionen beschreiben:

- Die erste ist die **Differenz-Revolution**. Die Neue Auflösung lässt bislang verborgene Unterschiede hervortreten, auch zwischen uns Menschen. Wir werden radikal vereinzelt, singularisiert – und diese Unterschiede werden wiederum sozial zugespitzt und verwertet. Wir erleben eine Krise der Gleichheit, die schon jetzt unsere Arbeitswelt und unsere Demokratie verändert. (Kapitel 1)
- Die zweite ist die **Intelligenz-Revolution**. Die massenhafte Ankunft intelligenter Maschinen führt zu einer Umverteilung von Wissen, Know-how und wirtschaftlichen Chancen – und zwar sowohl unter den Menschen wie auch zwischen Mensch und Maschine. Davon profitieren vor allem jene, die es verstehen, mit intelligenten Maschinen umzugehen und zu kooperieren. Für die anderen geht es um die berufliche und private Existenz, denn je intelligenter die Maschinen werden, desto größer wird auch die ökonomische Ungleichheit. (Kapitel 2)
- Die dritte ist die **Kontroll-Revolution**. Die Granularisierung sorgt dafür, dass wir sozial neu sortiert, bewertet, verglichen – und durchschaut werden. Denn im Vergleich zu den feinauflösenden Daten ist unser Leben ziemlich grobkörnig, was es erlaubt, präzise Vorhersagen über unser Verhalten zu treffen. Wir werden nicht mehr wie in der Moderne ausge*beutet*, sondern ausge*deutet*. Das wirft fundamentale Fragen nach der Gerechtigkeit auf und droht, die Prinzipien der Demokratie zu beschädigen. (Kapitel 3)

Die Neue Auflösung, die sich in diesen drei Revolutionen ausdrückt, halte ich für den entscheidenden Effekt der Digitalisierung. Über die gesellschaftlichen Auswirkungen digitaler Technologien ist schon viel geschrieben worden. Mal wurde ihr wesentlicher Aspekt in der Vernetzung gesehen, mal in der Datenmenge (»Big Data«), im drohenden Kontrollverlust oder im Kontrollwahn und mal darin, dass wir alle smarter werden.

All diese Aspekte sind wichtig und relevant, aber sie treffen meines Erachtens nicht den Kern der Entwicklung, sondern sind Phänomene, die sich erst aus der Neuen Granularität ergeben. Sie ist der grundlegende Vorgang, der alle anderen speist. Das lässt sich beispielhaft an Digital-Felix erkennen.

Denn er ist ja kaum vernetzt, er produziert Datenmengen, die bequem auf einen USB-Stick passen, er erlebt keinen Kontrollverlust, sondern im Gegenteil: eine enorme Steigerung seiner eigenen Kontrollfähigkeit. Nur ob er dadurch insgesamt »smarter« wird, müsste sich noch erweisen. Dennoch ist er unzweifelhaft ein Bewohner der digitalen Gesellschaft, eben weil sein Leben hoch aufgelöst wird.

Felix verzeichnet jeden Morgen einen deutlichen Anstieg des Blutzuckerspiegels, ganz besonders steil ist diese Spitze jeden Dienstag. Seine Mütter wunderten sich darüber, denn das Frühstück ist jeden Tag gleich, auch am Wochenende, wo keinerlei Zucker-Anstieg sichtbar wird.

Es stellte sich heraus, dass Felix, der inzwischen in die Vorschule gewechselt war, Angst vor dem Unterricht hatte und ganz besonders vor einem Lehrer – der dienstags unterrichtet. Angst kann den Blutzuckerspiegel hochtreiben. Die Datenauswertung hat diesen Effekt offenbart. Die Standardanalyse der Ärzte auf einem einzelnen Blatt Papier hätte nichts davon aufgedeckt und Felix jeden Dienstagvormittag zu Apathie verdammt.

Damit wird Felix in die Differenz-Revolution gerissen. Diese Explosion der Unterschiedlichkeit lässt sich leicht verstehen, wenn wir uns noch einen weiteren Felix vorstellen: Digital-Felix 2.

Er lebt, sagen wir, in Berlin und entwickelt wie sein amerikanischer Leidensgenosse ebenfalls im Alter von vier Jahren Diabetes. Seine Eltern vermessen ihren Sohn ganz genauso, wie es Vivienne und Norma mit ihrem Felix in Kalifornien tun. Dieselben Geräte, dieselben Aufzeichnungen, dieselben Algorithmen.

Und doch ist es wahrscheinlich, dass dabei ein ganz anderes Krankheitsbild sichtbar wird. Womöglich würde Digital Felix 2 einen Anstieg seines Blutzuckerspiegels aus Angst vor dem Fußball-Training am Freitagnachmittag verzeichnen. Oder aus ganz anderen Gründen zu ganz anderen Zeiten.

Würden wir beide Profile übereinanderlegen, unterschieden sie sich vielleicht derart, dass man kaum noch von derselben Krankheit reden könnte. Genau diesen Effekt beobachten Forscher bereits: Sie sprechen davon, dass wir alle »seltene Krankheiten« bekommen. Je genauer nämlich einzelne Patienten vermessen werden, umso schärfer treten die Unterschiede zwischen ihnen und ihren Krankheiten hervor – und desto mehr zerbricht die Illusion, es jeweils mit ein und demselben Leiden zu tun zu haben.

Doch wir bekommen nicht nur seltene Krankheiten, sondern auch rare Körper. Jeder einzelne Körper kann so detailliert in seiner Einzigartigkeit erfasst werden, dass der Vergleich mit anderen Körpern immer schwerer fällt beziehungsweise immer weniger aussagt.

Einen Durchschnitt aus Digital-Felix 1 und Digital-Felix 2 (sowie von ungezählten weiteren genau vermessenen Kindern) zu errechnen, ist sinnlos. Er würde uns weniger über jeden einzelnen Felix verraten, als wir bereits über ihn wissen; der Durchschnitt, diese Maßeinheit der Moderne, würde uns nicht schlauer, sondern dümmer machen. »Der Durchschnitt ist tot«, hat in einem anderen Zusammenhang der Ökonom Tyler Cowen gesagt. Die digitalen Felixe haben ihn beerdigt. Die bisherige Ausnahme – der präzise definierte Einzelne – wird zur neuen Norm und die bisherige Norm irrelevant.

In der Medizin wird diese Explosion der Unterschiede bereits als gravierendes Problem wahrgenommen. Laut dem Kardiologen und Genetiker Eric Topol muss »das gesamte Klassifikationssystem der Medizin neu geschrieben werden«. Statt des derzeitigen Verfahrens, Individuen »auf bloß zwei Typen von Diabetes festzulegen oder Krebs nur anhand der befallenen Organe zu bestimmen«, werde die zukünftige Medizin eine »Wissenschaft der Individualität« sein. Mit ganz neuen Messverfahren, Erkenntnissen, Begriffen.

Aber was heißt das: eine »Wissenschaft der Individualität«? Nach unseren bisherigen, modernen Maßstäben ist dies ein Widerspruch in sich. Wissenschaft basiert nicht auf Individuen, sondern auf Gruppen, auf allgemeinen Gesetzen, auf Durchschnitten. Wie diese neue Wissenschaft aussieht, ist noch völlig unklar. Und doch wird sie unvermeidlich sein. Sie wird zugleich auch die Intelligenz- und die Kontroll-Revolution umfassen, denn nur dank smarter maschineller Intelligenz können wir so viel über Felix wissen – und ihn, seinen Körper und sein Leben deswegen auch auf ganz neue Weise kontrollieren.

Willkommen also in der granularen Gesellschaft! In ihr ist nicht alles, aber sehr vieles anders als in der Gesellschaft, die uns vertraut ist. Die Medizin etwa oder das Recht. Und ganz sicher unser Selbstbild.

Auch deswegen ist der Begriff der Neuen Auflösung so treffend: Er beschreibt einen doppelten Vorgang. Zum einen die digitale Hochauflösung von uns Menschen und all den Phänomenen, die uns umgeben. Zum anderen aber auch die Auflösung jener Institutionen, die sich in einer grobkörnigen Welt entwickelt haben und die nun nicht mehr mithalten können und hinderlich werden.

Zu diesen Institutionen gehören unter anderem das Recht, die Wissenschaft und ihre Methoden, die Geschlechter, unsere derzeitigen Formen von Demokratie und Gerechtigkeit, der Sozialstaat und vieles mehr; sie sind geronnene Lösungsversuche für soziale und andere Probleme, und wenn sich die Probleme ändern, müssen auch sie es tun. Sie werden sich auflösen und neu konfigurieren. Solche Neuformatierungen waren historisch immer wieder notwendig, aber derzeit ereignen sie sich auf besonders vielen Gebieten gleichzeitig.

Diesen zweiten Aspekt der Neuen Auflösung beschreibe ich im zweiten Teil des Buches. Ich konzentriere mich dabei auf zwei einschneidende Entwicklungen:

- Zum einen auf die **überforderten Institutionen**. Vieles von dem, was uns einst Halt gab, beginnt im digitalen Zeitalter zu zerbröckeln: Teile des Rechts, der Datenschutz, das Bildungssystem, aber auch eine so scheinbar selbstverständliche Institution wie das Bruttosozialprodukt als Ausweis unserer wirtschaftlichen Stärke. Die Folgen davon sind weitreichend. (Kapitel 4)
- Zum anderen werden wir ein neues **Menschenbild** benötigen. Wir werden gezwungen sein, nicht nur unsere Institutionen, sondern auch unser Selbstbild zu verändern. Da die Grenze zwischen Mensch und Maschine immer schwieriger zu ziehen sein wird, werden wir, so meine These, verführt sein, unser Selbstverständnis als rationale Wesen aufzugeben, und uns stattdessen als unberechenbare, spielerische, störungsanfällige und störende Wesen neu erfinden. Vom *Homo rationalis* wandeln wir uns zum *Homo granularis* – eine einschneidende Veränderung, mit der wir in einer Welt der Zahlen und

Algorithmen eine neue Form der Menschlichkeit entwickeln. (Kapitel 5)

Im Fall des digitalen Felix betrifft diese zweite Bedeutung von Auflösung – die Auflösung unserer Institutionen und unseres Selbstbildes – vor allem die Ärzte. Sie waren bislang die unangefochtenen Autoritäten in Fragen von Krankheit und Genesung und stützten sich auf ihre erfahrungsgesättigte Interpretation einer vergleichsweise geringen Menge an verfügbaren Daten. Nun werden sie konfrontiert mit dem enorm detailreichen Wissen, das Patienten sammeln, und das oft brauchbarer ist als alles, was die Ärzte je erheben könnten.

Die Machtverteilung zwischen Ärzten und Patienten verändert sich, der Status der medizinischen Experten bröckelt, und sie sind gezwungen, sich auf die digitalen Maschinen einzulassen, die ihre Autorität unterwandern. Deshalb werden sie keineswegs überflüssig, aber ihre Rolle verändert sich grundlegend – sie wird aufgelöst und muss neu zusammengesetzt werden.

Vielleicht kann man sich die granulare Gesellschaft am besten in einem stark vereinfachten Bild vorstellen: Die bisherige Gesellschaft war wie aus Billardkugeln zusammengesetzt, die wir im Laufe der Zeit gelernt haben, zu einem belastbaren Gebilde zu arrangieren. Nun werden diese Kugeln nach und nach durch winzige Schrotkugeln ersetzt. Das verändert radikal den sozialen Aggregatzustand und die gesellschaftliche Statik – und zwingt uns dazu, neue Wege zu finden, aus den feineren Partikeln eine stabile Ordnung zu bauen.

Das wird unsere Aufgabe während der nächsten Jahrzehnte sein. Und wir werden sie nur meistern, wenn wir unser Denken anpassen, denn die alten Antworten, die aus dem Zeitalter der Masse und der Grobkörnigkeit stammen, werden versagen.

Der große Vorteil, die digitale Gesellschaft als eine der doppelten Auflösung zu betrachten, besteht darin, dass man die technologischen Fortschritte und Vorteile preisen kann (Felix jedenfalls würde sie begrüßen), ohne die Augen vor den gewaltigen Problemen zu verschließen.

Diese beiden Aspekte werden üblicherweise in einer bizarren Arbeitsteilung getrennt: US-amerikanische Autoren übernehmen das Bewundern und europäische die Skepsis. Als ließe sich das Phänomen geographisch filetieren. Ich versuche stattdessen, beiden Aspekten Raum zu geben, weil wir sonst die granulare Gesellschaft nicht verstehen. Bewundern *und* erschrecken, darum geht es.

Auch werde ich nicht an jeder Wegbiegung meine Entrüstung kundtun; ich glaube, mit kühlem Kopf kommt man weiter in der Analyse. Und ich werde nicht die üblichen Schuldigen servieren. So werden Sie nichts vom Neoliberalismus lesen als vermeintlichem Bösewicht, weil das viel zu simpel wäre – denn ein digitaler Sozialismus stünde vor ganz ähnlichen Problemen.

Ich gehe auch nicht von einer Verschwörung der großen Konzerne wie Google, Facebook und Amazon gegen uns Bürger aus, auch wenn es an ihnen viel zu kritisieren gibt; wenn überhaupt halte ich Staaten und Regierungen für die deutlich größeren Schurken, weil sie ihre Geheimdienste nicht zähmen und sich selbst vom Datenschutz allzu oft ausnehmen. Aber auch sie sind nicht die Ursache dessen, was passiert.

Solange wir einzelne Akteure für die Entwicklungen verantwortlich machen, wiegen wir uns im falschen Glauben, die Probleme verschwänden, wenn wir nur die Strippenzieher beseitigten. Wir haben es jedoch mit grundlegenden

Strukturveränderungen zu tun, die sich nicht Einzelnen in die Schuhe schieben lassen.

Im Kern allerdings bin ich optimistisch, dass wir die Revolutionen, die derzeit über uns hereinbrechen, meistern werden. Diese Zuversicht ziehe ich aus dem Umstand, dass die Menschheit bereits drei ähnliche solcher »Katastrophen« (wie der Soziologe Niklas Luhmann sie nennt) bewältigt hat: die Entstehung der Sprache, die Erfindung der Schrift und die Verbreitung des Buchdrucks. Jede von ihnen hat die Granularität der Gesellschaft entscheidend verändert und die Menschen gezwungen, ganz neue Selbstbeschreibungen und Weltbilder zu erfinden.

Der Buchdruck etwa hat das Spektrum der unterschiedlichen Meinungen und Weltanschauungen dramatisch viel feiner und gegensätzlicher aufgelöst, als es zuvor möglich war – und hat so das mittelalterliche, hierarchische, Gott-zentrierte Weltbild zerstückelt und aus den Menschen die modernen, selbstbezüglichen und unruhigen Subjekte gemacht, die wir noch heute sind.

Der Weg dahin war überaus konfliktreich und um-kämpft – und in der granularen Gesellschaft wird es nicht anders sein. Uns stehen anstrengende, aufreibende Zeiten ins Haus. Denn die neue Welt ist, wie wir noch sehen werden, eine »Welt der Extreme«. Und auch wir Menschen werden uns ein »extremeres« Selbstverständnis zulegen: eines, in dem wir fragiler, zerbrechlicher und gerade deswegen menschlicher sind.

Dieses Buch handelt also nicht von den digitalen Technologien selbst. Sondern von dem, was sie aus uns, aus unserem Leben und unserer Gesellschaft machen. Und vor welche Herausforderungen sie uns stellen, persönlich wie gesellschaftlich: Wie sorgen wir für Gleichheit, wenn die Fähigkeit zur Unterscheidung drastisch zunimmt? Wie garantieren wir, dass alle an der gerade stattfindenden Intelligenz-Revolution teilhaben? Wie bringen wir Algorithmen unsere Werte bei? Wie werden wir uns von den immer klügeren Maschinen unterscheiden?

Es gibt darauf keine einfachen Antworten. Aber bei der Arbeit an diesem Buch, bei den Gesprächen mit Forschern und Unternehmern, mit Medizinern und Juristen, ist mir etwas klargeworden, mit dem ich anfangs nicht gerechnet hatte: Die Welt der Neuen Auflösung, in die wir uns begeben, hält zwar viele Fallstricke und Gefahren bereit. Aber sie wird auch dazu führen, dass wir uns intensiver mit dem beschäftigen werden, was uns als Menschen kennzeichnet. Wir gehen nicht der Entmenschlichung, der Roboterisierung entgegen, sondern im Gegenteil: der Präzisierung dessen, was uns eigentlich ausmacht. Die neuen Maschinen und Algorithmen fordern uns heraus, und wir werden uns verändern müssen, um ihnen erfolgreich begegnen zu können, aber genau darin liegt unsere Stärke: Wir sind die Wesen, die sich neu erfinden können.

Und zu welchen Wesen werden wir? Die Konturen zeigen sich erst zögerlich, noch sind sie nicht in aller Klarheit zu erkennen. Ich möchte dennoch in wenigen Sätzen eine Skizze wagen, wer Sie und ich in der granularen Gesellschaft sein werden. Manches davon ist widersprüchlich, anderes wird Ihnen erst nach der Lektüre des Buches einleuchten. Aber so ungefähr können Sie sich als granulare Menschen vorstellen:

Sie werden nicht mehr individuell, sondern singulär sein.

Sie werden in einer ungleicheren Welt leben.

Sie werden auf ganz neue Weise bewertet.

Sie werden Ihr Selbst verteilen.

Sie werden sehr viel mehr oder deutlich weniger verdienen.

Sie werden sich selbst nicht mehr ohne die Hilfe von Maschinen verstehen können.

Sie werden in einer viel einfacheren Umwelt leben.

Sie werden vom Staat nicht mehr wie alle anderen behandelt.

Sie werden gefühlvoller, unberechenbarer und spielerischer sein.

Schöne Aussichten?

# DIFFERENZ-REVOLUTION
## ODER
# WARUM WIR SELTENE KÖRPER UND GEHIRNE BEKOMMEN

## GOTTES SICHT AUF UNSERE ARBEIT

Für herkömmliche Unternehmensberater hat Ben Waber nur Spott übrig. »Die lesen das Organigramm einer Firma und führen ein paar Interviews mit den Angestellten – und schon geben sie kluge Empfehlungen, alles ganz anders zu machen.« Der junge, aber bereits kahlköpfige Chef und Gründer des Bostoner Unternehmens »Sociometric Solutions« lacht: »Dabei tappen sie doch nur im Dunkeln.«

Er geht anders vor. Um zu verstehen, wie ein Unternehmen tickt, benutzt er kleine graue Kästchen. Jede dieser Plastikboxen ist so groß wie ein Skat-Kartenspiel, wiegt 30 Gramm und steckt voller Sensoren. Waber nennt sie *Sociometer*. Mit ihrer Hilfe kann Waber die Arbeitskultur in Unternehmen besser vermessen, als dies je zuvor gelungen ist. Die kleinen Geräte liefern bis zu 100 Datenpunkte pro Minute davon, wie sich die Angestellten verhalten und wie sie kommunizieren. Waber registriert sekundengenau, wie lange Kollegen miteinander sprechen, wie nah sie beieinanderstehen und wo genau sie sich aufhalten: Auch verzeichnen die Geräte die jeweilige Körperhaltung und wie dynamisch sich die Mitarbeiter bewegen. Sogar der Ton ihrer Stimme wird aufgezeichnet, woraus Algorithmen automatisch die Gefühlslage der Angestellten errechnen, ob sie wütend sind, angespannt oder fröhlich.

Das klingt nach einem Straflager der Überwachung. Aber Wabers Team hat raffinierte Maßnahmen zum Schutz der Privatsphäre entwickelt. In den Unternehmen, in denen Waber die Sociometer einsetzt, nehmen mehr als 90 Prozent der Angestellten freiwillig an den Messungen teil, wenn man sie gut aufklärt, sagt Waber. Denn auch sie können von den Ergebnissen profitieren.

Eine der weltweit ersten Sociometer-Studien fand 2007 in einer Marketingabteilung der Kreissparkasse Köln statt. Die Mitarbeiter trugen zwanzig Arbeitstage lang die Boxen mit den Sensoren, um ihre Kommunikation zu vermessen. Die Daten wurden streng anonym aufbereitet und nur schematisch präsentiert. Dennoch zeigte sich ein deutliches Muster: Die Chefs sprachen vor allem mit zwei Teams (Entwicklung und Vertrieb) und ließen zwei andere links liegen (Service und Kundenbetreuung). So ließ sich das unbestimmte, aber weitverbreitete Gefühl unter den Mitarbeitern belegen, dass die Kommunikation innerhalb der Abteilung eine schwere Schlagseite besaß, unter der die Produktivität litt. Die Sensor-Daten halfen, die Abteilung umzuorganisieren, und später zeigte eine erneute Messung eine deutlich ausgewogenere Kommunikation – die sich auch in größerer Arbeitszufriedenheit niederschlug.

Inzwischen ist Ben Waber wesentlich weiter. Er hat einige Tausend Angestellte in Dutzenden Firmen analysiert, und er träumt davon, dass irgendwann Hunderttausende seine Sociometer tragen. Damit die Röntgenbilder aus der

Arbeitswelt immer präziser werden. Waber nennt sie: »Gottes Sicht auf unsere Organisationen«.

Aus dieser Warte treten vor allem Unterschiede zutage. Die Differenzen zwischen Teams, zwischen Firmen, zwischen Mitarbeitern. Unter der Datenlupe herrscht die große Unterschiedlichkeit. Kein Team, so Waber, gleicht dem anderen. Das eine kommuniziert sehr ausgewogen, ein anderes höchst hierarchisch, wieder ein anderes grenzt einen Teil der Mitglieder gnadenlos aus. Je genauer und höher auflösend die Daten aus den Sociometern, desto unverwechselbarer wird jede Gruppe, jede Firma.

Und jeder Einzelne. Bequeme, aber vage Typisierungen wie »Außenseiter« oder »Einzelgänger« zerstäuben unter der unerbittlichen Datenanalyse. Hinter solchen Etiketten stecken meist sehr unterschiedliche Kommunikationsprofile. Redet ein Sonderling tatsächlich nicht, oder wird ihm dauernd das Wort abgeschnitten? Fährt er anderen über den Mund und ist daher unpopulär, oder wird er schlicht ignoriert? Die Daten geben darüber minutiösen Aufschluss.

Waber entdeckte auch eine wesentliche Stütze vieler Firmen, die bislang völlig übersehen worden war: Mitarbeiter nämlich, die zwar unscheinbar sind, aber die Produktivität ihrer Kollegen enorm steigern, offenbar weil sie besonders begabt sind, ihr Wissen weiterzugeben. Eine jeweils sehr spezifische Datensignatur verrät solche Betriebsperlen, die so wertvoll sind und so leicht missachtet werden.

Mit Hilfe der Sociometer kommen die digitalen Felixe der Arbeitswelt zum Vorschein. Die winzigen Geräte registrieren die Unverwechselbarkeit jeder einzelnen Person, die sich sekündlich unterscheidende Besonderheit ihres Verhaltens, ihrer Kommunikationen, ihrer Gefühle. Derart granular erfasst, gleicht niemand mehr einem anderen.

Aber ist das wirklich revolutionär? Auch jetzt nehmen wir ja Unterschiede wahr. Jeder Mitarbeiter weiß doch, welche Kollegen produktiv sind und welche nicht, wer Meetings voranbringt und wer nörgelnd blockiert. Auch kennen wir die Eigenheiten, die Ticks von jedem, vermutlich genauer als eine Maschine sie je wahrnehmen könnte; schließlich sind auch wir Menschen hochauflösende Beobachter, die ihre Umwelt sehr genau durchleuchten.

Das ist richtig. Und doch sind unsere Eindrücke notorisch unzuverlässig. Wir sind höchst sprunghaft in der Beurteilung von sozialen Situationen und vage in ihrer Beschreibung – und meist deuten wir sie zu unserem eigenen Vorteil. Die Einzigartigkeit des Verhaltens eines Menschen nehmen wir natürlich wahr, aber exakt benennen und angemessen einordnen können wir sie nicht.

Dasselbe gilt für die bislang üblichen Verfahren, mit denen wir unsere soziale Welt messen und analysieren. Dazu gehören vor allem Umfragen aller Art, etwa Meinungsforschungen oder Fokusgruppen. In Unternehmen sind zum Beispiel Umfragen über das Betriebsklima oder die Führungsqualität der Chefs oder die Zufriedenheit mit der Arbeit beliebt. Solche Umfragen sind nicht falsch oder schlecht – aber sie erfassen nur einen bestimmten Ausschnitt der Wirklichkeit. Genauer: Die Methode erzeugt überhaupt erst das, was sie erfasst.

Als man im frühen 20. Jahrhundert begann, Meinungsumfragen zu führen, mussten die Bürger erst einmal lernen, dass sie überhaupt Meinungen zu allem Möglichen haben sollen. Zur Regierung, zu einer neuen Seife, zu aktuellen Kinofilmen. Das war alles andere als selbstverständlich, wie der berühmteste Meinungsforscher, der Amerikaner George Gallup, im Jahr 1940 schrieb: »Der Bauer, der Arbeiter, der Diener muss sich politisch so artikulieren wie ein Unternehmer oder ein Experte.« Das hatte zuvor niemand

von den »einfachen Leuten« verlangt. Erst die Meinungsumfragen machten die Bürger zu Menschen mit Meinungen. Die Messung erzeugte das Gemessene.

Aber diese Messungen waren bislang nicht sehr genau.
Entsprechend vage waren die Individuen, die dabei »entstanden«. Eine Umfrage zum Betriebsklima etwa muss
allen Mitarbeitern dieselben Fragen stellen, sonst ist sie
statistisch wenig brauchbar. Es geht also gerade nicht um
individuelle Antworten, sondern um die Verrechnung der
Einzelmeinungen zu einem Gesamtbild. Ähnliches passiert
bei Volkszählungen oder Meinungsumfragen: Damit am
Ende ein Meinungsbild entsteht, wird das Individuelle beseitigt, herausgerechnet.

Bisherige sozialwissenschaftliche Methoden haben noch
eine weitere Eigenart: Sie erfassen nahezu ausschließlich,
was Menschen *sagen*. Und das entspricht oft dem sozial
Erwünschten. Das tatsächliche Verhalten der Menschen war
bislang nur sehr mühsam zu erfassen. Ben Wabers Sociometer registrieren dagegen nicht, *was* die Menschen sagen,
sondern nur, *wie viel* sie reden und *wie* sie sprechen. Sie
erfassen nicht, was die Menschen meinen und denken, sondern was sie tun. (Obwohl man die Angestellten natürlich
zusätzlich nach ihren Einstellungen befragen kann.) Die
Sensoren verzeichnen Bewegungen, Handlungen und das
Netz von Interaktionen, das sich daraus ergibt. In diesem
neuen, hochaufgelösten Bild der Wirklichkeit tritt das granulare Subjekt in Erscheinung.

Für dieses ist der Begriff »Individuum« nicht mehr angemessen. Das Individuum ist der Mensch der Umfragen
und der Meinungserhebungen, der statistischen Mittel-
werte und Durchschnitte. Die digitalen Methoden hingegen
erzeugen das, was ich als »Singularien« bezeichnen möchte.
Das sind Menschen, von denen wir nicht nur behaupten,
dass sie einzigartig und unverwechselbar sind, sondern die

wir als solche auch messen können. Ganz gleich, ob sie im Internet surfen und der Browser ihr Verhalten registriert, ob sie mit einem Fitbit durch den Stadtpark joggen, oder ob sie von Ben Wabers Sociometer bei der Arbeit beobachtet werden.

Ich möchte damit nicht behaupten, dass die digitale Sicht auf uns Menschen besser oder richtiger als die bisherige analoge Sicht ist. Auch Wabers Sensoren sehen vieles nicht. Auch sie verzerren und sind einseitig. Aber sie heben mehr denn je die Unterschiede zwischen uns hervor, sie singularisieren uns. In Zukunft werden wir uns nur noch als extrem differenzierte Singularien verstehen können. Darin besteht die Differenz-Revolution.

Diese Revolution macht uns das Leben schwer – nicht nur wegen der allgegenwärtigen Überwachung, die sie ermöglicht. Zum einen werden wir mit scheinbar »objektiven« Messungen konfrontiert, die ihre Überzeugungskraft aus der Tatsache beziehen, dass sie für alle gleich sind und scheinbar frei von subjektiven Verfälschungen. Ob das tatsächlich der Fall ist, bleibt meist unklar, denn wer versteht schon die genaue Funktionsweise von Sensoren und Algorithmen. Aber zunächst einmal treten die Daten mit objektiver Wucht auf und dem Anspruch, die Verzerrungen der menschlichen Wahrnehmung zu vermeiden.

Die Unterschiede, die zutage kommen, sind also nicht nur granular, sondern auch sehr schwer anzuzweifeln. Soziale Situationen setzen sich üblicherweise aus den unterschiedlichen Beobachtungen der Beteiligten zusammen, alles ist stets »irgendwie subjektiv« und innerhalb gewisser Grenzen verhandelbar – nun bringen Geräte plötzlich »Gottes Sicht« ins Spiel, die alle Unterschiede gnadenlos und scheinbar unbestechlich offenlegt. Es ist, als hätte man sich einen unheimlichen Fremden ins Haus geholt, dessen Urteil man ausgeliefert ist.

Hinzu kommt, dass die maschinelle Beobachtung die sozialen Verhältnisse enorm beschleunigt. Die Daten aus den Maschinen werden verzögerungsfrei erhoben und ausgewertet und können bei Bedarf sofort wieder in das soziale Geflecht eingespeist werden – Feedback in Echtzeit. Ben Wabers Mitarbeiterin Tamie Kim hat beispielsweise den sogenannten *Meeting Mediator* entwickelt, der die Beobachtungen der technischen Geräte in ein Meeting füttert, noch während dieses im Gange ist. Jemand hält sich in einer Gruppenrunde zu sehr zurück? Noch in der Pause erhält er die Auswertung seines Datenprofils mit der Aufforderung, sein Verhalten zu verändern. Eine Teilnehmerin schaut ihr Gegenüber zu selten an? Eine Mail legt ihr mehr Empathie nahe. Ein Chef dominiert alle anderen? Sofort wird er algorithmisch zurückgepfiffen.

Die schnellen Maschinen erzeugen einen enormen Druck. Wir werden »tiefen« Beobachtungen ausgesetzt, die wir angesichts der vermeintlichen »Objektivität« der Daten nur schwer abweisen können, und die uns rasche Verhaltensänderungen abnötigen. Die ersten Experimente mit dem Meeting Mediator deuten darauf hin, dass die Beteiligten dies als sehr zweischneidig wahrnehmen. Zum einen sind sie für brauchbare Hinweise durchaus dankbar. Zum anderen erfahren sie die Beobachtung als fremdartige und irritierende Zumutung.

In der Einleitung habe ich von einer »extremen« Welt gesprochen, in die wir geraten. Die Sociometer und der Meeting Mediator sind ein Beispiel dafür: Gemessen an den bisherigen Verhältnissen, kommen wir unter extremen Druck, uns als sehr flexibel, wandlungsfähig und selbstoptimierbar aufzufassen. Die Vorgaben erhalten wir dabei von Maschinen, deren Verhalten wir nur ungenügend verstehen. Kein Mitarbeiter weiß ja, ob in die Maschinen ein bestimmtes Interesse (etwa des Arbeitgebers) einprogrammiert wurde, ob die Empfehlungen des Meeting Mediators also hilfreiche oder eher unzulässige Manipulationen darstellen. Oder kurz gesagt: Die Maschinen führen Unsicherheit in unsere Kommunikationen ein. Diese Ungewissheit müssen wir ertragen lernen.

Es wäre unklug, Anwendungen wie den Meeting Mediator per se zu verdammen: richtig angewendet, *können* sie das Leben erleichtern und Konflikte mindern. Aber so oder so: Wir werden lernen müssen, unser Verhalten an solchen intelligenten Maschinen auszurichten. Und aushalten, dass wir mit singulärer Präzision betrachtet werden.

Man ist versucht, darin eine zunehmende Vereinsamung, eine digitale Isolation zu erkennen – und zu beklagen. Wir werden unverwechselbar – aber verlieren dadurch auch den Halt in der Gemeinschaft. Das ist ein geläufiges Argument gegen die Differenzierungen der Moderne und wurde bereits gegen die ersten Individualisierungsschübe im 19. Jahrhundert angeführt. Aber auf die Singularisierung trifft es weniger zu denn je.

Denn eine der Paradoxien der digitalen Differenzierung besteht darin, dass sie gerade ein Effekt der zunehmenden Vernetzung ist. Ben Waber kann die Einzigartigkeit nur messen, weil sie sich aus den zahlreichen Interaktionen zwischen den Menschen ergibt. Das gilt für alle digitalen Vereinzelungen: Jeder hat ein einzigartiges Profil auf Facebook, das ihn oder sie zu einem Singularium macht, aber dies nur dank der Freunde und Verknüpfungen, die es sichtbar werden lassen.

Der Mediziner Eric Topol schreibt dazu: »Es ist ein faszinierendes Paradox, dass unser heutiges Verständnis von Individualität von vernetzter Wissenschaft abhängt – je mehr Daten man einsammeln und verarbeiten kann, umso schärfer tritt der Einzelne hervor.« Wir verschwinden nicht in der Masse der Daten, auch wenn das zuweilen behauptet wird. Vielmehr trifft das Gegenteil zu: Je mehr Daten es gibt, desto deutlicher werden unsere Eigenheiten sichtbar. Je mehr Fülle, desto mehr Singularien. Je mehr Vernetzung, desto mehr Vereinzelung.

Nur deswegen ist das einzelne Verhalten überhaupt aussagekräftig: weil es sich in einem bedeutungsvollen Zusammenhang abspielt. Diesen Kontext gilt es immer mit zu entschlüsseln, sonst bleiben die Daten stumm. So kann Waber mit hoher Wahrscheinlichkeit vorhersagen, ob ein Mitarbeiter kündigen wird (weil er sich nämlich meist schon lange vorher kommunikativ verabschiedet und daher eine verräterische Datenspur legt). Auch kann Waber bei Firmenwettbewerben meist prognostizieren, welches Team gewinnen wird – ohne es je gesehen oder mit ihm gesprochen zu haben. Es reicht allein das Datenprofil.

Inzwischen kann Ben Waber sogar erkennen, worin sich erfolgreiche Gruppen und Mitarbeiter von anderen unterscheiden. Die Maschinen haben den Idealzustand errechnet, an dem sich die Menschen messen lassen sollen. Es sind vier Faktoren, die den Erfolg einer Gruppe beeinflussen. Erstens kommunizieren gute Teams sehr ausgewogen miteinander, also nicht nur auf dem Umweg über den Chef. Zweitens hören die Einzelnen ebenso oft zu, wie sie selber reden – und vor allem: Sie schauen sich dabei an, was alles andere als selbstverständlich ist. Drittens findet mindestens die Hälfte ihrer Kommunikationen außerhalb formaler Meetings statt. Und viertens suchen sie aktiv außerhalb der Gruppe neue Informationen, die sie wieder einspeisen können. Oder anders gesagt: Sie haben viel »Energie«, ein großes »Engagement« und »Entdeckerfreude«. Das ist ein ziemlich anspruchsvolles, seltenes Profil.

Die hohe Kunst besteht nun darin, aus schlechten gute Teams zu machen. Dabei helfen oft Winzigkeiten, sagt Waber. Die Auflösung der Daten erlaubt erstmals, diese granularen Details zu erkennen. »Die wichtigste Entscheidung des Managements ist meist, wo der Wasserspender stehen soll«, erklärt Waber. Die Provokation bereitet ihm Freude: Nicht die große Strukturänderung ist entscheidend, sondern so eine scheinbare Nebensächlichkeit wie der Wasserspender. Denn dort entspinnen sich die meisten Gespräche und es lodert soziale Energie auf. Landet der Spender in der Besenkammer, weil dort noch Platz war, kann tatsächlich die Produktivität darunter leiden. Ähnlich wichtig kann zum Beispiel die Größe der Kantinentische sein oder die Länge der Pausen.

Alle Daten indes deuten darauf hin, dass es ein Wundermittel gibt, um Unternehmen voranzubringen: persönlicher Kontakt. Reden von Angesicht zu Angesicht. In der Kantine, auf dem Flur, vor der Kaffeemaschine. Das gefällt vielen Managern nicht, die glauben, allein mehr Arbeit und weniger Quatschen würde die Effizienz steigern. Waber kann ihnen das Gegenteil beweisen: Mehr Quatschen ist wichtiger als mehr Arbeit.

Das fand er zum Beispiel im Call Center einer großen Bank heraus. Die Arbeitnehmer durften keine gemeinsame Pause machen, weil die Telefone stets besetzt sein sollten. Mit seinen Daten konnte Waber die Bank bewegen, einzelnen Teams eine 15-minütige gemeinsame Unterbrechung zu erlauben. Schon sprang die Produktivität, gemessen etwa an der Zahl der beantworteten Anrufe, gewaltig in die Höhe. Und die Zufriedenheit der Mitarbeiter auch. Diese eine Pause am Tag brachte der Bank, nachdem sie in allen Call Centern eingeführt wurde, mehr als zehn Millionen Dollar zusätzlichen Gewinn im Jahr.

In einem IT-Unternehmen machte Waber eine andere Entdeckung. Jeder einzelne der 54 Mitarbeiter war immer dann besonders produktiv, nachdem er mit einem von vier Angestellten gesprochen hatte. Diese vier Arbeiter waren selbst nicht sonderlich produktiv, steigerten aber die Produktivität aller anderen. Nur erhielten sie dafür nie die angemessene Anerkennung.

»Die Daten zeigen uns, wie wir eine Kultur schaffen können, die Menschen unterstützt und bessere Arbeitsbedingungen schafft«, schwärmt Waber. Anstatt große Strukturveränderungen vorzunehmen, sollten die Firmen lieber mit kleinen Veränderungen experimentieren und messen, ob sich Stimmung und Leistung verbessern. Und wenn nicht, sollten sie eben andere Dinge ausprobieren. Bis es passt. Die Firmen werden so geschmeidig wie die Daten, die sie über sich selbst erheben. Die Granularität der Daten formt ein granulares Verhalten.

Das Ziel dabei ist stets dasselbe: »Wir müssen die Zahl der Zufallsbegegnungen erhöhen und mehr spontane Kommunikation ermöglichen.« Wie bitte? Ausgerechnet die Daten, die uns doch vorhersagbar machen (sollen), dienen dem Zufall? Der Spontaneität?

Im besten Fall leuchten die Daten die Bedürfnisse des Menschen aus und definieren in größerer Präzision, was wir brauchen, um uns wohl zu fühlen. Die Daten erhellen uns selbst und ermöglichen eine möglichst präzise Anpassung der Lebensumstände an unsere Bedürfnisse. Das ist die Utopie der granularen Gesellschaft.

Im schlechtesten Fall folgt aus der genauen Beobachtung die Unterjochung aller spontanen Regungen und Verhaltensweisen. Ein Casino in Las Vegas setzt Kameras ein, um die Lächel-Frequenz der Croupiers und Kellnerinnen zu erfassen – und sie bei mangelndem Zähnezeigen abzumahnen. Die Supermarkt-Kette Tesco streift Arbeitern Armbänder über, um ihre Effizienz beim Verladen von Ware zu kontrollieren. Und Kurierdienste überprüfen per GPS die Routen ihrer Fahrer. Auch in diesen Fällen entstehen singuläre Profile, nur dienen sie hier dazu, einzelne Mitarbeiter zu kontrollieren und unerwünschte Verhaltensweisen zu sanktionieren.

Ben Waber hat festgestellt, dass es nach anfänglichem Zögern oft die Mitarbeiter sind, die das Sociometer besonders schätzen lernen. Denn plötzlich können sie ihre Beschwerden über das Management mit Daten untermauern: Auch die Chefs werden durchleuchtet – und womöglich als inkompetent entlarvt. Es ist also alles andere als ausgemacht, dass die digitale Auflösung stets nur den Mächtigen nützt. Allerdings werden Vorkehrungen nötig sein, um die Zugriffsrechte gerecht zu verteilen.

Aber alle, Chefs wie Untergebene, werden neuen Bewertungsmaßstäben unterzogen, die exakter und unerbittlicher sind denn je. Mit mathematischer Präzision wird ermittelt, wie nützlich wir sind, wie sehr wir den Erfolg eines Unternehmens befördern und worin genau unser Beitrag zur Produktivität besteht. Eine Art »Hyper-Meritokratie« droht, in der jede Äußerung, jede Handlung auf ihren ökonomischen Wert untersucht wird. Schon jetzt nimmt die Spreizung der Einkommen nicht nur zwischen oben und unten zu, sondern auch innerhalb der Lohngruppen. Die Mikro-Unterschiede in der Bezahlung zwischen Arbeitnehmern, die eigentlich dasselbe tun, wachsen. Ein Grund dafür liegt offenbar in der immer präziseren Erfassung der Produktivität jedes Einzelnen. Diese wird in Zukunft weiter zunehmen. Das Gesetz der Granularität wirkt auch hier: Je genauer wir messen, desto ausgeprägter wird die Ungleichheit. Und das gilt nicht nur für unser Arbeitsleben. Sondern auch für unsere Demokratie.

# WIE OBAMA SEIN VOLK AUFLÖSTE

Als US-Präsident Barack Obama im Jahr 2012 zur Wiederwahl antrat, gaben ihm nur wenige Wahlforscher eine Chance. Zwei Jahre zuvor hatte er bei einer vernichtenden Zwischenwahl die Mehrheit im Abgeordnetenhaus verloren, mehr als ein Fünftel seiner Anhänger hatten sich von ihm abgewendet, und in Umfragen äußerten viele Bürger immer wieder ein einziges Wort: Enttäuschung. Maßlose Enttäuschung über den Mann, der wie kein Zweiter ihre Hoffnungen geschürt hatte. Zudem: Seit dem Zweiten Weltkrieg war – mit Ausnahme von Ronald Reagan – nie ein US-Präsident bei einer Arbeitslosenquote von über sechs Prozent wiedergewählt worden. Während Obamas erster Amtszeit lag sie meist bei knapp acht Prozent.

Als Obama am Abend des 17. Dezember vor die Kameras trat, um sich als neuer, alter Präsident bejubeln zu lassen, konnten viele Experten seinen Triumph kaum fassen: Der Amtsinhaber lag mit mehr als fünf Millionen Stimmen vor dem Herausforderer Mitt Romney – der so sicher gewesen war zu gewinnen, dass er nicht einmal eine Verlierer-Rede vorbereitet hatte. Außerdem hatte Obama mehr Freiwillige rekrutiert als in seinem rauschhaften ersten Wahlkampf und mehr Spenden eingesammelt als je ein Kandidat vor ihm, über eine Milliarde Dollar.

Was war geschehen? Wie konnte Obama den Sieg gleichsam unter dem Radar vieler Beobachter einfahren? Erst nach und nach wurde deutlich, dass Obama einen Wahlkampf ganz neuer Art geführt hatte: Wie kein anderer Politiker vor ihm hat er die digitale Auflösung des Wahlvolkes betrieben. Er hat den ersten Wahlkampf der granularen Gesellschaft geführt.

Für seine Wahl-Revolution versammelte Obama in seinem Hauptquartier in Chicago die digitale Avantgarde:

rund 300 Statistiker, Programmierer und Datenanalytiker, die zuvor bei Google, Facebook, Twitter und Amazon gearbeitet hatten. Dazu kamen drei professionelle Pokerspieler sowie ein Biophysiker der Harvard-Universität. Obamas Datenteam wurde innerhalb kürzester Zeit eines der größten des Landes – und kostete über den gesamten Zeitraum der Wahl mehr als 100 Millionen Dollar.

Darunter waren viele schräge Vögel. Harper Reed, der Technische Leiter von »Obama for America«, war bekannt für seinen auffälligen, an Wilhelm II. erinnernden Schnauzbart, die riesigen Löcher in seinen Ohrläppchen sowie für ein Bild, das er auf Facebook gepostet hatte. Es zeigte ihn nackt in seiner Badewanne, darunter stand der Kommentar: »Hört auf, zu glotzen, es ist nichts zu sehen.« Nach dem Sieg war Reed einer der Ersten, den Obama in die Arme schloss.

Rund 50 Datenanalytiker wurden in einen fensterlosen, kümmerlich beleuchteten Raum gesperrt, den alle nur »The Cave« nannten, die Höhle. Er lag am nördlichen Ende von Obamas Hauptquartier im One-Prudential-Plaza, einem Wolkenkratzer direkt am Seeufer von Chicago. Die Höhle erlangte bald mythischen Status bei den anderen Mitarbeitern der Obama-Kampagne, schon weil es dort sehr informell zuging. Viele Höhlenbewohner trugen löchrige Jeans und T-Shirt sowie unbedingt Gesichtsbehaarung. Wie nahezu jede Revolution wird auch die granulare von jungen, bärtigen Männern gemacht.

Jeden Nachmittag um 16:30 Uhr schalteten sie das spärliche Licht aus, die Diskobeleuchtung an und tanzen frenetisch fünf Minuten lang zu Gangnam Style oder der Musik eines Wahlwerbespots. Danach arbeiteten alle schweigend weiter, meist in 16- bis 18-Stunden-Schichten.

Chef im Raum war der erst 29 Jahre alte Daniel Wagner, der sich gemeinsam mit dem Leiter von Obamas Kampagne,

Jim Messina, vorgenommen hatte, mehr Wissen über die Wähler zusammenzutragen als je zuvor. Und damit meinte er nicht die Durchschnittswerte für bestimmte Gruppen, sondern Wissen über möglichst viele *einzelne* Wähler.

Das gelang ihm mit erschreckender Präzision. Zwar sind längst nicht alle Einzelheiten des strenggeheimen Daten-Wahlkampfes bekannt, aber genug, um zu verstehen, was damals geschah. So geht man davon aus, dass Wagners Datenbank für jeden der 166 Millionen Wähler rund 10 000 bis 20 000 Datenpunkte enthielt: Name, Anschrift, Telefonnummer, frühere Wahlentscheidungen, Antworten in Umfragen, politische Meinungen, Daten über Einkommen und Konsumverhalten, Freunde auf Facebook und Twitter – und etliche Details mehr.

Auch frühere Wahlkämpfer besaßen eine Fülle an Daten. Aber meist waren sie zersplittert: Die Spendensammler hatten eine Liste, die Türklopfer eine andere, die Betreiber der Website wieder eine andere. Obama knackte diese Silos auf, führte sie zusammen und kaufte vermutlich noch etliche Daten hinzu. Und dann ließ er sie minutiös und mit den neuesten Verfahren auswerten. »Datenvolumen und -integration bei Obama hatten eine neue Dimension erreicht«, sagte später ein Insider der Kampagne.

Aus diesem gewaltigen Datenfundus errechneten Wagners Algorithmen für jeden Wähler mehrere Kennziffern. Einen *persuasion score* zwischen 1 und 100, der die Wahrscheinlichkeit angab, dass ein Bürger Obama wählt. Ein Wert, der verriet, ob ein Bürger überhaupt zur Wahl gehen wird. Einer, der angab, ob es lohnt, einen Wähler anzustupsen und ihn zur Wahl zu bewegen. Und eine Kennziffer, die vorhersagte, ob ein Unentschiedener durch ein persönliches Gespräch mit einem Obama-Fan zur Stimmabgabe für die Demokraten motiviert werden kann.

Acht Monate vor der Wahl destillierte Wagner aus der

Datenflut 15 Millionen Wähler, auf die sich die Kampagne konzentrieren sollte, weil sie als *persuadable* galten, als überzeugbar: 15 Millionen Unentschiedene, Wechselwähler und Zögerliche. Das Zünglein an der Waage. Die meisten anderen Bürger interessierten Obama nicht, weil sie entweder nicht wählen würden oder fest in seinem eigenen oder Romneys Lager standen.

Aber selbst diese Datenbank war Obamas Wahlkämpfern noch zu ungenau, weil statisch. Sie wollten tagesaktuelle Daten. Deswegen ließen sie jeden Abend rund 30 000 Wähler anrufen und detailliert nach ihren aktuellen Einstellungen befragen. Die Antworten flossen umgehend in die Datenbank ein. Als Obama das erste TV-Duell gegen Romney verlor, sahen seine Wahlkämpfer sofort den Effekt: Vor allem Frauen begannen in ihrer Zuneigung zu Obama zu wanken.

Alle Wahlhelfer besaßen Apps, mit denen sie die Aussagen jedes Wählers, mit dem sie gesprochen hatten, sofort an die Zentrale weitermeldeten. Das Wissen über das Volk wuchs dabei nahezu im Minutentakt und wurde kontinuierlich weiterverarbeitet. »Wir haben mit den aktuellen Daten jede Nacht 66 000 verschiedene Hochrechnungen laufen lassen«, schwärmte Obamas Wahlkampfchef Jim Messina.

Kein Wahlvolk der Welt ist je so genau vermessen, so präzise aufgelöst worden. Obamas Datenkämpfer schauten nicht nach dem Individuum, sondern sie suchten nach der Einzigartigkeit jedes Wählers, nach seiner Singularität. Sie individualisierten nicht, sie singularisierten. Obama hat aus einem Volk von Individuen ein Volk von Singularien gemacht.

Und mit diesem Wissen haben sie die Wähler beeinflusst. »Wir konnten vorhersagen, welche Leute per Internet spenden. Wir konnten vorhersagen, welche per Post spenden. Wir konnten vorhersagen, welche freiwillig Wahlhelfer werden«, verkündete ein Insider nach dem Sieg. »Obamas Wahlkampfteam weiß nicht nur, wer du bist«, kommentiert der Journalist Sasha Issenberg, der über das »Sieges-Laboratorium« des Präsidenten ausführlich berichtet hat, »es weiß auch, wie es dich zu der Person machen kann, die du sein sollst.«

Digitale Macht besteht darin, einzelne Bürger oder Konsumenten zu singularisieren – und dann gezielt zu beeinflussen. In diesem Sinne ist Obama der erste digitale Präsident. Damit verändert er die Funktionsweise der Demokratie. Seine Revolution bestand aus drei Elementen: Obama hat die Wähler erstens singularisiert, er hat zweitens ständig Feedback von ihnen eingeholt, und er hat drittens ihre private Kommunikation für sich genutzt.

Bislang unterteilten Wahlstrategen die Wähler meist nur in grobdefinierte Gruppen: weiße Frauen aus Vorstädten, Männer zwischen 30 und 49, Alleinerziehende mit Job. Seit John F. Kennedy damit begonnen hat, gab es »Überzeugbarkeitsziffern«, die aber recht willkürlich ermittelt wurden. Man befragte wenige Einzelne, um auf den großen Rest zu schließen. Stichprobe und Hochrechnung. Das Verfahren der Moderne.

Es ist, als würde man ein grobkörniges Foto vergrößern: aus 10 Pixeln werden 1000 Pixel. Dabei erhält man keine neuen Details, bloß Unschärfe. Ein Pixel, das ursprünglich eine Person repräsentiert, muss nun 1000 Menschen darstellen, denen man eine grundlegende Ähnlichkeit zur befragten Person unterstellte. Nicht sehr realistisch – aber das Beste, was man hatte.

Mit der Zeit wurden die Gruppen immerhin kleiner. Anfangs waren es drei Schichten: Arbeiter, Mittelklasse, Oberschicht. Daraus wurden in Deutschland in den achtziger Jahren die weithin genutzten Sinus-Milieus, die das Volk entlang lebensweltlicher Variablen in mittlerweile zehn

Sphären einteilen, von Konservativ-Etablierten bis zur Leistungselite der Performer. Der amerikanische Datengigant BlueKai sortiert die 300 Millionen Amerikaner inzwischen in 30 000 verschiedene Kategorien, um gezielt Werbung schalten zu können.

Wagners Team trug diese neuen Möglichkeiten in die Politik. Es verzichtete darauf, die bisherigen Gruppen immer weiter zu zerteilen, um schließlich beim Individuum anzukommen, also alle »weißen Frauen in Vorstädten« zu nehmen und sich von dort gewissermaßen zu den Individuen herunterzurechnen. Dies hätte der alten Methodik entsprochen: *top-down*, wie es im Jargon heißt, von oben nach unten. Erst die Gruppe, dann das Individuum. Wobei man nie ein genaues Bild erhält, denn die Ausgangsgruppe ist ja bloß ein statistisches Konstrukt.

Wagner nahm den umgekehrten Weg: *bottom-up*, von unten nach oben. Er setzte aus den Datenquellen nicht erst Gruppen und dann die Einzelnen zusammen, sondern rechnete gleich mit Singularien. Unter Umgehung der Gruppen. Wenn man die Einzelheiten hinreichend gut kennt, dann ist der Gruppendurchschnitt irrelevant.

Das Ergebnis dieser Singularisierung war eine geradezu quecksilberhafte Beweglichkeit der Kampagne, die den Gegner völlig verwirrte. »Die haben Wähler erreicht, von denen wir nicht einmal wussten, dass es sie gibt«, klagte hinterher ein Helfer von Romney. Und ein anderer sprach beinahe bewundernd von Obamas »variabler Strategie«. Denn Auflösung übersetzt sich in Flexibilität.

Obamas TV-Werbung war beispielsweise viel zielgenauer und daher kostengünstiger als die des Gegners. Die Werbespots der Demokraten wurden besonders oft nachts und in Programmen mit niedriger Einschaltquote gezeigt, weil sie die Wähler dort besonders treffsicher und vor allem günstiger erreichen konnten. Das Team Obama schaltete auch Werbung in TV-Shows wie *Sons of Anarchy* oder *The Walking Dead* – drastische und von Politikern sonst gemiedene Serien.

Das alles aber wäre nutzlos gewesen, wenn Obama nicht auch seine politische Botschaft hochaufgelöst hätte. Er hat sich dafür einer Technik bedient, die Google, Facebook und andere Hightech-Unternehmen seit einigen Jahren ausgiebig nutzen: das sogenannte A/B-Testen. Zufällig ausgesuchten Usern werden unterschiedliche Versionen etwa einer Website gezeigt, um zu messen, auf welcher Seite sie länger bleiben, mehr kaufen oder mehr spenden. Google unternimmt mehrere Tausend solcher Tests pro Jahr. Legendär ist die Suche nach dem richtigen Blau auf der Suchmaschinenseite, in der 40 verschiedene Schattierungen getestet wurden.

Obamas Team testete immer wieder jedes Element der offiziellen Wahl-Website und machte sie so zur besterforschten Spendenseite aller Zeiten: jede Farbe, jedes Foto, jeder Satz wurde hundertfach erprobt. Welche Aufforderung bringt mehr Spenden: »Melden Sie sich jetzt an!«, »Werde Mitglied!« oder »Erfahre mehr!«? Die Antwort: »Erfahre mehr!« treibt exakt 18,6 Prozent mehr Spenden ein als »Melden Sie sich jetzt an!«. Warum? Das weiß niemand. Ist auch egal. Was zählt, ist der Erfolg.

Besonders schockiert waren die Wahl-Experten über ihr eigenes mangelhaftes Urteilsvermögen. So waren sie nahezu einstimmig davon überzeugt, dass das Video einer Obama-Rede viel mehr Klicks erzeugen würde als ein Foto. Nur um zu lernen, dass noch das schlechteste Foto um 30,3 Prozent besser funktionierte.

So machten es Obamas Tester mit allen Botschaften. Jede Spenden-E-Mail, die ein potentieller Wähler bekam, wurde vorher mindestens 18-mal getestet: Welche Anrede zieht die höchsten Spenden nach sich, welche Betreffzeile? Die

Analysten probierten so unterschiedliche Betreffzeilen wie »Wollen Sie mir zum Abendessen Gesellschaft leisten?« oder ein einfaches »Wow«. Als wirksamste Zeile erwies sich lange Zeit schlicht: »hey«. Mindestens 75 Millionen zusätzliche Dollar soll dieses unablässige Testen und Auflösen der Botschaften erbracht haben.

Der letzte Trick Obamas war schließlich der genialste. Von Anfang an legte Obama höchsten Wert auf eine schlagkräftige Truppe von Freiwilligen, die mit möglichst vielen Wählern sprachen. Aber nur dank der Algorithmen von Dan Wagner wusste sein Team, bei wem sich Gespräche lohnen. So klopften allein im besonders umkämpften Bundesstaat Ohio in den letzten vier Tagen vor der Wahl rund 21 000 Freiwillige an 890 000 Türen und führten 350 000 Gespräche. Am Ende gewann Obama diesen Bundesstaat mit 103 481 Stimmen Vorsprung – wäre das ohne seine zielsichere Bodentruppe gelungen? Die Freiwilligen waren mit Smartphone-Apps ausgerüstet, denen sie den exakten Wortlaut der Gesprächseröffnung oder der Abschlussformel entnahmen – *Scripted Reality*, aber wirkungsvolle.

Obama machte sich auch die Freundschaftsnetzwerke der Wähler zunutze. Wer sich mit seinem Facebook-Konto auf Obamas Website registrierte, gab seine Freunde für Wagners Algorithmen frei, die errechneten, welcher der Freunde überzeugbar war, und den Facebook-Fan baten, sie anzusprechen. Die Kampagne war ein rauschender Erfolg: Knapp 80 Prozent der Angesprochenen konnten ihre Freunde für Obama gewinnen, ergaben die Auswertungen der Datensammler. Eine spektakuläre Quote.

Und ein atemberaubender Vorgang: Maschinen identifizierten jene Menschen, auf deren persönlichen Einsatz sich Obama besonders verlassen konnte. Erstmals in der Geschichte machten Maschinen und private Netzwerke gemeinsam Wahlkampf. Algorithmen, Wähler, soziale Netzwerke und politische Ziele griffen auf eine schwer durchschaubare Weise ineinander.

Manche sehen darin eine überaus positive Entwicklung: Sasha Issenberg etwa kommt zum Ergebnis, dass Obamas Wahlkampf die Menschen wieder zusammengeführt hat. Zwar habe Obama die Wähler auf Kennzahlen und Identifikationsnummern reduziert, sie aber gerade dadurch auch in ihrer Individualität berücksichtigt. Obama habe die gesamte Bevölkerung der USA so behandelt wie es Kandidaten in Lokalwahlen tun: persönlich, direkt, voller Respekt. Massenmedien wie Fernsehen und Radio hätten Wahlkämpfe in anonyme, distanzierte Veranstaltungen verwandelt, so Issenberg, die Datenanalyse sei dagegen ein Schritt in Richtung jener guten alten Zeit, als Kandidaten ihre Wähler noch persönlich kannten und jeden einzeln ansprachen. Die Hightech-Wahl führt zurück ins Dorf, die Algorithmen spenden menschliche Wärme.

Schön wär's.

## GRANULARE DEMOKRATIE

Die algorithmische Auswahl von Wählern entspricht nicht dem Handschlag von Kandidat und Bürger am Gartentor, denn bei diesem begegnen sich Politiker und Wähler auf Augenhöhe – und zumindest während des Gesprächs besteht eine grundsätzliche Symmetrie, wenn nicht gar eine leichte Überlegenheit des Wählers: Im Zweifel weiß er mehr über den Politiker, als dieser über ihn.

Die algorithmisch verteilte Aufmerksamkeit hingegen lebt von der Asymmetrie zwischen den Rechenkünsten der Analysten und der Ahnungslosigkeit der Wähler. Von der Ebenbürtigkeit eines persönlichen Gespräches kann keine

Rede sein. Vielmehr wird im granularen Wahlkampf die grundlegende demokratische Gleichheit bedroht.

Als die Bürger des 18. und 19. Jahrhunderts sich aufmachten, das allgemeine Wahlrecht zu erkämpfen, befeuerte sie egalitärer Furor. In Wahlen sollte sich die prinzipielle Gleichheit aller Menschen ausdrücken. Das Wahlrecht komme ihnen nur zu »wegen der Eigenschaften, die sie alle gemeinsam haben, und nicht wegen derjenigen, die sie voneinander unterscheiden«, schrieb eine der schärfsten Federn der Französischen Revolution, Emmanuel Joseph Sieyès. Diese Abstraktion von allen Differenzen begründet das Wesen der Wahl. Alle Maßstäbe, anhand derer wir sonst Menschen ordnen und sortieren – Geld, Ruhm, Status, Bildung –, verblassen und es bleibt nichts als ein Volk von Gleichen.

Aber wie verhält es sich mit dieser Gleichheit, wenn das Volk bereits vor der Wahl sehr genau und anhand von singulären Profilen sortiert wird und Inhaber besonders wertvoller Stimmen von den Kandidaten intensiver umworben werden? Ist das Wahlergebnis dann nicht vor allem ein Resultat dieser vorhergehenden Filetierung?

Dafür spricht einiges. Denn das Wesen der Demokratie hängt entscheidend von den Informationen ab, die Politiker über die Wähler haben. Diesen Zusammenhang konnte vor kurzem der junge Politikwissenschaftler Eitan Hersh von der Yale-Universität nachweisen. Er hat Zugang zu der Liste aller knapp 170 Millionen registrierten Wähler, die Obamas Team im Wahlkampf 2008 verwendet hat. Diese Liste ist weniger präzise als die von Dan Wagner aus dem Jahr 2012, aber doch so aufschlussreich, dass Hersh daraus bemerkenswerte Erkenntnisse ziehen konnte.

Zum einen stellte er fest, dass die Art und Genauigkeit der Daten – ihre Auflösung – den Wahlkampf massiv beeinflussen. Der junge Forscher machte sich dabei die Tatsache zunutze, dass die Datenlage über die Wähler in den einzelnen Bundesstaaten der USA sehr verschieden ist. In manchen Staaten wissen die Politiker aufgrund strenger Gesetze eher wenig über die Wähler. In anderen Staaten können sie sehr genau sagen, zu welcher Partei ein Bürger gehört und wie er in den vergangenen Jahren gewählt hat. Das bisherige Wahlverhalten ist eine der wichtigsten Informationen, um auf das zukünftige Verhalten zu schließen.

Hersh konnte nun empirisch belegen, dass in jenen Staaten, in denen Politiker wenig über das Wahlverhalten der Bürger wissen, die Wahlkampfbotschaften viel allgemeiner formuliert sind und an breite Bevölkerungsschichten adressiert werden. In den Bundesstaaten mit präzisen Daten hingegen streuen Politiker viel mehr gezielte Botschaften für einzelne Gruppen. Und vielleicht noch wichtiger: Sie zielen auf ganz andere Wähler als in den datenarmen Staaten. »Datenqualität und -verfügbarkeit ändern grundlegend die Strategie in einem Wahlkampf«, fasst Hersh seine Ergebnisse zusammen. Anders gesagt: je höher die Auflösung des Wahlvolkes, desto weniger wird das ganze Volk angesprochen. »Mehr Daten erlauben den Politikern, sich auf Bürger zu konzentrieren, um die sie sich sonst nicht kümmern würden«, so Hersh, »zugleich ermutigt es sie, Bürger zu ignorieren, die sie sonst ansprechen würden.«

Um seine These zu belegen, ermittelte er, wie die Wähler »aussehen«, je nachdem, mit welcher Datenbrille sie betrachtet werden. In den Bundesstaaten mit gering auflösenden Daten ergab sich ein recht harmonisches Bild. Ein ausgeglichenes Volk erscheint dort in Form einer Graphik, in der alle Wähler ziemlich nah beieinander sind. Da die Wahlstrategen die Unterschiede zwischen den Wählern kaum ermitteln können, gilt die Mehrheit der Wähler als »moderat«, also weder sonderlich den Demokraten noch den Republikanern zugeneigt und erst recht nicht deren radikaleren Flügeln. Keine Spur von den erbitterten ideologischen Kämpfen, die in den USA toben.

Je granularer die Daten allerdings werden, desto weiter rücken die Wähler auseinander, bis sich Demokraten und Republikaner durch zwei ausgeprägte graphische Spitzen unterscheiden. Dann sieht die Gesellschaft plötzlich so aus, als wäre sie zutiefst gespalten. Daten sind nie neutral, sie erlauben keinen objektiven Blick auf die Welt, sondern stellen sie in einer Weise dar, die uns ein bestimmtes Verhalten nahelegt.

Die Gleichheit der Bürger, zumindest in einem Wahlkampf, hängt letztlich also von der Unwissenheit der Politiker ab. Das ist eine ironische, aber zutreffende Formulierung. Man kann es auch anders ausdrücken: Unsere bisherige Demokratie hängt zum Teil von der Intransparenz der Wähler ab. Je mehr diese schwindet, umso mehr wandelt sich unser Gemeinwesen.

Die große Sorge von Kritikern der granularen Entwicklung ist, dass Politiker die allgemeine Ansprache von Wählern zunehmend vernachlässigen und stattdessen unterschiedlichen Gruppen unterschiedliche Vorteile versprechen, um auf diesem Wege undurchsichtige Koalitionen zu schmieden. Für die Bürger ist das nicht unbedingt zu durchschauen, weil die jeweiligen Botschaften im Kreise der Zielpersonen bleiben. Wie kann die Richtigkeit der gezielten Botschaften überprüft werden, wenn sie nicht mehr öffentlich artikuliert werden? Finden die wahlentscheidenden Vorabsprachen in elektronischen Hinterzimmern statt, zu denen die anderen Bürger keinen Zutritt haben? Und wie wirkt es sich aus, wenn viele Wähler vermehrt solche Botschaften hören, für die sie besonders empfänglich sind, weil sie ohnehin schon von ihnen überzeugt sind? Es ist viel zu früh, solche Fragen beantworten zu können. Cass Sunstein, ein Rechtsprofessor an der Harvard-Universität, gibt allerdings zu bedenken: »Ohne geteilte Erfahrungen wird eine heterogene Gesellschaft große Schwierigkeiten haben, gemeinsam soziale Probleme in Angriff zu nehmen.«

Mit der Schwemme von Daten über den Einzelnen wird sich jedoch nicht nur die Politik, sondern es werden sich auch die elementaren Gerechtigkeitsvorstellungen verändern. Darauf weist der französische Soziologe Pierre Rosanvallon hin. Als Reichskanzler Bismarck 1883 die Krankenversicherung und 1884 die Unfallversicherung einführte, beruhten sie darauf, dass alle Bürger als statistisch gleich erachtet wurden. Es ging eben nicht um die individuelle Verantwortung für den Lebenswandel, der zu Gesundheit oder Krankheit führte, sondern das Versicherungsrisiko wurde unabhängig von individueller Schuld über alle Bürger hinweg berechnet und gestreut.

Auch das: ein Gleichheitsschub. Er beruhte darauf, dass man nicht sonderlich viel über das Verhalten der Bürger wusste. Für das Funktionieren des Wohlfahrtsstaates ist dieser »Schleier des Nichtwissens« notwendig, so Pierre Rosanvallon. Eine »gewisse Intransparenz des Sozialen« ist die Voraussetzung dafür, dass sich alle Bürger als solidarisch begreifen und nicht jeweils die Schuld beim Einzelnen suchen. Unwissen vereint.

Aber dieser »Schleier des Nichtwissens« zerreißt in der granularen Gesellschaft. Die Gerechtigkeit ist in Frage gestellt, »wenn die über jeden Einzelnen verfügbaren Informationen zunehmen«. Je mehr wir über jeden Einzelnen wissen, umso schwerer fällt die Solidarität. Informationen sind der Gärstoff der Differenz. Und je mehr sich die Einzelnen und ihre Lebensgeschichten unterscheiden, desto weniger gibt es »in letzter Konsequenz zu versichern: Man brächte keine versicherungsfähige ›Masse‹ mehr zusammen.« Nur noch Singularien, die einander die Schuld an ihrem jeweiligen Einzelschicksal geben.

Wir brauchen also neue Verfahren, wie wir die Gleichheit trotz Granularität sicherstellen. Regelungen, welche Informationen in Wahlkämpfen und bei Verteilungsfragen zulässig sind und welche nicht. Dafür gibt es noch nicht einmal ausgearbeitete Vorschläge geschweige denn tragfähige Lösungen. Wir sehen zwar in Echtzeit, wie die Probleme entstehen, aber kommen mit den Antworten nicht hinterher.

Eine Hoffnung wäre, dass uns in Deutschland dieses Schicksal erspart bleibt. Aber dafür spricht wenig. Julius van de Laar hat 2008 und 2012 in verschiedenen Positionen für Obamas Wahlkampf gearbeitet. Heute lebt er in Berlin und berät deutsche Politiker. »Die Daten sind auch in Deutschland vorhanden, aber sie werden noch nicht genutzt«, sagt der junge Deutsche. »Allerdings stehen wir gesellschaftlich an einem anderen Ort«, soll heißen: Der Umgang mit Daten ist sensibler, den Wahlkämpfern steht nur ein Bruchteil des Geldes zur Verfügung und das Wahlrecht unterscheidet sich stark. Aber wer den Aufwand nicht scheut, könnte auch hierzulande enorme Datenmengen nutzen und das Volk viel höher auflösen.

Einiges spräche dafür: 60 der 299 Wahlkreise sind bei der letzten Bundestagswahl mit einem Unterschied von weniger als 6000 Stimmen entschieden worden, in einem Kreis betrug der Abstand sogar bloß 49 Stimmen. Und die SPD hat bei der letzten Wahl in Niedersachsen nur gewonnen, weil sie einen Kreis mit knapp 300 Stimmen Vorsprung geholt hat. Eine clevere, gezielte Kampagne nach Obamas Vorbild könnte auch hierzulande wahlentscheidend sein. Der Druck, auch in Deutschland präziser zu arbeiten, Technologie und Psychologie zusammenzubringen, wird also zunehmen. »Wir hinken den USA zehn, fünfzehn Jahre hinterher«, sagt van de Laar. Unsere Schonfrist.

# SELTENE KÖRPER, SELTENE KRANKHEITEN

Längst haben viele Menschen damit begonnen, begeistert und aktiv an ihrer Singularisierung zu arbeiten. Ralf Belusa etwa. Dabei hilft dem 39-jährigen Angestellten aus Berlin seit kurzem eine neue Waage, die sein Gewicht, sein Körperfett, seinen Puls und den $CO_2$-Gehalt der Luft misst. Er besitzt auch ein Blutdruckmessgerät und bestimmt per Sensor seinen Sauerstoffgehalt im Blut. Ein elektronisches Armband erfasst seine Schlafzyklen und verrät ihm, ob er täglich die angestrebten 10 000 Schritte geht. Zudem notiert er täglich sein Befinden. Aber ein »Ess-Messer« ist er nicht, also jemand, der jede Banane und jede Stulle verzeichnet, die er zu sich nimmt. »Bringt nichts«, sagt er.

Denn er hat längst erkannt, wie das bei ihm mit dem Essen funktioniert: Liegt sein Körperfett unterhalb von 12,8 Prozent, kann er essen, was er will, auch die von ihm geliebte Schokolade. Steigt der Wert darüber, muss er seine Speisen sorgfältig wählen, um nicht schnell und stark an Gewicht zuzunehmen. Warum 12,8 Prozent? »Keine Ahnung«, sagt er, »das ist der Wert, der sich durch lange Beobachtung herausgeschält hat. Andere haben ganz andere Schwellenwerte. Dieser gilt nur für mich.«

Wer Ralf Belusa nun für einen zwanghaften Sonderling hielte, täte ihm Unrecht. Der drahtige Programmierer und promovierte Mediziner ist ein ansteckend fröhlicher Mensch und arbeitet in leitender Funktion bei der Berliner Firma Zanox, die Werbung im Internet vermittelt. Ein Datenmensch durch und durch. Nicht Kontrollwahn treibt ihn an, sondern Neugier: Wer bin ich, aus Sicht der Daten? Wer kann ich werden, dank der Daten? Wie unterscheide ich mich von anderen? Er ist Forscher – sein Studiengebiet ist er selbst. Datengeber und Datennehmer in Personalunion. Damit gehört er einer rasch wachsenden, weltweiten Bewegung an, die seit einigen Jahren unter dem Namen »Quantified Self« um sich greift. Das vermessene Ich.

Was die Self-Tracker erfassen, ist bunt und vielfältig. Einer verzeichnet jeden alkoholischen Drink, den er zu sich nimmt, eine andere verarbeitet ihre Blutwerte zu einer Kunstinstallation. Eine Weitere beobachtet, wie sich ihre Stimmung verändert in Abhängigkeit vom Essen, vom Schlaf, vom Sport. So intensiv messen nicht viele, aber viele messen inzwischen zumindest ein bisschen: In den USA erfassen rund zwei Drittel aller Erwachsenen regelmäßig mindestens einen Wert, sei es Blutdruck, Zucker, Gewicht oder anderes. Damit nähern sie sich langsam der personalisierten Medizin an, die allerdings noch in den Kinderschuhen steckt. Aber sie träumt denselben Traum: Jeder Mensch ist ein Unikat, ein Singularium. Und als solches ärztlich zu behandeln.

Dennoch bekommen ambitionierte Selbstvermesser haufenweise Schelte. In den Feuilletons ziehen Philosophen und Journalisten über die Bewegung her und werfen den QSlern vor, auf eine maschinenhörige, »kalte« Weise mit ihrem Körper und ihren Gefühlen umzugehen. Die Kritiker variieren dabei immer wieder drei Themen.

Erstens, die Selbstvermesser würden sich dem Diktat der Selbstoptimierung unterwerfen. Sie seien Büttel der Konkurrenzgesellschaft und versuchten sich durch die Arbeit am Selbst minimale Vorteile zu verschaffen.

Zweitens, die Selbstvermesser ergäben sich den Maschinen und entwürdigten so ihre Menschlichkeit. Ihre Huldigung von Graphen und Statistiken sei »nur die Zuspitzung unserer übersteigerten Zahlenaffinität«, schreibt die *Frankfurter Allgemeine Zeitung*. Ein anderer Kritiker diagnostiziert eine »fiebrige Sucht« nach Daten, macht die Selbstvermesser also zu Kranken ihres Genauigkeitsfetischs. Die QSler ignorierten in ihrem Genauigkeitswahn ihr Bauchgefühl, das sei fatal: »Die Frage ist, wem wir im Zweifelsfall

mehr Glauben schenken: der Maschine oder uns selbst.«
Die Vermessenen, so der Vorwurf, wählten die falsche Antwort.

Drittens gingen die QSler einer Illusion auf den Leim: Sie versuchten das Unmessbare zu messen. Die wahren Werte seien nicht auf einem Display abzulesen, Liebe, Freundschaft, Glück. Die Selbstvermessenen legten also den falschen Maßstab an ihr Leben an. »Das Selbst, das man wirklich kennenlernen will – und das einem immer entgleitet –, ist das, was nicht quantifiziert werden kann.« Oder anders: Messen ist kalt, das Leben ist warm – und der Temperaturunterschied nicht zu überbrücken.

Doch keiner der QSler, mit denen ich gesprochen habe, etwa auf der ersten Europäischen QS-Konferenz in Amsterdam Ende November 2011, würde der Kritik widersprechen: Auch das Selbstvermessen mag misslingen, auch Zahlen können – wie alles andere – süchtig machen oder in die Irre leiten. Aber das ist gar nicht der Punkt. Ihnen vorzuwerfen, sie würden nicht erkennen, was wichtig sei für *den* Menschen, geht völlig an ihren Absichten vorbei. Sie wollen gar nichts über *alle* Menschen oder über *den* Menschen erfahren, sondern nur über sich selbst. Sie versuchen herauszufinden, ob das, was vermeintlich für alle gilt, auch auf sie zutrifft. Sie misstrauen dem allgemeinen Wissen, den universellen Wahrheiten und großen Spekulationen der Philosophen und Mediziner. Wir »fordern die gängigen Normen und Wissensbestände heraus«, sagt einer der Gründer der Bewegung, Gary Wolf.

Selbstvermesser gehen von der radikalen Differenz zwischen den Menschen aus. Sie sind bereits in der granularen Gesellschaft angekommen. Wolf betont daher auch gerne das Paradox, dass die QS-Bewegung aus n=1 besteht, sie ist eine Bewegung aus Einzelnen, die etwas nur über sich in Erfahrung bringen wollen. Singularisierung pur. Geschichten darüber, wie Standardprozeduren der Medizin versagen, sind deshalb in der Szene sehr beliebt. Einer erzählt, wie seine Akne-Behandlung mit dem empfohlenen Antibiotikum fehlschlug – weil für ihn eben etwas anderes gut war. Ein Zweiter berichtet von seiner quälenden Apnoe, also Atemstillständen im Schlaf. Die Ärzte hatten ihm erzählt, welche Methoden sie üblicherweise anwenden: Erst schneiden sie die Mandeln raus. Wenn das nicht hilft, brechen sie den Kiefer und richten die Zunge neu aus. Wenn auch das nicht hilft, entfernen sie Teile des Gaumens. »Und wenn ich anders bin?«, fragte der QSler zurück. Antwort: Erst machen wir die Standardprozedur, dann sehen wir weiter. Gegen diese »Diktatur der Allgemeinheiten«, sagt Wolf, verteidigen sich Selbstvermesser.

Die Botschaft der Bewegung ist nicht: Ich unterscheide mich, also bin ich (wie wir es etwa aus der Mode kennen), sondern vielmehr: Ich beweise, wie ich mich unterscheide, also bin ich. Es geht nicht um Differenz durch ein austauschbares Accessoire oder eine veränderbare Meinung, sondern um die Unterscheidung als etwas Essentielles. Die meisten QSler vermessen sich zwar, um sich zu verändern, um fitter zu werden oder Gewicht zu verlieren. Aber dies gelingt nur, so glauben sie, wenn sie ganz bei sich bleiben und die unveränderbaren Faktoren ihrer Singularität berücksichtigen. Sie nehmen vorweg, was bald für die Mehrheit selbstverständlich sein wird.

## DIE KRISE DER GLEICHHEIT

Facebook verabschiedete Anfang 2014 auf der englischsprachigen Website die traditionelle Unterscheidung von Mann und Frau. Weil sie zu grob ist. Stattdessen bietet Facebook nun 56 Möglichkeiten an, sein Geschlecht einzuordnen:

von »androgyn« über »geschlechtslos« zu »transgeschlecht-
lich«. Frau kann auch »Cis Frau« ankreuzen, dazu zählen
sich jene Frauen, deren gefühltes Geschlecht mit ihrem bio-
logischen übereinstimmt. Oder User stufen sich als »neu-
trois« ein, verweigern also jede Geschlechterzuschreibung,
oder nennen sich »geschlechtsflexibel«. Facebook wolle, so
die Begründung, »dass du dich wohl fühlst mit deinem wahren, authentischen Selbst«, was heute bedeutet, auch sein
Geschlecht präzisieren und wählen zu können.

Wir erleben: die Krise der Gleichheit.

Die zeigt sich auch in der Arbeitswelt, ganz unabhängig
davon, ob Ben Waber mit seinen Sociometern vorbeikommt
oder nicht. In jeder Abteilung zählt zunehmend Einzigartigkeit. Der austauschbare Organisationsarbeiter der
Industriegesellschaft, der Disziplin und Erwartbarkeit ver-
innerlicht hat, geht in Rente und macht Mitarbeitern Platz,
die Kreativität und Eigenverantwortung kultivieren. Für die
1960er Jahre konnte der renommierte Ökonom John Kenneth Galbraith noch feststellen: »Im Industrieunternehmen
ist die Macht zwangsläufig und unwiderruflich auf die
Gruppe übergegangen.« Das ist vorbei, der Einzelne hat die
Bühne wieder erklommen.

Es reicht nicht mehr, lediglich sein Arbeitspensum ab-
zuarbeiten, gefragt ist Eigeninitiative. Die Dienstleistungs-
gesellschaft verlangt zudem personenbezogene Zuwendung, die nicht von der Stange zu haben ist, sondern den
eigenen, persönlichen *touch* als Qualitätsmerkmal belohnt.
Das hat durchaus Schattenseiten, denn solche Jobs erlauben
keine innere Distanz mehr, keinen Dienst nach Vorschrift,
sondern kommen als paradoxe Befehle daher: Verwirkliche
dich! Sei du selbst! Die fröhliche, hyperpersönliche Höchst-
leistung verbirgt oft einen dunklen Zwang. Und wer nicht
mitspielt, ist draußen.

Der Soziologe Pierre Rosanvallon sieht eine ähnliche

Entwicklung. Er beobachtet den »Übergang von einem Individualismus des Universellen zu einem Individualismus des Singulären«. Der frühere universelle Individualismus war untrennbar mit dem Gedanken der Gleichheit verbunden; seit der Französischen Revolution nahm man an, dass die Unterschiede zwischen den Menschen nur von einer fundamentalen Gleichheit ablenken. In diesem Sinne bezeichnete der deutsche Soziologe Georg Simmel Ende des 19. Jahrhunderts den modernen Individualismus als »Individualismus der Gleichheit«.

Der verabschiedet sich nun, so Rosanvallon. Das habe sich schon länger angedeutet, aber nun trete »die menschliche Emanzipation in ein neues Stadium ein, dem des Verlangens nach einer durch und durch persönlichen Existenz«. Die Menschen werden inzwischen mehr von ihrer persönlichen Geschichte als von ihrer sozialen Lage bestimmt. Die Lebensläufe von Menschen, auch wenn sie aus ähnlichen Milieus stammen und ähnliche Ausbildungen absolvieren, können sich drastisch unterscheiden – viel deutlicher als früher, als die soziale Herkunft der alles bestimmende Faktor war.

Das verändert die Wahrnehmung, in Erfolg wie in Niederlage: Wer heute scheitert, scheitert als *Homo singularis*, ganz allein verantwortlich; der Verweis auf die sozialen Bedingungen des Scheiterns wird immer weniger akzeptiert. Umgekehrt soll der Triumph auch ganz allein auf das Konto des Einzelnen gehen, es gelte, so Rosanvallon, das »ungeschriebene Gesetz, … als Star, Experte oder Künstler betrachtet zu werden« und »die eigenen Ideen und Urteile gewürdigt und als bedeutsam anerkannt zu wissen«.

Was zu Beginn der Moderne, in der Französischen Revolution, noch als »der mörderische Wahnsinn, sich zu unterscheiden« gegeißelt wurde, steigert sich nun zur Lebensbedingung. Der existentielle Unterschied wird wieder zur

Grundlage der Gesellschaft. Das hatten wir schon einmal, in der Feudalgesellschaft. In ihr hielten sich die Adligen für privilegiert, weil sie glaubten, etwas Besonderes zu sein und nicht »verwechselt zu werden«. Zu Beginn des 21. Jahrhunderts ist dieses Privileg demokratisiert worden. Wir wollen alle unverwechselbar sein.

Und nicht nur im Leben, sondern sogar noch im Tod. Das zeigt sich jeden Abend bei solch enorm populären Krimiserien wie *Bones* oder *CSI*. Eklige, fürchterlich zugerichtete Leichen in Großaufnahmen. Grässliche Details unappetitlicher Methoden. Schockierende Verbrechen. Warum schauen Millionen diese Serien dennoch an? Weil sie allnächtlich den unverwechselbaren Menschenkörper feiern – wenn auch als Leiche.

Die Kunst der Ermittler besteht darin, aus den winzigsten forensischen Spuren das Leben des Opfers zu rekonstruieren. Sie haben es mit Leichen zu tun, die auch über den Tod hinaus vom singulären Leben des Getöteten erzählen. Eine kaum erkennbare einseitige Abnutzung im Schultergelenk deutet auf eine Tennisspielerin, die Einlagerungen seltener Mineralien auf eine exotische Herkunft, der bizarre Abdruck eines Mordwerkzeugs auf einen extrem seltenen Beruf – der Körper als Tagebuch. Die Menschen haben keine kollektive Geschichte mehr, auf dem Seziertisch liegen nicht allgemeine Typen, sondern Wesen, deren Geschichte einmalig ist. In diesen Toten sehen wir unsere eigenen Besonderheiten.

Dass die Leichen meist übel zugerichtet wurden und bis zur Unkenntlichkeit entstellt sind, unterstreicht bloß, wie unzerstörbar die Spuren des Singulären sind. Nicht an unserer äußeren Erscheinung sind wir zu erkennen, sondern an den verborgenen Details unseres Lebens, die sich oft nur mit den fortschrittlichsten Methoden enträtseln lassen. Auch das ist abermals ein Zeichen der granularen Gesellschaft: In ihr können wir uns selbst nur noch mit Hilfe der Maschinen deuten. Der von Kulturkonservativen hervorgehobene Gegensatz zwischen Mensch und Maschine ist längst brüchig geworden.

## DIE NEUE SOZIALE PHYSIK

Mit den neuen Technologien deuten wir nicht nur unseren Körper aus, sondern auch unsere Sprache, Gesellschaft und Geschichte. Die beiden renommierten englischen Soziologen Roger Burrows und Mike Savage haben 2007 von einer »Krise der empirischen Soziologie« gesprochen: »Wir verlieren die Hoheit über die Deutung des Sozialen« – und zwar an Firmen wie Facebook und Google, Versicherungen und Mobilfon-Anbieter. Die Konzerne haben inzwischen viel bessere Daten über das, was in der Gesellschaft passiert, als die öffentlich bezahlten Sozialforscher auf ihren veralteten Papierbergen.

Ähnlich wie Meinungsforscher haben auch Sozialwissenschaftler sich bislang fast ausschließlich auf drei Methoden gestützt: Umfragen, Regierungsstatistiken, die meist einmal im Jahr erhoben werden, sowie Studien von einzelnen Menschen, Orten oder Ereignissen. Das Netz der Erkenntnis, das sie damit knüpften, war sehr grobmaschig. Aber sie wussten damit umzugehen.

Nun wird das Soziale ganz anders aufgelöst, und die Forscher müssen ihre bisherigen Werkzeuge wegschmeißen und neue, präzisere erfinden. Welche Schlüsse zieht man aus Milliarden von Datenpunkten? Wie verarbeitet man sie überhaupt? Und wie verlässlich sind die Ergebnisse? Datenfreaks in Universitäten und Firmen tasten sich vor, um die neuen Umrisse der Gesellschaft zu erschließen. Manchmal mit großem Erfolg.

Forscher der Harvard-Universität hatten die Nase voll, über die staatliche Zensur der Medien in China zu spekulieren oder Anekdoten zusammenzutragen. Diese haben zwar durchaus einen Erkenntniswert (und wir werden auch in Zukunft nicht auf solche Geschichten verzichten, schließlich verstehen wir die Welt vor allem im Modus der Erzählung), aber belastbare wissenschaftliche Daten sehen eben anders aus. Also ersannen die Harvard-Analytiker einen Weg, die Arbeit der Zensoren wie unter einem gewaltigen Text-Mikroskop detailliert aufzulösen. Sie luden 11 Millionen Posts von chinesischen Social Media-Websites (also dem chinesischen Facebook und Twitter) herunter, bevor die staatliche Zensur sie lesen und entfernen konnte. Anschließend bestimmten sie bei jedem einzelnen Post, ob und wann er zensiert wurde. Die überraschende und den bisherigen Vermutungen widersprechende Erkenntnis: China zensiert überhaupt nicht jede Kritik an der Regierung, sondern bloß den Aufruf zu kollektiven Aktionen, ganz gleich ob diese sich gegen das herrschende System wenden oder seiner Unterstützung dienen. Chinas Machthaber streben also vor allem Ruhe auf den Straßen an, nicht die Unterdrückung jeglicher Kritik. Ein erstaunliches Ergebnis.

Auch Archäologen und Historiker nutzen die neuen granularen Möglichkeiten. Letztere etwa in der European Holocaust Research Infrastructure (EHRI), in der versucht wird, aus Film- und Videoaufzeichnungen, aus Steuerverzeichnissen und Deportationslisten die Namen aller sechs Millionen von den Nazis ermordeten Juden zu rekonstruieren. Bislang ist nur rund ein Drittel der Namen bekannt.

US-Ökonomen haben kürzlich die Steuerdaten von mehr als 40 Millionen Menschen sowie deren Eltern aus 30 Jahren analysiert, um festzustellen, wie sich die Aufstiegschancen in den USA entwickelt haben. Auch diese Studie konnte Panorama und Detailtiefe kombinieren und sehr kleinteilig die Chancen von Kindern auf sozialen Aufstieg errechnen. Es zeigte sich, dass die Unterschiede zwischen den Regionen enorm sind und dass die Aufstiegschancen vor allem von der rassischen Segregation, der Einkommensungleichheit, der Schulqualität und davon abhängen, ob die Kinder mit beiden Elternteilen aufwachsen. Solche riesigen und zugleich granularen Studien werden einen wesentlichen Teil der sozialwissenschaftlichen Aufklärung der Zukunft bilden.

Philologen vermessen die Literatur von Grund auf neu. Der Literaturwissenschaftler Franco Moretti hat seine Kollegen in einem nicht sehr charmanten und vieldiskutierten Aufsatz darauf hingewiesen, dass sie nicht »Weltliteratur« studieren und nicht einmal »westeuropäische Romane«, sondern nur den winzigen Bruchteil, das eine Prozent, das es in den Kanon schafft. Jenseits davon lauert die Schwarze Materie des Vergessens, das Große Ungelesene. Moretti schlägt vor, diese Welten mit statistischen Methoden zu erschließen, mit dem, was er »Lesen aus der Ferne« nennt. Dafür werden die Bücher nicht in die Hand genommen, sondern nur ihre digitalen Versionen durchforstet. Das ist nicht dasselbe Lesen wie im Lehnstuhl, aber aufschlussreich ist es dennoch.

Ein Forscherteam hat auf diese Weise mehr als fünf Millionen englischsprachige Bücher analysiert, die nach 1800 veröffentlicht wurden. Sie stellten unter anderem fest, dass die Zahl der Wörter im Englischen zwischen 1950 und 2000 um mehr als 70 Prozent gewachsen ist: Die Ära der elektronischen Massenmedien, die gerne für einen kulturellen und sprachlichen Niedergang verantwortlich gemacht wird, entpuppte sich als enorm kreative Zeit (auch weil viele Erfindungen, von der Compact Disc bis zu Inlineskatern, nach neuen Bezeichnungen verlangten). Die Begriffsstatistiker fanden allerdings auch heraus, dass die Worte wieder schneller aus dem Sprachgebrauch verschwinden: Die Umschlagsgeschwindigkeit und die Varianz der Wörter haben sich also erhöht – was man als Beleg für eine sprachliche Granularität lesen kann.

Einer der Forscher, der diese Revolution maßgeblich beeinflusst, hat auch die Auflösung der Universität weitergetrieben. So jedenfalls sieht das »Labor« von Alex »Sandy« Pentland am MIT in Boston aus: eine Art Wohnzimmer mit riesiger schwarzer Ledercouch umrankt von Stühlen und Tischen, von Elektrobauteilen, von Flip-Charts mit Formeln, vertrockneten Pflanzen und einem namenlosen Hund. Das berühmte »Human Dynamics Lab« am noch berühmteren MediaLab hat ein Budget wie ein Weltkonzern und wird von Erwachsenen bewohnt, die sich wie 15-jährige Nerds aufführen.

Verabredungen mit Pentland sind vage und kollektiv, während des Interviews führt der Mann mit dem grauen, welligen Haarschopf und dem vollen Bart etliche Nebengespräche mit Doktoranden oder anderen Besuchern. In winzigen Büros neben der Couch sitzen Mitarbeiter und erfinden die Gesellschaft neu, indem sie sie berechnen.

Eine von Pentlands vielen Pioniertaten (unter anderem hat er mit Ben Waber das Sociometer entwickelt) besteht darin, aus den Daten von Handys die Bewegungsmuster und Freundeskreise ihrer Nutzer zu errechnen. Streng anonymisiert, betont er. Die Forschungen haben seinen Blick auf die Gesellschaft verändert. »Adam Smith und Karl Marx lagen beide falsch. Oder zumindest hatten sie nur die eine Hälfte der Antworten. Warum? Weil sie über Märkte und Klassen gesprochen haben, aber das sind Aggregate. Durchschnitte.« Und die sind für Pentland inzwischen wertlos. Er sieht stattdessen eine »neue Ära der sozialen Physik« aufziehen, in der jene Millionen und Abermillionen individueller Handlungen in den Blick kommen, die beispielsweise für den Arabischen Frühling oder Börsencrashs verantwortlich sind. »Wir müssen uns diesen neuen Mustern zuwenden, diesen Mikro-Mustern, weil sie nicht einfach zu einem Durchschnitt zu verrechnen sind wie in der traditionellen Auffassung der Gesellschaft.«

Noch etwas weiter geht der renommierte französische Soziologe Bruno Latour. Er vermutet, dass uns »die Gesellschaft« ganz abhandenkommt. Unsere Ideen von der Gesellschaft beruhen seiner Meinung nach auf kruden, statistischen Verfahren, die in der Folge schwammige Aggregate wie »Gruppen«, »Kulturen« oder »Klassen« erzeugen und sehr einfache »Strukturgesetze«, von Marx' Gesetz der fallenden Profitrate zu Theorien vom rationalen Wählerverhalten. Doch das, so Latour, ist »alte Sozialtheorie, geboren aus versprengten Daten«.

Granulare Daten machen diesen Ideen ein Ende. Je präziser einzelne Akteure, einzelne Handlungen erfasst werden können, desto weniger leuchten diese alten Aggregatbegriffe noch ein. Das gilt nicht nur für die Soziologie, sondern für alle Wissenschaftsrichtungen. Latour erwähnt unter anderem die Primatenforschung, die lange Zeit davon ausging, dass Paviane in einer streng hierarchischen, patriarchalen Gesellschaft leben, die mit wenigen Begriffen zu beschreiben sei: Aggression, Unterdrückung, Gewalt. Bis man anfing, über lange Zeiträume detaillierte Daten zu sammeln, und feststellte, dass die Tiere in hochgradig differenzierten Gesellschaften leben. Viele wissenschaftliche Überzeugungen halten höher auflösenden Daten nicht stand.

So wird es auch mit unserem Verständnis der eigenen Gesellschaft gehen. »Von groben, statistisch erzeugten ›Strukturen‹ gehen wir dazu über, individuelle Veränderungen zu erfassen«, so Latour, um daraus eine neue Gesellschaftstheorie zu entwickeln: Das Soziale muss »neu versammelt werden«.

Wie eine solche »Neuversammlung des Sozialen« aussehen kann, lässt sich nicht weit von Sandy Pentlands Büro bestaunen. Genauer: im MediaLab eine Etage tiefer. Dort arbeitet Deb Roy. Er leitet den Bereich »Cognitive Machines« und ist bekannt dafür, einem Computer namens »Ripley« Englisch beigebracht zu haben. Roys wichtigste Forschung aber fand vor allem zu Hause statt. In seiner Küche, seinem Wohnzimmer, im Keller, im Kinderzimmer. Roy hat aus seinem Haus das bestvermessene der Welt gemacht – und seinen Sohn zum bestvermessenen Menschen aller Zeiten.

Dwayne Roy (das ist nicht sein echter Vorname) hat die ersten drei Jahre seines Lebens in einer Art wissenschaftlichen *Truman Show* verbracht: rund um die Uhr von elf Kameras und vierzehn Mikrophonen begleitet. Nahezu jede seiner Äußerungen und Bewegungen sind aufgezeichnet worden: insgesamt 90 000 Stunden Video- und 140 000 Stunden Audiomaterial hat sein Vater auf Servern im Keller gespeichert, rund 200 Terabyte Daten. »Die bei weitem größte Heimvideosammlung aller Zeiten«, sagt Deb Roy augenzwinkernd.

Das Ziel: Roy will herausfinden, wie ein Kind zur Sprache findet. Er nennt das Vorhaben »Speechome Project«, in Anlehnung an die Entzifferung des Genoms vor einigen Jahren. Nie zuvor ist ein Kind so minutiös beobachtet worden, wie es versucht, aus ersten Lauten Worte zu formen. Zwar haben auch diese Aufzeichnungen Lücken, denn zum Schutz der Privatsphäre gab es zum Beispiel in jedem Zimmer einen Notfallknopf, den die Eltern nach peinlichen Momenten drücken konnten, um die letzten Minuten zu löschen. Außerdem gab es die Möglichkeit, das System ganz herunterzufahren, wenn Streit in der Luft lag.

Dennoch sind die Ergebnisse bemerkenswert. In einem Zeitraffer-Video hat Deb Roy vorgeführt, wie sein Sohn im Laufe eines halben Jahres zum Begriff *water* gefunden hat.

Eine faszinierende Reise von *guga* und *wadö* über *wuta* und *wata* schließlich zu *water*. Bis zu seinem zweiten Lebensjahr hat Dwayne exakt 503 Worte gelernt, das Forscherteam um seinen Vater hat eine Tabelle angefertigt mit der genauen Reihenfolge, in der Dwayne die Worte erlernt hat.

Dann haben die Forscher ermittelt, wann und unter welchen Umständen die jeweiligen Worte zuvor von den Eltern oder dem Kindermädchen gesprochen worden waren, um daraus zu schließen, wie Dwayne es gelernt haben könnte. Sie machten dabei eine interessante Entdeckung: Vor dem Erlernen eines Wortes durch Dwayne hatten die Erwachsenen ihre Sprache rund um dieses Wort systematisch vereinfacht und es dem Kind – vermutlich unbewusst – so leicht wie möglich gemacht, dieses Wort zu lernen. Woraus Deb auf enorm subtile, feinkörnige Feedback-Mechanismen zwischen Kind und Erwachsenen schließt: Das Kind lernt nicht einfach von den Eltern, sondern die Eltern spüren auch, wann es »reif« für ein neues Wort ist, und verändern dementsprechend ihr Verhalten. Die granulare digitale Technologie verrät uns, wie unglaublich hoch aufgelöst unsere menschlichen Interaktionen sind.

Noch ist unklar, was das Speechome-Projekt uns über den menschlichen Spracherwerb verraten wird. Die Forscher waren bislang hauptsächlich damit beschäftigt, erst einmal Methoden zu entwickeln, um die gewaltigen Datenmengen sinnvoll auszuwerten. Inzwischen hat Roy aus diesen Technologien ein System entwickelt, das die Inhalte von Hunderten von Fernsehprogrammen gleichzeitig und automatisch analysiert. Und diese Inhalte setzt er wiederum in Verbindung zu dem, was auf Facebook oder Twitter über sie gesagt wird. So kann Roy gleichsam dem Selbstgespräch einer ganzen Nation lauschen: »Und plötzlich sehen wir neue Sozialstrukturen und Dynamiken am Werk, die uns vorher verborgen blieben. Es ist, als würden wir unser Kommunikationsverhalten unter dem Mikroskop betrachten.« Die neue soziale Physik in Echtzeit.

Ob derlei Forschungen unsere bisherigen Begriffe – Klassen, Schichten, Systeme – tatsächlich obsolet werden lassen oder welche Kategorien ihren Platz einnehmen werden, steht noch in den Sternen. Es zeichnen sich jedoch bereits erste Konturen ab, wie der Medienforscher Lev Manovich sagt: Wenn unsere Aufmerksamkeit dem Individuum gilt, benötigen wir andere Verallgemeinerungen. »Wir fragen nicht mehr danach, ob und inwieweit jemand dem Idealtypus entspricht, sondern nach seinen Verbindungen und Interaktionen mit anderen Individuen. Beziehungen werden wichtiger als Kategorien; variable Funktionen wichtiger als Zwecke; Übergänge wichtiger als Grenzen; Sequenzen wichtiger als Hierarchien.«

Die neue soziale Physik ist beweglicher, geschmeidiger und auch schwerer zu greifen als die alte, an Strukturen und Funktionssystemen orientierte. Sie muss es sein, wenn sie sich auf die Granularität und die Singularisierung einstellt. Der Soziologe Dirk Baecker beschreibt den Vorgang so: »Nach allem, was man bisher erkennen kann, wird diese Gesellschaft ihre sozialen Strukturen auf heterogene Netzwerke und ihre Kultur auf die Verarbeitung von Schnelligkeit einstellen. Heterogene Netzwerke treten an die Stelle der eher homogenen Funktionssysteme, wie wir sie von der modernen Gesellschaft kennen.«

Nicht wenige sehen darin eine große Gefahr für unser Zusammenleben. Je mehr sich die Einzelnen unterscheiden, fürchtet Pierre Rosanvallon, umso größer die Konkurrenz zwischen ihnen, desto erbitterter der Kampf. Die Gemeinschaft der Singularien degeneriert in die eine »totale Konkurrenzgesellschaft«. Jeder kämpft gegen jeden, weil das Einende, das Gleiche fehlt. Damit greift Rosanvallon Vorstellungen auf, die im Zuge der Industrialisierung im

19. Jahrhundert entstanden sind. Auch damals wurde eine Art Schaukeleffekt beklagt: Je mehr Differenzierung, desto mehr Konkurrenz, und je mehr Konkurrenz, desto mehr Differenzen. Ein Teufelskreis, der am Ende die Zerstörung des Gemeinwesens nach sich ziehen würde. Aber das ist nie eingetreten.

Zugleich sieht Rosanvallon, dass wir nicht mehr hinter die »Aufwertung des Singulären« zurückgehen können. Der Traum des Kommunismus, der auf radikale Entindividualisierung setzte, so Rosanvallon, ist gestorben. Heute gilt: »Differenz ist das Verbindende, nicht das Trennende.« In einer besseren Welt werden die Unterschiede und die Komplexität der Gesellschaft anerkannt – es wird eine »Gesellschaft der Gleichen« sein, die aber ihre jeweilige Einzigartigkeit behalten. Wie man sich das vorzustellen hat, bleibt allerdings bei Rosanvallon schwammig. Er spricht von einer »Ungleichheitsbalance«, in der die diversen individuellen Ungleichheiten austariert werden, von Reziprozität und Kommunalität und von vielem mehr.

Möglicherweise übersehen solche politischen Projekte aber das Naheliegende: Die Singularisierung findet nicht im Vakuum einer totalen Konkurrenz statt, sondern in der dichten Vernetzung aller mit allen. Eine hochaufgelöste Welt und der singularisierte Mensch sind nur in einem komplexen Netzwerk, in einem Gewebe von Interaktionen denkbar.

Computerprogramme bestehen beispielsweise aus Millionen von Befehlszeilen, die Milliarden von Anweisungen ausführen. Oft arbeiten Hunderte von Programmierern rund um den Globus an solchen Programmen, und die Abhängigkeiten zwischen ihnen sind enorm. Eine Untersuchung in einem mittelgroßen Team aus 161 Programmierern ergab, dass jeder Mitarbeiter von im Schnitt 32 anderen Kollegen abhängig war, in der Spitze sogar von *allen* anderen. Im

Kern der digitalen Welt bedingen sich extreme Singularisierung *und* extreme Verbindung.

Daher auch das von Rosanvallon und anderen beobachtete Paradox, dass die neue Ära der Ungleichheit und Unterschiedlichkeit zu »einer erhöhten Sensibilität für soziale
Diskriminierung und zugleich zu einer erhöhten Toleranz«
gegenüber Schwulen, Lesben, Minderheiten aller Art führt.
Die Singularisierung ist so durchgreifend, dass sich nun
jeder als eigene Minderheit empfindet. Und darin gleicht er
allen anderen.

Wie genau sich diese Dynamik in der granularen Gesellschaft entfaltet, darüber wissen wir noch wenig. Auch wie
sich die Macht zwischen Unternehmen, dem Staat und den
Einzelnen verlagert und verteilt, ist noch nicht ausgemacht.
Die Verteilungskämpfe treten gerade erst in eine neue Runde. Sicher ist nur, dass es ein paar neue Mitspieler gibt: intelligente Maschinen.

# INTELLIGENZ-REVOLUTION
## ODER
# WARUM WIR SMARTER WERDEN. UND WELCHEN PREIS WIR DAFÜR BEZAHLEN

### DER FLIRT MIT DEN BOTS

Robert Epstein ist eine der heitersten und tragischsten Gestalten des digitalen Zeitalters. Der Psychologie-Professor
und Computerwissenschaftler hat unter anderem den all-
jährlichen Loebner-Wettbewerb mitgegründet. Dabei treten Software-Programme an, sogenannte Chatbots, um sich
mit Juroren zu »unterhalten« und diese zu überzeugen, dass
sie es nicht mit Maschinen, sondern mit Menschen zu tun
haben. Bislang ist das noch keinem der Chatbots gelungen.
Aber sie werden immer besser.

Im Winter 2007 begann Epstein einen Online-Flirt mit
einer Russin. »Wie bei den meisten Männern basierte mein
erster Eindruck auf einem Foto.« Es zeigte eine schlanke,
brünette, attraktive Frau. Ivana lebte in Russland und sie
schrieb reizende E-Mails in miserablem Englisch: »Ich habe
erzählt meinen Freunden von dich und alle glücklich egal
dass nicht hier in Russland.« Nach zwei Monaten beschlich
Epstein zunehmend das Gefühl, der E-Mail-Austausch dre-

he sich im Kreis. Ernsthaften Verdacht schöpfte er aber erst, als er eine Mail empfing, in der Ivana von langen Spaziergängen mit einer Freundin schwärmte. Bei minus 20 Grad im russischen Winter?

Epstein begann, die alten Mails noch einmal mit kühlerem Kopf zu lesen, und erkannte – endlich – die typischen Kennzeichen eines Bots: Ivana hatte nie auf konkrete Fragen geantwortet und blieb meist im Ungefähren. Er schickte einen letzten Test: »asdf;kj as;kj I;jkj;j ;kasdkljk ;klkj 'klasdfk; asjdfkj. With love, Robert«. Ivana reagierte mit einem langen Brief über ihre Mutter. Epstein musste einsehen, dass er reingefallen war – aber immerhin, tröstete er sich, auf »ein verdammt cleveres Programm«. Das war zwar noch nicht intelligent genug, um einen nüchternen Wissenschaftler zu täuschen, aber für einen liebesumflorten Mann hatte es eine Weile lang gereicht.

Was ist Intelligenz? Ein Forscher hat vor einigen Jahren 71 verschiedene Definitionen zusammengestellt und auf den kleinsten gemeinsamen Nenner gebracht: »Intelligenz misst die Fähigkeit eines Wesens, Ziele in vielen unterschiedlichen Umgebungen zu erreichen.« Diese Definition ist perfekt auf den Menschen zugeschnitten. Eine Biene kann Honig erzeugen, ein Biber einen Damm bauen; aber der Biber macht keinen Honig und die Biene errichtet keinen Damm. Beide haben also bemerkenswerte Fähigkeiten, aber nur sehr eingeschränkte Intelligenz, weil sie auf einen kleinen Ausschnitt der Welt festgelegt sind. Menschen hingegen bauen Dämme und Maschinen, legen Felder an und Windparks, errichten Pyramiden und Mondraketen. Viele Umwelten, viel Intelligenz.

Daran gemessen erscheinen die allermeisten Maschinen nach wie vor ziemlich dumm. So wie Bienen und Biber. Aber das hieße, ihren Einfluss auf die Welt und auf uns zu unterschätzen. Und es würde bedeuten, dass ein Sprachprogramm wie »Ivana« niemals wirklich intelligent sein könnte, weil es sich bloß in einer Umwelt, der Sprache, bewegt.

Ich glaube daher, wir sollten noch einen anderen Aspekt berücksichtigen: Intelligenz bedeutet zu überraschen. Egal in welcher Umwelt. Eine Biene wird uns vermutlich nie überraschen, sie tut, was sie tut. Eine Katze hingegen kann ziemlich unberechenbar sein, wie jeder weiß, der das Glück hat, eine zu besitzen. Deswegen attestieren wir ihr eine gewisse Intelligenz. Und so sollten wir auch mit Maschinen verfahren. Wenn sie überraschende Dinge tun, die wir nicht als Funktionsfehler erachten, dann sollten wir von Intelligenz sprechen.

Die Schreibsoftware »Word« ist demnach nicht intelligent; wenn sie uns überrascht, dann ärgern wir uns und halten es für einen Defekt, den wir fluchend korrigieren. Anders eine Internet-Suchmaschine: Wir wissen nie genau, was sie uns vorschlägt, aber halten die Suchergebnisse für eine wünschenswerte Leistung der Maschine, nicht für einen Mangel.

Wesentlicher Teil der Intelligenz-Revolution ist, dass wir zunehmend von Maschinen dieser Art umgeben sein werden. Saugroboter wie der vielverkaufte »Roomba« suchen sich eigene, überraschende Wege im Wohnzimmer – und werden daher, wie ein holländisches Forscherteam herausgefunden hat, von ihren Besitzern als Wesen mit eigener Persönlichkeit wahrgenommen. Software benotet studentische Hausarbeiten in manchen Fächern inzwischen ähnlich brauchbar wie Professoren, zumindest gleicht die Schwankungsbreite der Bewertungen denen von Menschen, die in ihrem Urteil oft dramatisch voneinander abweichen. Maschinen schreiben Gedichte, und zwar so gut, dass die Website »Bot or not« ein Quiz anbietet, ob jeweils Mensch oder Computer der Verfasser ist – und es ist erstaunlich, wie oft man in seiner Einschätzung falschliegt.

Maschinen komponieren Musik und schreiben einfache Zeitungsartikel, die manchen Lesern wie von Redakteurshand erscheinen.

Der österreichische Physiker Heinz von Foerster hat eine sinnvolle Differenzierung vorgeschlagen: Er unterscheidet triviale Maschinen von nichttrivialen. Trivial sind Maschinen, wenn sie bei gleichem Input stets denselben Output liefern: Füttere eine Dampflok mit Kohle und sie wird losstampfen. Selbstfahrende Autos hingegen, so wie Google und viele Autofirmen sie derzeit entwickeln, werden immer wieder Dinge tun, mit denen wir nicht rechnen, weil sie stets dazulernen. Ebenso unvorhersehbar agieren Schachcomputer oder Suchmaschinen. Fortgeschrittene Digitalisierung bedeutet: Das Nichttriviale in der Welt nimmt rasant zu. Aber damit steigt auch die Fehleranfälligkeit. Und die Ungleichheit.

Was das mit der hohen Auflösung in der granularen Gesellschaft zu tun hat? Sie ist die entscheidende Voraussetzung für nichttriviale Maschinen. Und es sieht so aus, als hätten wir um die Jahrtausendwende eine entscheidende Schwelle passiert: Durch die Verschmelzung von Computerpower, Sensoren und Software ist die Auflösung nun so hoch, dass die maschinelle Intelligenz sich explosionsartig vermehrt.

Wie sehr? Als ASCI Red im Jahre 1996 auf knapp der Fläche eines Tennisplatzes aufgestellt wurde, war er mit einem Teraflop (also einer Billion Rechenoperationen pro Sekunde) der schnellste Computer der Welt. Kostenpunkt: 55 Millionen Dollar. Neun Jahre später wurde dieser Wert von der Sony PlayStation 3 erreicht. Heute ist jedes Smartphone ein Supercomputer, es besitzt allerdings auch noch Kameras und diverse Sensoren, ist tragbar, personalisierbar und hat durch Apps Zugang zu Tausenden von mehr oder weniger intelligenten Anwendungen.

Und mit jeder neuen Generation von Rechnern und Sensoren nimmt die Intelligenz weiter zu. Aber werden Computer jemals so intelligent sein wie Menschen? Darauf hat der Autor Vernor Vinge die vermutlich intelligenteste Antwort gegeben: »Ja, aber nur für kurze Zeit.«

Jedenfalls spricht nichts dafür, dass die Fähigkeiten des Menschen eine irgendwie entscheidende Grenze für künstliche Intelligenz darstellen. Vielmehr müssen wir uns in der granularen Gesellschaft der Erkenntnis stellen, dass fast alles, was Menschen können, Maschinen irgendwann besser können. Auf manchen Gebieten stimmt das bereits jetzt, andere werden folgen. Auf wieder andere Fähigkeiten werden wir vielleicht noch sehr lange ein Monopol besitzen, etwa die Gabe, Neues zu erfinden, oder das Talent der Wandlungsfähigkeit.

Aber ich greife vor. Fragen wir erst einmal, wie die Intelligenz-Revolution bereits jetzt unser Leben verändert. Das tut sie vor allem durch drei folgenreiche Effekte: Sie steigert die wirtschaftliche Ungleichheit. Sie bedroht unsere Arbeitsplätze. Sie zwingt uns zur Kooperation mit den Maschinen.

## DAS GESPENST DER UNGLEICHHEIT

Ein Gespenst geht um in der Welt und es kümmert sich nicht um politische Systeme, Fragen der Gerechtigkeit, Spitzensteuersatz oder Gewerkschaften – das Gespenst der ökonomischen Ungleichheit. Seit über 30 Jahren hat sie einen perversen Siegeszug angetreten, vor allem in den entwickelten Ländern. Global gesehen sinkt die Ungleichheit tendentiell oder nimmt zumindest nicht zu, weil Länder wie China, Brasilien, Indonesien und andere im Zuge der Globalisierung recht erfolgreich die Armut bekämpfen.

In den wohlhabenden Ländern dagegen steigt die Lohn- und Vermögensungleichheit. Der Prozess lässt sich schlicht und ohne Übertreibung so beschreiben: Die Reichen werden reicher, die Armen werden ärmer oder ihre Löhne stagnieren – und dazwischen grassieren Unsicherheit und Angst. Diese Entwicklung ist unbestritten und gut belegt und betrifft nahezu alle entwickelten Länder, allerdings in unterschiedlichem Maße. In Deutschland sind die hohen Einkommen seit 1980 etwa doppelt so stark gestiegen wie die niedrigen – sofern diese überhaupt gewachsen sind.

Das eigentlich Irritierende an dem Trend ist, dass er völlig unabhängig von politischen Systemen oder spezifischen Maßnahmen zu sein scheint. Die Ungleichheit steigt in den USA und in Kanada, aber noch viel mehr in Schweden, Finnland und Deutschland. Ganz gleich ob Sozialdemokraten, Konservative oder Liberale regieren, ob gerade Krise herrscht oder Vollbeschäftigung – der Trend marschiert voran. Als folge er einem Naturgesetz. Tut er natürlich nicht, sonst hätte er für alle Zeiten gegolten, was nicht der Fall war: Bis in die späten 1960er hat sich die Ungleichheit in den meisten Industrienationen reduziert, weil die Arbeiter am Wachstum der Produktivität stark profitiert haben. Aber diese Kopplung ist wenig später zerbrochen. Warum?

Die überzeugendste Antwort der Ökonomen lautet: aufgrund des massenhaften Einsatzes digitaler Technologien, die dafür sorgen, dass die Hochqualifizierten deutlich produktiver werden, während am unteren Ende industrielle Routine-Jobs und einfache Bürotätigkeiten durch Maschinen ersetzt werden und Arbeitnehmer in schlechtbezahlte Serviceberufe ausweichen. Das führt dazu, dass die Zahl der schlechtbezahlten Stellen ebenso ansteigt wie der gutbezahlten – eine Polarisierung, die die Lohnungleichheit noch verstärkt und in allen europäischen Ländern zu beobachten ist. So kennt die neue digitale Weltordnung zwei

Gruppen von Gewinnern: Superstars und Hochqualifizierte einerseits. Und viele Verlierer andererseits. Oder wie der britische Forscher Alan Manning sagte: Es entstehen entweder »lovely« oder »lousy« Jobs.

Einen verblüffenden Beleg dafür, wie krass sich der digitale Umbruch auswirkt, fand kürzlich der US-Ökonom James K. Galbraith. Er wollte sich nicht damit zufriedengeben, die wachsende Ungleichheit bloß pauschal zu messen. Ihn interessierte vielmehr: Wer genau erzeugt sie und wo macht sie sich bemerkbar? Dazu hat er alle 3144 *counties* der USA analysiert – sie entsprechen in etwa den deutschen Landkreisen. Galbraiths Überlegung war, Schritt für Schritt die reichsten *counties* aus der Statistik zu streichen, bis das Maß der Ungleichheit wieder sein altes Niveau erreicht. Dann könne man genau sehen, wer von den Entwicklungen der letzten Jahre besonders profitiert habe.

So begann er, munter von oben wegzustreichen, kam allerdings nicht sehr weit. Denn kaum hatte er angefangen, konnte er schon wieder aufhören: Bloß fünfzehn der 3144 Landkreise sind für die Verzerrung der gesamten Einkommensverteilung verantwortlich; nimmt man sie aus der Rechnung, dann hat sich die Ungleichheit in den USA in den letzten Jahrzehnten kaum verändert. Fünfzehn Kreise – das sind gerade einmal 0,48 Prozent. Wer also vom reichsten Prozent spricht, der verharmlost die Ungleichheit noch.

Und wo liegen diese *counties*? Im Silicon Valley, in New York City und in Seattle, wo unter anderem der Computerriese Microsoft angesiedelt ist. Galbraith sieht das als Beleg, dass vor allem die Internet- und Finanzbranche die Verteilung beeinflusst – beides »hochintelligente« Sektoren, die besonders intensiv mit digitalen Maschinen arbeiten. Die Intelligenz-Revolution erlaubt zurzeit derart enorme Überrenditen, dass ganz wenige Profiteure die Verteilung sogar der größten Wirtschaftsmacht der Erde verzerren.

Und wer sind die Profiteure? Meist keine finsteren Gestalten, die sich dem Raubtierkapitalismus verschreiben, sondern technisch Hochbegabte mit guten Ideen und viel Glück wie die Mitarbeiter von WhatsApp. Anfang 2014 kaufte Facebook die populäre App für rund 16 Milliarden Euro – so dass einige der 55 Angestellten auf einen Schlag um jeweils rund 160 Millionen Dollar reicher wurden. Sie leben mehrheitlich in einem der fünfzehn *counties* von James Galbraith.

Einer der Gründer von WhatsApp, Jan Koum, hat sogar knapp sieben Milliarden Dollar an dem Deal verdient, wie viel genau, ist nicht bekannt. Er war als Jugendlicher aus der Ukraine in die USA eingewandert, seine Mutter hatte lange von Sozialhilfe gelebt und er selbst bei verschiedenen Internetfirmen gearbeitet, bevor er WhatsApp entwickelte. Seinen Namen kannte bis zu dem Mega-Deal kaum jemand, auch steht er nicht für besonderen Unternehmergeist. Sondern dafür, dass es den oft nicht braucht und die Entwicklung zum Multi-Milliardär viel zufälliger ist, als gemeinhin vermutet.

Koum und seine unscheinbaren Mitarbeiter sind Superstars der Branche geworden ohne Hinterlist, Ultrareiche ohne Arg. Ihr Produkt besteht in einer schlichten App, die weltweit inzwischen 500 Millionen Menschen nutzen, um täglich bis zu 64 Milliarden Textbotschaften zu verschicken. Für den Service zahlen sie einen Dollar pro Jahr, aber sparen viel Geld an SMS-Gebühren. Die eigentliche Kunst der WhatsApp-Techniker besteht darin, den enormen Textverkehr störungsfrei zu garantieren und Menschen hypereffizient zu verbinden. Sie setzen keine Gewalt ein, sie rempeln keine Konkurrenten nieder – die ungezwungene Wahl vieler Menschen (und der zweifelhafte Umgang mit den Nutzerdaten) macht sie zu globalen Gewinnern.

Sie sind damit Teil der kleinen, aber auffälligen digitalen

»Ökonomie der Superstars«. Wer heute eine gute Idee, ein herausragendes Produkt oder ein besonderes Talent hat, kann sie dank der digitalen Vernetzung und des globalen Marktes an mehr Menschen verkaufen und mehr Geld damit verdienen denn je. Lady Gaga, Lionel Messi, George Clooney, aber auch hochbezahlte Firmenchefs profitieren vom Superstar-Nimbus. Auf dem Musikmarkt, wurde errechnet, sackt ein Prozent der Musiker rund 77 Prozent aller Gewinne ein.

Viele digitale Märkte gehorchen dieser »Winner takes all«-Logik: Der beste oder auch nur der glücklichste Anbieter in einem Marktsegment sammelt nahezu alle Kunden dieses Segments ein – und schon der zweitbeste Anbieter landet weit abgeschlagen. So geht es mit Google, Apple, Facebook oder Amazon, aber auch mit heimischen Marken wie Zalando oder mobile.de.

Die Zunahme solcher »Gewinner kriegen alles«-Märkte ist seit den frühen 1980er Jahren, also seit dem Siegeszug digitaler Technologien, gut belegt. Faszinierend daran ist, wie ungleich diese Entwicklung sogar die Begünstigten trifft. Die Einkommen der obersten zehn Prozent sind schneller gewachsen als die der restlichen Bevölkerung, aber innerhalb dieser privilegierten Gruppe hat wiederum das oberste ein Prozent deutlich mehr zugelegt und innerhalb dieser Gruppe wiederum das oberste 0,1 Prozent und davon wiederum das oberste 0,01 Prozent. Russische Puppen der Ungleichheit.

Das verletzt unseren Sinn für Gerechtigkeit. Aber dahinter steckt eine Logik, die wir erst allmählich begreifen und die nur schwer zu korrigieren ist. In traditionellen, »analogen« Märkten gehen wir davon aus, dass ein Arbeiter, der 50 Prozent härter arbeitet, auch einen um rund 50 Prozent höheren Wert erzeugt und daher auch 50 Prozent mehr Einkommen verdient hat. In digitalen Märkten hingegen vermag jemand, der nur ein bisschen mehr arbeitet (oder einfach Glück hat), exponentiell viel mehr Geld zu verdienen. Schreibt ein Software-Programmierer eine nur geringfügig bessere Anwendung, beherrscht er im Extremfall den Weltmarkt und wird gleichsam nebenbei zum Milliardär.

Diese Superstars sind zwar extrem sichtbar, aber womöglich gar nicht so entscheidend für das Gesicht der Gesellschaft. Es gibt nur wenige von ihnen, und die führen noch nicht einmal einen besonders aufwendigen Lebensstil, sondern arbeiten rund um die Uhr – zumindest hat die Freundin (und spätere Frau) von Facebook-Gründer Mark Zuckerberg in ihrem »Freundschaftsvertrag« als Minimum »ein Treffen pro Woche von mindestens 100 Minuten Länge« mit ihrem Partner vereinbart. Anders als ihre Vorgänger im 19. Jahrhundert sind die Ultrareichen heute in der Regel Workaholics.

Bedeutsamer für die Ungleichheitsdynamik der Gesellschaft ist vermutlich die zweite Gruppe der digitalen Gewinner: jene rund 10–20 Prozent gutausgebildeter Menschen, die ihren Wert und ihr Vermögen kontinuierlich steigern, indem sie intensiv mit intelligenten Maschinen kooperieren. Die digitale Elite. Sie setzt auf menschliche Intelligenz gepaart mit maschineller und profitiert massiv von den seit den 1980er Jahren drastisch fallenden Kosten für Rechenleistung.

Wer gehört dazu? Manager, die dank digitaler Technologien ihre Vertriebsketten profitabler gestalten; Programmierer, die zwar nicht in die Superstar-Liga aufsteigen, aber florierende Betriebe aufbauen; Experten, die Daten visualisieren; Ärzte, die sich von Diagnose-Systemen unterstützen lassen und so ihre Produktivität deutlich erhöhen; Wissensarbeiter, die leichten Zugriff auf weltweite Datenbanken haben; Ingenieure, die mit CAD und anderen Designtechnologien umgehen; Trader, die automatisierte Handelssysteme an Börsen betreiben.

Man darf deren Wohlstand in absoluten Zahlen nicht überzeichnen. Bereits ein Programmierer im Hauptquartier von SAP im baden-württembergischen Walldorf kann leicht zu den Top-Verdienern in Deutschland gehören – das oberste Prozent der Steuerzahler beginnt bei einem Jahreseinkommen von 126 000 Euro. Und in den USA bei 400 000 Dollar. Das sind keine Ultra-Einkommen. Aber ihr Abstand zum Rest wächst rasch.

Wer diesen Trend in die Zukunft fortschreibt, kommt wie der US-Ökonom Tyler Cowen zum Schluss, dass die globale Elite ein »phantastisch komfortables und stimulierendes Leben führen wird«, während der Rest abgehängt wird oder verelendet – dabei profitiere dieser Rest aber immerhin noch davon, dass digitale Produkte billigen Spaß, billige Weiterbildung und günstige Medien offerieren. Cowens kühle Ungleichheitsrechnung klingt zynisch, aber genau so könnte sich die Spreizung tatsächlich entwickeln. Zumal sie von sozialstaatlichen Interventionen bestenfalls abgepuffert werden kann.

Zu dieser Makro-Ungleichheit zwischen den Schichten gesellt sich zudem noch eine Mikro-Ungleichheit, die erst kürzlich in den Blick gekommen ist. Die Verteilung verschiebt sich nämlich nicht nur im Großen zwischen unten und oben, sondern auch in der Horizontalen – zwischen Arbeitnehmern, die für eine ähnliche Arbeit zunehmend unterschiedlich bezahlt werden. Diese höhere Bandbreite in der Bezahlung gleichartiger Jobs kennen die Ökonomen schon seit längerem unter dem Begriff »Lohnspreizung«. Eigentlich könnte man davon ausgehen, dass gleiche Arbeit gleich bezahlt wird. Doch das ist selten der Fall: Alter, Produktivität und geographische Lage haben schon immer zu unterschiedlichen Löhnen geführt. Aber traditionell blieb die Streuung gering. Doch das ändert sich derzeit: Der Abstand der gutbezahlten Jobs von den schlechtbezahlten in *derselben* Branche und mit *derselben* Tätigkeit steigt an. Und zwar deutlich.

Die Gründe sind noch nicht abschließend erforscht. Aber vieles spricht für drei Hauptursachen. Erstens polarisieren sich die Betriebe innerhalb der Branchen zunehmend in Hoch- und Niedriglohn-Firmen. Die einen bezahlen alle ihre Angestellten üppig, die anderen bezahlen alle mies – zwei zunehmend auseinanderdriftende Welten. Wer einmal viel verdient, rutscht selten ab, wer wenig verdient, wechselt selten in die gutbezahlenden Firmen. Ein zentraler Aspekt ist dabei der Einsatz von digitalen Datentechnologien. Firmen, die sogenannte Big-Data-Technologien einsetzen, sind etwa meist deutlich produktiver – und entsprechend mehr Geld verdienen ihre Mitarbeiter. Außerdem benötigen Unternehmen, die auf intelligente Technologien setzen, höher qualifizierte Angestellte, weil die gesamte Arbeitsorganisation anspruchsvoller wird.

Zweitens zahlen vor allem jene Betriebe mehr, die nach 1990 gegründet wurden. Das mag an höherer Produktivität und neuen Technologien liegen, vielleicht auch an veränderten Management-Praktiken oder daran, dass solche Firmen seltener tarifgebunden sind – das ist derzeit noch unklar.

Drittens schließlich könnte die Lohnspreizung daran liegen, dass die Unternehmen die individuelle Leistung der Arbeitnehmer immer besser erfassen. Noch nicht so präzise wie Ben Waber mit seinen Sociometern, aber gut genug, um damit zunehmend eine granulare Entlohnung zu ermöglichen. Die Singularisierung der Arbeitsleistung und -entlohnung wird in jedem Fall eines der großen Themen der Arbeitspolitik der nächsten Zeit: Was ist zur Leistungserfassung erlaubt, was nicht, wogegen müssen die Arbeitnehmer kämpfen?

Das allerdings betrifft nur jene, die einen Job haben. Was aber, wenn die granulare Gesellschaft die Jobs nicht nur ungleich verteilt und singulär entlohnt – sondern viele von ihnen gleich ganz abschafft?

## DIE ZUKUNFT DER ARBEIT

Man stelle sich vor, mehr als 90 Prozent aller Jobs würden verschwinden; ersatzlos gestrichen, weil Maschinen sie übernehmen. Ein grauenvoller Gedanke: Was wird dann aus uns Menschen, wovon werden wir leben, womit füllen wir unsere Zeit?

Wir kennen die Antwort darauf, zumindest eine Antwort. Denn genau ein solches Arbeitsmassaker hat schon einmal stattgefunden: Die Industrielle Revolution hat mehr als 90 Prozent aller Arbeitsplätze in der Landwirtschaft beseitigt – das größte Berufesterben der Geschichte. Um das Jahr 1800 lebten rund 70–80 Prozent aller Deutschen von der Landwirtschaft, heute sind es noch rund 1,5 Prozent. Als Mitte des 19. Jahrhunderts Dreschmaschinen mit Dampfantrieb eingeführt wurden, ersetzten sie in kurzer Zeit rund 30 Prozent aller agrarischen Jobs.

Trifft die Automatisierung diesmal Büroarbeiter, Dienstleister und Wissensarbeiter? Stehen wir vor einer zweiten Welle des Arbeitsabbaus, jetzt aber unter dem Diktat der intelligenten Maschinen? Nicht wenige Beobachter fürchten eine solche Entwicklung – doch ohne jenes Happy End der Industriellen Revolution, die zwar sehr viele Jobs vernichtet, aber noch mehr neue geschaffen hat. Als die Maschinen die manuelle Produktion übernahmen, konnten die Menschen auf Dienstleistungen und kognitive Tätigkeiten ausweichen. Aber wenn die Maschinen jetzt auch auf diesem Terrain wildern – wohin weichen wir dann aus? Dies ist vielleicht die wichtigste, aufregendste und herausforderndste Frage der nächsten Jahrzehnte.

Wer die Roboter fürchtet, sollte General Philip M. Breedlove zuhören. Er war in der US-Luftwaffe für die Drohnen zuständig, die in Afghanistan, Pakistan und anderen Ländern oft zweifelhafte Einsätze fliegen. Zwischenzeitlich kommandierte er mehr als 8000 dieser fliegenden Waffen. Man könnte davon ausgehen, dass die Drohnen den Personalbedarf der Luftwaffe drastisch reduziert haben, schließlich fliegen sie ohne Piloten. Weit gefehlt: »Unser größtes Personalproblem«, so Breedlove, »haben wir bei unseren unbemannten Waffen.« Es braucht knapp 300 Leute, um eine Drohne rund um die Uhr in der Luft zu halten; zum Vergleich: Ein F-16-Kampfbomber wird von weniger als 100 Leuten gewartet.

Gilt also die Gleichung: mehr Automatisierung = mehr Jobs?

Wer die Ankunft der Roboter begrüßt, sollte nach San Javier in der spanischen Provinz Murcia reisen. Dort baut der Familienbetrieb El Dulze Salatköpfe an und lässt sie von Robotern verpacken. Maschinen schütten die Salate auf ein Band, wo Kameras deren Größe und Dichte messen. Computer erkennen die Lage der Wurzeln und dirigieren Schneidmesser, um sie abzutrennen. Dann wird das Grünzeug vollautomatisch in Plastik gewickelt und versandfertig gemacht. 400 000 Salatköpfe verarbeitet die Roboterstraße jeden Tag – und ersetzt dadurch rund 400 ungelernte Arbeiter. Die Firmenleitung hatte sich zu der teuren Automatisierung entschlossen, weil sie immer größere Schwierigkeiten hatte, überhaupt noch ausreichend viele Arbeiter zu bekommen. Und die wenigen, die sie fand, gaben die eintönige Arbeit so schnell wie möglich wieder auf.

Ähnliches passiert weltweit. Die riesige chinesische Firma Foxconn, die unter anderem iPhones herstellt, hat vor kurzem erklärt, eine Million Roboter anzuschaffen, um Kosten zu sparen. In Japan plant Canon für das Jahr 2015, in etlichen Werken Kameras ausschließlich von Robotern zusammensetzen zu lassen, Menschen sollen den Produktionsprozess nur noch überwachen. Dergleichen ist in den meisten Textilspinnereien bereits Realität, wie ein Branchenwitz verrät: »Eine moderne Tuchfabrik beschäftigt nur einen Mann und einen Hund. Den Mann, um den Hund zu füttern, den Hund, um den Mann von den Maschinen fernzuhalten.«

Gilt also die Gleichung: mehr Maschinen = weniger Jobs?

Die Antwort lautet: Keine der beiden Formeln stimmt. Denn der technologische Fortschritt schafft alte Jobs höchst ungleichmäßig ab – und neue höchst ungleichmäßig an. Ob ein Beruf angesehen oder anspruchsvoll ist, spielt dabei eine geringere Rolle, als man denkt – mit der zunehmenden Verbreitung intelligenter Maschinen wird die Unsicherheit total.

Das erleben derzeit sogar einige der bestbezahlten Anwälte. Ihr Job galt lange als resistent gegen Automatisierung. Ein erheblicher Teil ihrer Arbeit bestand darin, Tausende und Abertausende Dokumente auf beweiskräftiges und vor Gericht verwendbares Material durchzusehen. Das konnte Wochen dauern, und Anwälte rechneten viele teure Stunden ab. Nun beginnen Computer, die Dokumente zu lesen. In einem Vorgang, der sich *predictive coding* nennt, sucht ein Mensch einige Musterbeispiele von Dokumenten aus und lässt daran die Algorithmen des Computers lernen, welche Inhalte und Eigenschaften eines Schriftsatzes wichtig sind. Dann sucht der Computer eigenständig passende Dokumente, der Mensch begutachtet sie und gibt der Maschine notfalls weiteren Lernstoff zur präziseren Selektion. Gemeinsam mit einem Computer »liest« ein guter Jurist in wenigen Tagen Hunderttausende Dokumente und erledigt so eine Arbeit, für die man zuvor unzählige Anwälte benötigte.

Ähnliches passiert womöglich Ärzten. Jedenfalls vermarktet ein großer Medizintechnik-Konzern bereits ein System, das Anästhesisten bei einer Darmspiegelung ersetzt. Die Ärzte protestieren natürlich, aber der Narkose-Roboter hat in den USA dennoch die Zulassung erhalten und könnte Untersuchungen bald deutlich billiger machen. Und riskanter? Das ist unklar.

In jedem Fall ist die einstige Überzeugung hinfällig, dass kognitiv anspruchsvolle, hochwertige Jobs der Automatisierung standhalten werden. Im Jahr 2001 schrieb ein Team um den Wissenschaftler David Autor einen vielbeachteten Aufsatz, in dem sie prophezeiten, welche Jobs der Automatisierung zum Opfer fallen und welche nicht. Sie unterteilten die Arbeitswelt sehr plausibel in Routine- und Nicht-Routine-Tätigkeiten sowie manuelle und kognitive. Ihre nur wenig überraschende Prognose: Die meisten Routine-Arbeiten wird der Computer übernehmen.

Allerdings verschiebt sich die Grenze zwischen Routine und Nicht-Routine in rasender Geschwindigkeit. David Autor schrieb 2003, »ein Auto durch eine Stadt zu fahren oder Handschriften auf einem Scheck zu entziffern, gelten nicht als Routinetätigkeiten« – soll heißen: die knackt so schnell kein Computer. Zwei Jahre später präsentierte Google sein selbstfahrendes Auto. Und Handschriftenerkennung? Ist auch kein Problem mehr. Kameras der Wiesbadener Firma Vitronic lesen in Postzentren vollautomatisch die handgeschriebenen Adressen auf Paketen, Briefen oder Schecks, während diese mit dem Tempo eines Fahrradfahrers vorbeisurren.

Zwei Forscher der Universität von Oxford, Carl Benedikt Frey und Michael Osborne, haben sich kürzlich angeschaut, wie der technologische Fortschritt seit der Studie von 2003 die Zukunftsaussichten von Berufen verändert hat. Sie fanden intelligente Spracherkennungsprogramme, die so präzise sind, dass Call Center damit 60–80 Prozent ihrer Mitarbeiter ersetzen. Sie bestaunten Roboter, die völlig autonom Windräder hochklettern, um die Turbinen zu warten. Sie bewunderten Medizin-Roboter, die zwar noch nicht selbst operieren, aber dem Chirurgen bereits sinnvoll assistieren – die nächste Generation könnte dann schon einfache Handgriffe ausführen, und zwar akkurater als ein Mensch. Sie entdeckten Software-Programme, die Software-Programme schreiben, und zwar so gut, dass sie Programmierer arbeitslos machen – ein Beruf, der bislang als unersetzlich galt.

Welche Arbeit bleibt angesichts der neuen Computerintelligenz für den Menschen übrig? Frey und Osborne kamen zu dem Schluss, dass auf dem Arbeitsmarkt vor allem der sensible, empathische, feinfühlige Mensch eine Zukunft hat. Zu den Fertigkeiten, die Roboter als letzte erlernen werden, gehören nämlich die »soziale Wahrnehmung« des Menschen und seine »Verhandlungskünste« samt seiner »Überzeugungskraft«. Auch zeichnen den Menschen seine »Kreativität« und seine »Fingerfertigkeit« aus. Aber als ganz besonders wichtig erachten Frey und Osborne den Wunsch und die Gabe des Menschen, »anderen zu helfen und für sie zu sorgen«. Dieser Katalog beschreibt den Menschen nicht mehr als Denker oder Handwerker, sondern als Experten für soziale Intelligenz und als Meister der kreativen Anpassung.

Anhand dieser Kriterien der menschlichen Rest-Überlegenheit haben die beiden Forscher 702 Berufe analysiert und die Wahrscheinlichkeit errechnet, dass Computer sie demnächst ersetzen. Es ist eine überraschende Liste. Zu den Berufen, die mit nahezu 100-prozentiger Sicherheit verschwinden werden, gehört zum Beispiel der Kreditberater – weil Algorithmen die Kreditwürdigkeit eines Kunden viel präziser und vor allem objektiver bestimmen als ein Mensch, der sich von unwichtigen Details wie Kleidung, Sprechweise oder Frisur eines Kunden beeinflussen lässt. Verschwinden werden auch LKW-Fahrer, Näher, Kassierer, Mathematisch-technische Assistenten, Versicherungssachbearbeiter, Köche in Schnellrestaurants, Minenarbeiter und überraschenderweise Models – weil Computer die besseren Körper »bauen«. Die Kaufhauskette H&M bildet auf ihrer Webseite bereits computergenerierte Frauen ab, weil sie Idealfiguren besitzen, günstig sind und ihre Haut- und Haarfarbe jederzeit veränderbar ist.

Arbeiter in Lagerhäusern werden von Robotern ersetzt, die ohne zu ermüden rund um die Uhr 150 Kilogramm schwere Paletten heben, Obstpflücker und Spargelstecher weichen automatischen Greifarmen, Büroräume werden nachts von Saugrobotern besucht, Apotheker betreiben im Hinterzimmer automatische Pillenspender, um sich am Tresen ganz dem Patienten zu widmen. Fast die Hälfte aller Berufe halten die beiden Forscher für gefährdet.

Wer die Liste durchschaut, hat das Gefühl, Zukunftsmusik zu hören, aber nicht die vertraute Melodie der Gegenwart: Schließlich sind die Kassen in Supermärkten mit wenigen Ausnahmen noch mit Kassiererinnen besetzt, am Steuer der LKWs sitzen immer noch Männer. Und doch verändern sich die Verhältnisse bereits dramatisch. Die Menschen wechseln in Scharen in den Dienstleistungssektor, wo soziale Intelligenz, manuelle Fähigkeiten und persönliche Zuwendung gefragt sind. Zwischen 1980 und 2005 ist der Anteil von Dienstleistungen am gesamten Arbeitsaufkommen in den USA um rund 30 Prozent gewachsen, ähnlich verhält es sich in Deutschland. Das ist eine dramatische Kehrtwende, nachdem der Anteil dieser Tätigkeiten zuvor jahrzehntelang gefallen oder stabil geblieben ist.

Wir erleben also bereits nachweisbar eine strukturelle Verschiebung auf dem Arbeitsmarkt. Die Intelligenz wird neu verteilt: Computer übernehmen die gut definierbaren Jobs mit algorithmisch zerlegbaren Tätigkeiten, Menschen übernehmen alles, was vage, schwer zu definieren und komplex ist (was nicht heißt, dass es gut bezahlt sein muss).

Am anderen Ende der Liste stehen jene Berufe, die bis auf Weiteres als sicher gelten können: Therapeut, Sozialarbeiter, Ernährungsberater, Zahnarzt, Psychologe, Lehrer, Sporttrainer, Ausstellungskurator, Priester, Förster, Krankenschwester, Marketing-Manager, Vorstandsvorsitzender, Dirigent, Komponist, Umweltingenieur und viele mehr. Sie verbinden meist die Wahrnehmung komplexer Situationen mit Kreativität und sozialem wie technischem Fingerspitzengefühl.

Wer die Liste durchgeht, bekommt unweigerlich den Eindruck, dass die Intelligenz-Revolution vor allem das Bürgertum privilegiert. Die Berufe mit Zukunft setzen auf jene Erziehung zur Feinsinnigkeit, die in den Vierteln der Bessergestellten, in Charlottenburg und Blankenese, stattfindet. Die Sensibilitäten der bürgerlichen Elite werden belohnt.

Doch wie viele Menschen können Therapeuten, Lehrer oder Künstler werden? Wird es ausreichend viele Stellen geben? Oder werden wir ganz neue komplexe Service-Berufe erfinden müssen, um der Menschheit Lohn und Brot zu geben? Und welche neuen Berufe werden das sein?

Der technologische Fortschritt hat stets widersprüchliche Auswirkungen. Er vernichtet Arbeitsplätze, zugleich erhöht er aber auch die Produktivität, macht also Güter billiger, wodurch der Wohlstand aller steigt. Zudem lenkt er die Investitionen in die hochproduktiven Industrien um, wo neue Arbeitsplätze entstehen, die eine bessere Ausbildung erfordern. Eine entscheidende Frage lautet also: Können wir das

Rennen von »Ausbildung gegen Technologie« gewinnen? Bislang konnten wir, aber das mag für die Zukunft nicht viel heißen. Es ist denkbar, dass die Computer so gut werden, dass sie bald auch die Kreativen, Gebildeten, die Feinsinnigen und Freundlichen verdrängen – und die Menschheit das Rennen gegen die Technologie verliert.

Es gibt in der Tat einen ersten empirischen Hinweis darauf, dass dies passieren könnte. Der kanadische Ökonom Paul Beaudry argumentiert, dass seit dem Jahr 2000 die Nachfrage nach Hochqualifizierten abnimmt. Eigentlich müsste die Nachfrage nach kognitiv anspruchsvollen Aufgaben mit der Verbreitung von Hightech-Industrien steigen, aber Beaudry und Kollegen lesen aus den Daten, dass um das Jahr 2000 ein Zeitenwechsel stattgefunden hat: Fortschritt ohne einen erhöhten Bedarf an Hochqualifizierten. Es ist noch zu früh, daraus weitreichende Schlüsse zu ziehen, die Datenlage ist noch unzureichend und alternative Erklärungen müssen geprüft werden. Aber von der Antwort wird abhängen, ob wir eine Mittelschichtsgesellschaft bleiben.

Jedenfalls zeichnet sich hier eine weitere Spaltung der Gesellschaft ab: Während auf der einen Seite humanistisch gesinnte und feinsinnige Geister (jedenfalls auf dem Arbeitsmarkt) ein Bollwerk gegen die Maschinen bilden, lässt sich eine neue Klasse von Spezialisten beobachten, die sich mit den Maschinen verbünden, um wahre Hochleistungen zu vollbringen.

## FRIEDE MIT DEN MASCHINEN

Im Februar 1996 trat erstmals ein amtierender Schachweltmeister gegen einen Computer an. Die Herausforderung gegen Deep Blue hatte Garri Kasparow, der damals höchstbewertete Spieler aller Zeiten, mit den Worten akzeptiert:

»Dieses Spiel ist ein Abwehrkampf der gesamten menschlichen Rasse. Computer spielen eine so große Rolle in der Gesellschaft. Sie sind überall. Aber es gibt eine Grenze, die sie nicht überschreiten dürfen. Sie dürfen nicht in das Gebiet der menschlichen Kreativität vordringen.«

Dann schockte Kasparow die Menschheit, indem er die erste Partie verlor. Immerhin biss er sich durch und gewann das Match am Ende überzeugend mit 4:2. Ein Jahr später aber verlor er ein ganzes Turnier mit 3,5:2,5; in der letzten Partie erlitt er die schnellste Niederlage seiner Karriere. Die Maschine hatte die Menschheit gedemütigt.

Diese Geschichte ist schon oft erzählt worden. Aber nur selten wird erwähnt, wie es seither weitergegangen ist mit dem Schach. Eine Zeitlang gab es getrennte Wettbewerbe für Maschinen und Menschen, aber reines Computerschach langweilt die Menschen. Zum einen verstehen sie dessen Feinheiten oft nicht, zum anderen fehlen ihnen dabei die Emotionen. Vor allem aber stellte sich bald heraus: Maschinen sind nicht die besten Schachspieler. Sie mögen dank ihrer Datenbank alle jemals gespielten Partien kennen, sie mögen viele Züge weit im Voraus analysieren, sie mögen Weltmeister besiegen – aber sie sind nicht unschlagbar.

Auf die Frage, wer besser ist – Mensch oder Maschine –, gibt es inzwischen eine sehr klare Antwort. Sie lautet: Keiner von beiden. Sondern beide zusammen.

Im Schach heißt diese Verbindung Freestyle Chess. Menschen verbünden sich mit Maschinen, um das beste Schach aller Zeiten zu spielen. Einer der Großmeister des Freestyle Chess tritt unter dem Namen Ibermax oder Intagrand an. Dahinter verbirgt sich Anson Williams, ein schlaksiger, tiefreligiöser Ingenieur und Programmierer aus London mit afro-karibischer Abstammung, der gerne Autorennen am Computer bestreitet, virtuos und ohne Noten die schwierigsten Klavierstücke von Johann Sebastian Bach spielt – und ein überaus mittelmäßiger Schachspieler ist. Ohne seine Computer würde er nur mit Mühe im lokalen Schachklub reüssieren, mit ihnen aber schlägt er die Weltelite.

Bei Freestyle-Turnieren schaut er kaum auf das Brett mit den Holzfiguren, sondern springt von einem Computer zum anderen, auf denen unterschiedliche Schachprogramme laufen. Anson Williams' Kunst besteht darin, die Stärken und Schwächen der einzelnen Programme genauestens zu kennen, zu wissen, bei welcher Stellung ein Programm mehr Zeit benötigt oder wann eine Stellung durch einen gewagten Zug »umschlagen« und damit den Gegner vor ganz neue Probleme stellen könnte. Auch kann er aus den Zügen des Gegners schließen, ob dieser sich auf ein bestimmtes Schachprogramm verlässt, und dann dessen Schwächen ausnutzen.

In einer berühmten Partie beim Freestyle-Wettbewerb 2007 im spanischen Benidorm bezwang Williams einen Großmeister dadurch, dass er in einer aussichtslosen Stellung abrupt den Rhythmus wechselte und eine irrwitzig schnelle Folge von computererrechneten Zügen abfeuerte, die den Gegner völlig überforderten. Nach der enorm hohen Zahl von 111 Spielzügen gab der Großmeister entnervt auf.

Die besten Freestyle-Spieler zeichnet die geradezu übersinnliche Begabung aus, zu erkennen, wann sie dem Computer vertrauen sollten und wann sich selbst. Sie kennen die Schwächen des Computers sehr genau – aber auch ihre eigenen. Gerade deswegen sind im Freestyle schlechte Schachspieler so gut: Sie sind bescheiden und bilden sich nicht ein, es immer besser zu wissen als der Computer – nur manchmal.

In gewisser Weise überwinden Freestyler so den von Garri Kasparow geschilderten Konflikt: Es geht ihnen nicht mehr um den Kampf Mensch gegen Maschine, sondern um die

Symbiose aus beiden. Einige nennen ihr Spiel daher Zentauren-Schach, nach einem Mischwesen der griechischen Mythologie, das Pferd und Mensch vereinte. Freestyler beantworten die Frage nach der Überlegenheit von Mensch oder Maschine situativ. Die Kunst besteht darin, herauszufinden, wer in welchem Moment die Führung übernehmen sollte – der Mensch oder die digitale Intelligenz. Dies ist die Frage der Zukunft auf allen Gebieten. Und in gewisser Weise müssen wir alle lernen, Freestyle Chess zu spielen.

Dazu gehört als Erstes die Einsicht, dass wir nicht *gegen* die Maschinen zu kämpfen haben, sondern *mit* ihnen. Das gilt in der Medizin, im Recht, für die Wissenschaften oder in Fabriken. Im persönlichen Leben haben wir das längst kapiert, kein Mensch würde je *gegen* sein Smartphone antreten. Aber auf der Ebene der Gesellschaft beschreiben wir menschliche und künstliche Intelligenz immer noch als Gegensätze.

Dieser Fehler unterläuft uns auch deswegen, weil wir zu oft glauben, die Maschinen würden uns tatsächlich ersetzen können. Aber das geht nicht. Sie substituieren bestenfalls einzelne Tätigkeiten oder Arbeitsabläufe. Den Menschen aber können sie nicht ersetzen – weil sie ganz anders sind. Das ist für das Verständnis der granularen Gesellschaft entscheidend: Maschinen werden auf immer *aliens* bleiben, Fremde, da können sie noch so putzig als niedliche Roboter oder harmlose Bildschirmoberflächen daherkommen. Denn ihre Stärke beruht auf ganz anderen Fähigkeiten als den unsrigen.

Sie ermüden nicht wie wir und können jederzeit mit einer neueren, besseren Software aktualisiert werden. Das ist gut, aber nicht entscheidend. Wichtiger ist, dass sich digitale Maschinen mit alldem, was unsere Hirne belastet, nicht herumschlagen müssen. Sie operieren nicht mit Sinn, nicht mit Gefühlen und Wünschen, mit Hoffnungen und

Sehnsüchten, sondern bloß mit Symbolen, mit Ziffern und Zeichen. Wofür diese stehen, ist ihnen egal.

Eigentlich können Computer nur eines: Rechnen. Allerdings kann ein schockierend hoher Anteil menschlichen Lebens in Mathematik übersetzt werden. Schach ist ein Gitternetz aus Koordinaten mit bestimmten Werten, sprich: Figuren darauf; Videos sind Intensitätswerte verschiedener Farben und Anweisungen für deren Umwandlung in andere Farben; Lieder sind Frequenzspektren; potentielle Liebespartner sind Korrelationen und Wahrscheinlichkeiten von Parametern; Stimmungen sind für Sociometer Sprechgeschwindigkeit verrechnet mit Tonhöhe der Stimme.

Menschen hingegen müssen stets und aus allem Sinn machen, das ist anstrengend, verlangsamt uns dramatisch – und macht unser Leben lebenswert. Eine Blume ist für einen Computer: Farbwerte, Pixelgrößen. Und für uns: die Erinnerung an den letzten Geburtstag; die Trauer über eine gestorbene Freundin, die Blumen liebte; ein Bild aus einem Museum; der Geruch einer Frühlingswiese; der Gedanke an die verwelkte Blume auf dem Küchentisch in der Provence …

Und wir wundern uns, dass Computer uns in mancher Hinsicht übertrumpfen? Computer arbeiten strenggenommen mit nichts als der Unterscheidung zwischen 1 und 0. Aber auch auf allen höheren Ebenen des Computercodes geht es stets nur darum, Zustände zu unterscheiden: »Die Maschine operiert nur mit der Differenz als solcher«, schreibt die italienische Philosophin Elena Esposito, und daher hat sie »ungeahnte Möglichkeiten der Auflösung und Neuzusammenstellung von Sinnzusammenhängen«.

Den Wesensunterschied zum Menschen kann man sich leicht anhand der Google-Suchmaschine vor Augen führen. Sie habe ein phänomenales »Gedächtnis« und könne alle Websites »erinnern«, heißt es, viel besser als wir es je vermögen. Aber Fakt ist: Die Maschine erinnert überhaupt nichts. Dazu müsste sie die Seiten kennen oder sogar verstehen, ihren Kontext und ihren Daseinszweck berücksichtigen. Aber Google errechnet die Suchergebnisse ausschließlich anhand von rund 200 Variablen, die mit den Inhalten einer Seite fast nichts zu tun haben. Stattdessen geht es um Verlinkungen, Klickzahlen und vieles mehr.

Nur weil sich Google mit alldem nicht belastet, was für uns relevant ist, kann es so schnell sein. Es »erinnert« so gut, weil es so viel vergisst beziehungsweise erst gar nicht weiß. Die größte Stärke von Google ist die Fähigkeit zu vergessen. Die größte Stärke von uns ist, nicht zu vergessen. Wir besitzen deshalb Geschichten und eine Geschichte, Computer haben Rechenroutinen (und vielleicht eine Zukunft).

Deswegen auch führen alle Mensch-Maschinen-Metaphern in die Irre. Unsere Gehirne sind keine Festplatten und die Sensoren von Kameras keine Augen. Nur weil Computer grundsätzlich verschieden sind, können sie unsere Gesellschaft derart gründlich aufmischen und verändern. Wären sie wie wir, würden wir sie einfach wie Schwestern und Brüder in unsere Gesellschaft aufnehmen, dann gäbe es bloß mehr vom selben: nämlich von uns.

Stattdessen tritt eine neue Intelligenz in die Welt, die unsere ergänzt und oft überfordert. Bereits 1954 schrieb Paul Meehl ein schmales Buch, das Sozialwissenschaftler und Psychologen aufschreckte. Er belegte darin, dass selbst einfache mathematische Modelle meist viel bessere Vorhersagen treffen als Experten. Meehl ging es darum, die Rückfallrate von Kriminellen zu prognostizieren, oder wie Patienten auf (die damals noch weit verbreiteten) Elektroschocks ansprechen. Das anschaulichste Beispiel aber hat Jahre später Orley Ashenfelter geliefert.

Der Professor der Stanford-Universität liebt guten

Wein – besonders als Wertanlage. Üblicherweise prophezeien Experten von Wein-Magazinen den zukünftigen Wert der Getränke auf eine jahrtausendealte Weise: erst trinken, dann benoten. »Schlürfen und ausspucken«, nennt Ashenfelter das Verfahren. Er entwarf stattdessen eine Formel für Weinqualität, die den Regenfall im Winter und zur Erntezeit verrechnet mit der durchschnittlichen Temperatur während der Wachstumszeit – und fuhr damit meist besser als die bekanntesten Experten, die ihn als Banausen und Stümper anfeindeten. Als er 1989 prophezeite, ein Jahrhundert-Bordeaux stünde ins Haus, wurde er ausgelacht – und behielt recht. Den nächsten Jahrgang schätzte er noch höher ein, wieder Lachen – wieder hatte er recht.

Die Kränkung, dass eine banale Formel klüger und akkurater ist als sie selbst, haben Weinkenner Ashenfelter bis heute nicht verziehen. Damit ergeht es ihnen wie vielen Experten, die regelmäßig von simplen statistischen Verfahren geschlagen werden. Algorithmen heuern bessere Mitarbeiter an als Firmenchefs, sie entscheiden oft klüger, welche Bücher ein Verlag publizieren sollte, sie errechnen präziser, welche Kinofilme erfolgreich werden. Auch die Aufdeckung von Kreditkartenbetrügereien ist inzwischen komplett automatisiert.

Der Grund für die Überlegenheit der Algorithmen ist die Fehlerhaftigkeit der Menschen: Wir leiden unter allen möglichen Wahrnehmungsverzerrungen. Wir überbewerten aktuelle Ereignisse, wir halten uns für schlauer, als wir sind, wir sind zu emotional. Sprich: Wir sind darauf geeicht, die Welt als Theater, als Drama wahrzunehmen. Auf jeden neuen Reiz reagieren wir wie eine exaltierte Diva: aufgeregt, übertrieben, frühere Wahrheiten vergessend. Wir leben durch Geschichten, und die richten sich nicht nach Wahrscheinlichkeiten, sondern nach emotionaler Wucht. Den langen ruhigen Fluss der Ereignisse, die Regelmäßigkeit und Erwartbarkeit der Dinge aber übersehen wir leicht.

Heißt das, wir sollten die Entscheidungsmacht deshalb an die entrückten Algorithmen abtreten? Keineswegs. Das wäre gefährlich, weil die völlige Unterwerfung unter die digitale Intelligenz immer wieder zu ganz offensichtlich falschen Entscheidungen führen würde. Paul Meehl verdeutlichte das mit dem »broken leg cue« – das »Problem des gebrochenen Beins«. Angenommen, ein Algorithmus würde aufgrund einer Vielzahl von Faktoren errechnen, dass ein Mensch mit 84-prozentiger Wahrscheinlichkeit nächsten Freitag ins Kino geht. Wenn wir aber nun erfahren, dass sich dieser Mensch ein Bein gebrochen hat, ändert sich für einen menschlichen Beobachter alles, für den Computer aber vielleicht nicht (weil sein Algorithmus nicht darauf programmiert ist, mit extrem unwahrscheinlichen Ereignissen zu rechnen). Wir brauchen also, folgerte Meehl, eine Art humanen Notschalter, mit dem wir die Maschinenintelligenz im Zweifel übersteuern können. Das Problem ist nur, wie ein anderer Forscher bemerkte: »Menschen sehen gebrochene Beine überall, auch dort, wo gar keine sind.« Noch das Korrigieren der Maschinen unterliegt den Fehlern der menschlichen Kognition.

Man könnte dieses Dilemma als unlösbar erachten – oder als Beginn der Co-Evolution von menschlicher und maschineller Intelligenz. Alles spricht dafür, dass diese Kooperation unser Leben bestimmen wird. Nicht Dominanz der Maschinen, nicht Herrschaft der Menschen, sondern ein dritter Zustand, der sich erst allmählich herausschält. So wie beim Freestyle Chess.

Wie wird sich diese kooperative Intelligenz-Revolution auswirken? Drei Entwicklungen zeichnen sich ab: Wir werden smarter. Wir passen die Welt an die Maschinen an. Und uns selbst auch.

## WIR WERDEN SMARTER – UND GESTRESSTER

Magnus Carlsen wurde im Alter von 13 Jahren, vier Monaten und 27 Tagen Großmeister im Schach, mit 19 der jüngste Weltranglistenerste, und seit März 2014 ist er offiziell der beste Spieler aller Zeiten. Seine ELO-Zahl (das Maß der Spielstärke) von 2881 Punkten übersteigt den bisherigen Rekord von Garri Kasparow um 30 Punkte.

30 Jahre früher wäre es nahezu ausgeschlossen gewesen, dass sich der junge Norweger zum Schachwunderkind entwickelt hätte. Er hätte in einem Land ohne bedeutende Schachtradition aufwachsen müssen und ohne angemessene Trainingspartner. In der Sowjetunion wäre das anders gewesen, in Moskau befand sich eines der größten Partien-Archive der Welt und eine ganze Riege von Großmeistern, die sich junger Talente annahmen.

Erst der Computer machte aus Magnus denjenigen, der er sein konnte: »Mit elf oder zwölf habe ich mich am Rechner auf Turniere vorbereitet und im Internet gespielt«, außerdem hat er DVDs mit 4,5 Millionen Partien gekauft, die er analysieren konnte. Magnus Entwicklung ist ohne Computer gar nicht denkbar – und das gilt für die meisten Spitzenspieler von heute. Ähnliches geschieht übrigens bei Poker-Spielern, dort haben die brillanten, computertrainierten Nachwuchsstars bereits einen eigenen Namen: die *Robotrons*.

Der Computerwissenschaftler und exzellente Schachspieler Kenneth Regan wollte wissen, ob heutige Schachspieler ihre höheren ELO-Zahlen tatsächlich verdient haben, ob sich das Schachspiel also tatsächlich verbessert hat – oder ob sie von einer Art Bewertungsinflation profitiert haben. Aber wie errechnet man die Stärke von Spielern vor 100 Jahren, von denen nicht alle Partien überliefert sind? Regan kam auf die Idee, alle Spieler an demselben Gegner zu messen: dem derzeit besten Schachprogramm namens Rybka. Weil längst verstorbene Schachspieler allerdings nicht mehr gegen Rybka antreten können, wandte Regan einen Trick an: Er berechnete in Tausenden Partien für jede einzelne Stellung, welchen Zug Rybka jeweils gewählt *hätte* – und verglich dann, welchen Zug die Schachspieler tatsächlich gewählt haben. So ermittelte er gleichsam am Abstand zu Rybka die Spielkunst früherer Zeiten und konnte sie mit der heutigen vergleichen.

Das Ergebnis ist eindeutig: Heutige Spieler sind besser als frühere. Das Niveau von Schach ist gestiegen, und zeitgenössische Spieler verdienen ihre hohen ELO-Zahlen. Oder umgekehrt: Damals dominierten Spieler das Feld, die heute keine Chance hätten, in die Weltspitze vorzudringen.

Die Gründe für diesen Qualitätssprung liegen vor allem darin, dass die Informationen, die zu Spitzenleistungen befähigen, nun überall zu haben sind, nicht mehr nur in Moskauer Archiven. Mit Internetzugang kann sich buchstäblich jedes Kind überall auf der Welt – und sei es im entferntesten indischen Dorf – mit den stärksten Computerprogrammen der Welt messen und mit den besten Spielern austauschen. Geographie ist kein Schicksal mehr. Der Pool von Talenten wird besser ausgeschöpft, zugleich steigt die globale Konkurrenz und zwingt alle zu größerer Anstrengung.

Der Computer hat aber nicht nur das Bekannte besser verteilt, sondern er hat die Schachspieler auch Neues gelehrt. Aufgrund der spezifischen Weise, wie Computer über das Spiel »nachdenken«, haben Menschen zum Beispiel besser begriffen, welchen Wert frühe Figurenopfer für spätere Positionsgewinne haben können. Magnus Carlsen erwartet daher, dass der Lerneffekt durch Computer seine Jugendlichkeitsrekorde rasch zerstäubt: »Der technische Fortschritt führt zu immer jüngeren Spitzenspielern, überall auf der Erde.«

Passiert Vergleichbares auch auf anderen Wissensgebieten? Wir wissen es nicht. Und weil wir es nicht wissen, tobt eine heftige Debatte um die Frage, ob uns digitale Technologien smarter oder dümmer machen. Beide Seiten zitieren Studien, die ihre Positionen belegen: Mal heißt es, wir verlören im Gewitter der digitalen Ablenkungen unsere Fähigkeit zur Konzentration, mal, dass SMS den sprachlichen Ausdruck bereicherten, mal, dass die Auslagerung des Gedächtnisses in digitale Geräte dem Gehirn das kreative Denken erleichtern. Das mag so sein oder auch nicht – sicher ist nur, dass uns solche Studien der Antwort auf die Frage nicht näherbringen.

Und das hat einen einfachen Grund: Die Frage ist falsch gestellt. Sie setzt voraus, dass Intelligenz völlig unabhängig von der jeweiligen Umwelt bestimmt werden kann. Aber das ist zweifelhaft. Wenn wir heute bei Studenten messen, dass sie sich zwar bestimmte Inhalte nicht mehr so gut merken können wie frühere Generationen, dafür aber viel besser den Ort, wo sie das jeweilige Wissen finden können, beziehungsweise die Suchwörter, mit denen sie das Wissen aufrufen – sind diese Studenten dann dümmer oder smarter? Sind sie dümmer, weil sie etwas aus ihrem Kopf auslagern – oder smarter, weil sie genau das tun? Die eine Sparte ihrer Gedächtnisleistung schwächelt, während die andere erstarkt – aber was folgern wir daraus?

In der Moderne war es durchaus sinnvoll, möglichst viel im eigenen Hirn zu haben. Das war eine kluge Anpassung, denn es war oft schwierig, brauchbare Informationen zu erhalten. Entsprechend belohnten Schulen das Auswendiglernen, und Gelehrte wurden für das freihändige Zitieren wichtiger Werke bewundert. Doch diese Fähigkeiten sind wiederum nur ein müder Abklatsch jener Gedächtnisleistungen, die Mitglieder von mündlichen Kulturen einst erbracht haben: Die Sänger der Helden-Epen im antiken

Griechenland oder die Wanderpuppenspieler in indischen Dörfern würden die Merkfähigkeit moderner Menschen belächeln. Müssen wir also von einem gewaltigen Verfall der Gedächtnisintelligenz über die Jahrtausende sprechen? Und wenn ja: Wäre darin nichts als ein Niedergang zu sehen?

Das Gehirn wird in aktuellen Theorien gerne als Muskel beschrieben, der sich den jeweiligen Anforderungen anpasst. Er kräftigt sich nach Bedarf, er ist plastisch und anpassungsfähig. Und er liebt das Training. Es gibt keinen Grund zur Annahme, dass der Hunderttausende Jahre während kognitive *workout* der Menschheit an ein Ende kommt, nur weil wir Smartphones in der Jackentasche tragen. Ganz im Gegenteil: Wenn das Gehirn gute Sparringspartner liebt, dann dürfte es jetzt erst so richtig auf seine Kosten kommen. Denn die Zukunft besteht aus dem Training mit immer smarteren Maschinen. Wir müssen sie entwerfen, bauen und mit ihnen umgehen. Sie werden uns trainieren, herausfordern und an unsere Grenzen bringen – also dorthin, wo Trainingserfolge erzielt werden. Warum sollte uns der Kontakt zu einer (auf bestimmten Feldern) überlegenen Intelligenz dümmer machen? Müssten dann nicht auch alle Kinder, kaum dass sie eingeschult werden, an Intelligenz verlieren? Wäre dann nicht Harvard eine Verdummungsanstalt?

Allerdings wird das Training der Zukunft einige neue Herausforderungen für uns bereithalten. Denn erstmals in der Geschichte ist unsere Umwelt voller digitaler Wesen, die schneller lernen und sich schneller entwickeln als wir selbst. Bislang konnte sich der Mensch als evolutionärer Überflieger fühlen, in der Intelligenz-Revolution aber wird er ausgestochen. Gegen die Lerngeschwindigkeit der Maschinen hat er nicht die geringste Chance.

Menschen lernen durch Nachahmung und Training, und zwar jeder einzeln. Der bekannteste Ort dafür heißt Schule, und er sieht vor, dass jeder Schüler sich mühsam aneignet, was längst bekannt ist: Binomische Formeln, die unregelmäßigen Verben im Englischen, das Periodensystem. Sicherlich, wir lernen auch als Spezies und speichern Wissen in Institutionen wie Universitäten und Firmen, so dass ein heutiger Ingenieur kein Genie mehr sein muss, um einen Benzinmotor zu konstruieren, der vor 150 Jahren eine kaum zu meisternde Herausforderung gewesen ist. Aber wir alle müssen uns das Wissen, das uns zur Teilnahme am Fortschritt berechtigt, individuell und zeitraubend aneignen. Auch ist die Zeit, die für Erfahrung im Umgang mit diesem Wissen zur Verfügung steht, durch die Lebensspanne begrenzt.

Digitale Wesen kennen diese Begrenzungen nicht. Sie können einander neue Erfahrungen unmittelbar übermitteln – der Vorgang heißt »Update«. Ein erfahrener Pilot sammelt im Laufe seiner Karriere bis zu 20 000 Flugstunden, der digitale Autopilot an Bord hingegen verfügt über Hunderttausende Stunden, vielleicht sogar Millionen, die aus allen Flügen dieses Systems in allen Flugzeugen stammen. Und jedem neugebauten Flugzeug wird diese gesammelte Erfahrung auf die Festplatte gespielt. Dasselbe gilt für selbstfahrende Autos, für Roboter, für digitalisierte Produktionsprozesse und für Alltagsprodukte: Google und Facebook updaten ihre Programme mehrmals täglich, die unter Programmierern populäre Plattform GitHub sogar Dutzende Male am Tag. Und jedes Mal »lernen« Computer aus »Erfahrungen«, die sie selbst nicht gemacht haben.

Die Wissens- und Verfahrensbibliotheken des Digitalen schwellen in einem ungeheuren Tempo an, wozu auch die Granularisierung der Produkte beiträgt: Sie bestehen zunehmend nur noch aus Modulen, die durch *interfaces* zu einem scheinbar kompakten Ding verbunden werden – aber jedes einzelne Modul lässt sich dauernd verändern und upgraden. Man denke an Smartphones, auf denen fast täglich eine oder mehrere Apps aktualisiert werden. Dasselbe geschieht derzeit mit Autos, deren Elektronik bald stetig aktualisiert wird: Ein Auto, das man irgendwann verkauft, hat unter Umständen ganz andere Funktionen als zur Zeit der Anschaffung.

Designer reden bereits davon, dass es keine fertigen Produkte mehr gibt, da sie jederzeit upgedatet werden können. Digitalität heißt ewige Vorläufigkeit. Das Dauerprovisorium wird zum Normalzustand. Und falls ein Produkt nicht ständig aktualisiert wird, ist es in kurzer Zeit bis zur Nutzlosigkeit veraltet. Das ist eines der Paradoxien der granularen Gesellschaft: Nur was ständig verändert wird, bleibt bestehen; aber die ständigen Veränderungen sorgen dafür, dass das, was bestehen bleibt, niemals dasselbe ist, sondern das Veränderte. Da alle Appelle, den digitalen Ritt zu bremsen, vermutlich wirkungslos verhallen, sind wir gezwungen, uns auf diese Neuerungs- und Intelligenzexplosion einzustellen.

Sie wird noch dadurch verschärft, dass die Intelligenz blitzschnell über sehr viele Orte verteilt wird. Denn sie verliert in der granularen Gesellschaft ihre Verankerung an einem Ort oder in einem Körper. In der alten Welt waren Menschen und Maschinen abhängig von den Daten, die sie mit sich führten – sei es im Hirn oder auf der Festplatte. In der neuen, vernetzten Welt löst sich die Intelligenz von diesen Begrenzungen. Die Sprachsoftware Siri verpackt die Fragen und Befehle des Nutzers in handliche Datenpakete, schickt sie an Server irgendwo auf dem Globus, wo sie analysiert, beantwortet und wieder zurückgeschickt werden. Das Telefon ist nur der Zugangspunkt zu einer höheren Intelligenz, die sonstwo auf dem Globus steht.

Für diese Art der Intelligenz beginnt sich gerade der Begriff der *embedded intelligence* durchzusetzen, der eingebetteten Intelligenz. Was nicht heißt, dass die Intelligenz sich bettet, sondern dass wir uns in sie von vielen verschiedenen Orten aus einklinken und deshalb selbst *embedded* sind. Aber diese neue Form der Intelligenz hat einen gewaltigen Nachteil: Die cleveren Systeme sind zwar dezentral erreichbar, werden aber zentral kontrolliert. Die Daten aller iPhones werden in den Zentralrechnern von Apple gesammelt, genauso wie alle Suchanfragen bei Google landen (und alles zusammen früher oder später bei der NSA). Nicht nur die Intelligenz wird neu verteilt, auch die Kontrolle.

## WIE WIR DIE WELT AN DIE MASCHINEN ANPASSEN

Bei all ihrer Cleverness – Maschinen tun sich leichter in übersichtlichen, klardefinierten Umwelten. Das ideale Umfeld für Computer ist das Schachbrett: Es ist quadratisch und verfügt über eine geringe Zahl von Figuren mit eindeutigen Zugwegen. Die echte Welt ist oft zu komplex, was dem Menschen bei vielen Tätigkeiten einen Vorteil verschafft, aber auch dazu führt, dass wir bestrebt sind, sie zu vereinfachen, um es den digitalen Maschinen leichter zu machen. Zum Beispiel den Straßenverkehr.

So hat eine Projektgruppe der Bundesanstalt für Straßenwesen in Bergisch-Gladbach im Jahre 2012 angeregt, Fahrbahnstreifen deutlicher und heller zu markieren, bundesweit Wildzäune zu ziehen, überall Standstreifen einzurichten, damit selbstfahrende Autos sich zukünftig besser orientieren und sich jederzeit in einen »risikominimalen« Zustand versetzen können. Sinnvoll sei auch eine großflächige Kameraüberwachung von Straßen. Dies nicht etwa, um die automatischen Autos zu beobachten, sondern um das Verhalten der unberechenbaren Fußgänger auszuspähen und die automatischen Autos rechtzeitig vor ihnen zu warnen.

Der Druck, die Welt maschinentauglich zu machen, wird mit deren zunehmender Verbreitung steigen. Wohnzimmer werden für Saugroboter simplifiziert, Gärten für Mähmaschinen. Das ist nicht ganz neu, in der Landwirtschaft optimiert man bereits seit den 1950er Jahren die Felder und Pflanzensorten für die Maschinen, auch wurden viele Städte für Autos umgebaut. Dieser Trend wird noch einmal drastisch Fahrt aufnehmen und in alle Lebensbereiche einsickern. Seit General Motors im Jahr 1961 den allerersten Industrieroboter eingesetzt hat, waren Roboter auch in Fabriken meist hinter dicken Käfigen versteckt, damit sie die Menschen nicht gefährdeten (was spätestens seit 1979, als ein Arbeiter in einem Ford-Werk von einem Roboter getötet wurde, als kluge Entscheidung galt).

Nun werden die Käfige abgebaut. BMW erprobt in seinem Werk im amerikanischen Spartanburg Montageplätze, an denen Mensch und Maschine Hand in Hand zusammenarbeiten: Die Roboter greifen Türen, versehen sie mit einer Art Kleber und reichen sie dann an Menschen weiter, die sie einbauen. Um Unfälle zu vermeiden, verfügen die Roboter über etliche Sensoren, aber auch die Menschen müssen ein Gespür für die Bewegungen der Maschine entwickeln, um ihr nicht in die Quere zu kommen. Der Hauptgrund für die Einführung liegt übrigens nicht nur in höherer Produktivität, sondern in menschlicher Hinfälligkeit: »Unsere Arbeiter werden älter«, sagt Stefan Bartscher, Innovationschef von BMW, »das Rentenalter steigt, und wir müssen dafür sorgen, dass unsere Angestellten länger gesund arbeiten können. Wir wollen, dass die Roboter die Menschen unterstützen.« Aber dafür müssen sich beide auf eine gemeinsame Welt einigen, in der sich Roboter und Mensch zurechtfinden.

Eine Ironie dieser Vereinfachung liegt allerdings darin, dass die besondere Gabe der Menschen zur komplexen Navigation darunter leidet: Im Zuge der Maschinenoptimierung der Welt entwerten wir altehrwürdige und ehemals lebenswichtige Fähigkeiten. Wir verändern uns.

## WIE WIR UNSER GESCHLECHT VERLIEREN

Die Intelligenz-Revolution verlangt auch von uns Menschen ein anderes Verhalten. Wir passen nicht nur die Welt, sondern auch uns selbst an die Maschinen an. Digitale Arbeitsplätze verlangen ein höheres Maß an Kooperation und Aufmerksamkeit als die klassischen Tätigkeiten des Industriezeitalters. Die Größe der Teams wächst dank digitaler Vernetzung, besonders ausgeprägt in der Software-Industrie. Am Computerspiel *Grand Theft Auto V* haben mehr als 1000 Designer, Autoren, Ingenieure und Programmierer fünf Jahre lang gearbeitet und dabei rund 250 Millionen Dollar verbraucht – nur um innerhalb von drei Tagen nach der Veröffentlichung bereits eine Milliarde Dollar einzunehmen.

Aber auch Maschinenbau-Projekte werden komplexer, wie Manuel Sosa von der Business-School INSEAD feststellte, als er den Bau eines Flugzeugtriebwerkes bei Pratt-Whitney verfolgte: Es mussten 54 Entwicklungsteams sowie sechs Integrationsteams koordiniert werden, die sich über mehr als 600 Schnittstellen von unterschiedlichen Teilen des Triebwerkes zu einigen hatten. Es stellte sich heraus, dass einige wichtige Schnittstellen allerdings nicht beachtet wurden, was enorme Zusatzkosten und Verzögerungen erzeugte. Die Lehre: Minimale Unaufmerksamkeiten, mangelnde Kommunikation bei nur einem Ingenieur und ungelöste Teamkonflikte haben gewaltige Folgen.

Oder anders gesagt: Firmen können sich unzuverlässige Mitarbeiter immer weniger leisten. Die Profitabilität eines Mitarbeiters hängt direkt von seiner Achtsamkeit, Teamfähigkeit und Flexibilität ab. Bei Google etwa sorgt jeder Angestellte im Durchschnitt für einen Jahresumsatz von einer Million Dollar und für einen Gewinn von 200 000 Dollar. Im Vergleich: Ein Mitarbeiter von McDonald's sorgt im Durchschnitt für einen Umsatz von 60 000 und einen Profit von 10 000 Dollar. Dafür ist der Schaden, den jeder einzelne Mitarbeiter bei Google anrichten kann, auch deutlich größer als anderswo. Zugleich hängt der Unternehmenserfolg immer weniger von Direktiven von oben ab, sondern von der Eigeninitiative und den guten Ideen der Mitarbeiter.

Kein Zufall, dass Google eines der weltweit ausgefeiltesten Systeme der Personalauswahl betreibt, das versucht, aus jährlich 2,5 Millionen Bewerbungen ein paar hundert perfekte Bewerber auszusieben. Google hat ausgerechnet, dass ein exzellenter Ingenieur bis zu 300-mal wertvoller für die Firma sein kann als ein durchschnittlicher. Entsprechend betreibt das Unternehmen erheblichen Aufwand, diese *top performer* bei Laune zu halten. Auf dem Google Campus in Mountain View, Kalifornien finden sich sagenhafte Kantinen, ausgedehnte Sportstätten und Büros, die immer wieder umgebaut werden, um auszutesten, wie sie die Mitarbeiter zur größtmöglichen Kooperation und Innovation anregen.

Die Aura von Strebsamkeit, heiterer Selbstverwirklichung und energischer Selbstausbeutung, die durch die Büros der neuen digitalen Elite flirrt, ist also das Resultat gezielter Auswahlprozesse. Das dazu passende Management erscheint freundlich und verschwenderisch in der persönlichen Zuneigung, wählt ihre Arbeitselite aber gnadenlos aus. Es ist davon auszugehen, dass die Google-, Facebook- und Apple-Mitarbeiterprofile Schule machen werden: Der Mitarbeiter der Zukunft wird bestens ausgebildet und hoch motiviert, selbstbestimmt und schwer zu führen, anspruchsvoll und schnell unzufrieden sein. Die Speerspitze der granularen Arbeitswelt besteht aus nervösen, hochgezüchteten, extrem leistungsfähigen und unabhängigen Angestellten.

Einige Beobachter haben daraus geschlossen, dass die Zukunft weiblich ist. Frauen passten einfach besser in die schöne neue Silicon-Valley-Welt, sowohl am unteren Ende bei den Servicedienstleistungen wie am oberen, wo Teamfähigkeit belohnt wird. Bereits in den 1990er Jahren frohlockte Sadie Plant in ihrem Buch *Nullen + Einsen* über die große Zukunft für Frauen: »Kybernetik ist Feminisierung.« Und Alexander Galloway meinte, dass der universelle – also nicht geschlechtlich markierte – Computercode »die Auslöschung des Maskulinen« und des Patriarchats nach sich ziehen würde.

Dafür spricht zumindest, dass Frauen ihre Position auf dem Arbeitsmarkt in den vergangenen Jahrzehnten relativ zu den Männern deutlich verbessert haben. Sie sind oft besser ausgebildet und gelten als die zuverlässigeren und kooperativeren Arbeiter, die Vorgaben williger erfüllten. Was daran Klischee ist und was nicht, ist schwer zu sagen. Schließlich werden die allermeisten digitalen Start-ups von Männern gegründet. Und auch in der digitalen Welt sind die Top-Positionen so fest in Männerhand wie eh und je.

Interessanter als die öde Verrechnung von Stereotypen ist der Gedanke, inwiefern die granulare Arbeitswelt überhaupt noch geschlechtsspezifisch sein, also hier Friseurinnen, Krankenschwestern und Verkäuferinnen, dort Mechaniker, Köche und Maler besitzen wird. Je mehr Berufe digitalisiert und automatisiert werden, desto weniger scheint der Geschlechterunterschied eine Rolle zu spielen.

Die alte Geschlechteraufteilung lebte davon, dass die

Gesellschaft eine öffentliche, unmoralische und männliche Sphäre von einer privaten, moralischen und weiblichen unterschied. In der einen, so die kollektive Vorstellung, führten die Männer die Wirtschaft, die Politik und Kriege, benahmen sich schlecht, aber sorgten auch für die Innovationen und Fortschritt; in der anderen sorgten die Frauen für Liebe, Moral und die Familien; sie federten die zerstörerische Dynamik der Moderne ab, aber wurden dafür gezwungen, auf Bildung und Geschäftssinn zu verzichten. Man glaubte also, die Gesellschaft in eine Welt der amoralischen Systeme wie Wirtschaft, Recht, Politik und Wissenschaft auf der einen, und intime Systeme wie Liebe, Familie und Religion auf der anderen Seite aufteilen zu können. Es spricht einiges dafür, dass diese Systemlogik unter der Granularität kollabieren wird – zugunsten von viel feiner strukturierten Netzwerken. Welche Rolle kann unter granularen Verhältnissen die simple Unterscheidung von Mann und Frau überhaupt noch spielen?

Zu erwarten steht, dass sie sich als zu grob erweist und stattdessen die singuläre Mischung der Charaktermerkmale jedes Einzelnen in den Vordergrund treten. Das würde auch bedeuten, dass der gesellschaftliche Druck, bestimmten allgemein gültigen Stereotypen des »Männlichen« oder »Weiblichen« zu genügen, nachlässt und Geschlecht als Kategorie an Bedeutung verliert.

Es ist noch viel zu früh, darüber endgültige Aussagen zu treffen, schließlich haben sich historisch die binäre Geschlechtertrennung und die mit ihr verbundenen Vorurteile als recht hartnäckig erwiesen. Aber gerade weil sich die Bedeutung dieser Unterscheidung immer wieder geändert hat, könnte sie sich nun erneut wandeln – und zur Abwechslung vielleicht mal Richtung Irrelevanz. Die granulare Geschmeidigkeit würde eine Prise Unberechenbarkeit nach sich ziehen, auch in Geschlechterfragen; Facebooks

56 Arten, das Geschlecht zu bestimmen, wären davon ein Vorgeschmack. Diese Unkalkulierbarkeit könnte uns gelegen kommen. Gerade in Zeiten, in denen wir immer besser durchschaut werden.

# KONTROLL-REVOLUTION
## ODER
# WIE WIR UNS VORHERSAGBAR MACHEN
## (LASSEN)

### SEX, DRUGS AND VOLKSMUSIK

In den trockensten Studien verbergen sich zuweilen die verstörendsten Erkenntnisse. Im Jahr 2013 wollten vier Forscher aus Belgien, Chile und den USA genauer wissen, wie verräterisch unsere alltäglichen digitalen Spuren sind. Wie leicht – oder schwer – sind wir zu identifizieren?

Ihnen stand ein besonderer Datenfundus zur Verfügung: Ortsdaten aus den Handys von 1,5 Millionen Menschen, aufgezeichnet über 15 Monate. Die Datensätze selbst waren anonymisiert, sie konnten also keinen Aufschluss über die Handy-Besitzer geben. Mussten sie auch nicht. Die Forscher stellten fest, dass sie dennoch so gut wie jeden Menschen mit größter Sicherheit identifizieren können. Und zwar aufgrund ganz weniger Ortsdaten aus den Handys: Nur vier zufällig ausgewählte Informationen darüber, wo sich ein Mensch im Laufe eines Tages aufhält, identifizieren ihn mit 95-prozentiger Sicherheit. Wer also den Aufenthaltspunkt eines Menschen, sagen wir, zum Beispiel um acht Uhr morgens, um 12 Uhr mittags, um 17 Uhr und um 18 Uhr kennt, kann ihn zuverlässig von allen anderen Menschen unterscheiden.

Die Wissenschaftler waren von dem Ergebnis extrem überrascht. Identifizierung anhand weniger Datenpunkte ist nicht neu, 1918 fand Edmond Locard heraus, dass ein menschlicher Fingerabdruck anhand von zwölf Punkten eindeutig zu bestimmen ist. Aber bloß vier Punkte?

Wenn man nun an einem dieser Punkte den Namen zuordnen kann, ist es um die Anonymität geschehen. Und das geht leicht. Ein Drittel der rund 25 Milliarden Apps, die im Apple-Store runtergeladen wurden, übertragen die Ortsdaten; und allein in den USA werden, auch über Smartphones, täglich rund 65 Milliarden Zahlungen getätigt, die mit einer Ortsmarke versehen sind. Den Rest erledigt eine simple Verknüpfung. Das ist die eine Seite dieser Geschichte, das Ende unserer Privatsphäre.

Die andere Seite ist vielleicht noch bestürzender, weil sie an unser Selbstverständnis rührt. Denn im Kern besagt die Studie: Wir sind so einfach erkennbar, weil wir so erwartbare, vorhersagbare Leben führen. Wir wachen meistens im selben Haus auf, bringen die Kinder in dieselbe Schule, nehmen täglich denselben Weg zur Arbeitsstelle, wo wir Jahre, manchmal ein halbes Leben verbringen, wir gehen in dasselbe Fitnessstudio, in eines unserer wenigen Lieblingsrestaurants oder treffen abends eine sehr begrenzte Anzahl von Freunden.

Anders gesagt: Wir sind ziemlich grobkörnig. Unser Leben besteht aus wenigen Elementen, die immer gleich verknüpft sind. Besonders geographisch: 80 Prozent der Deutschen wohnen nicht weiter als 30 Kilometer von ihrem Geburtsort entfernt und mehr als 90 Prozent aller Bürger verbringen den weitaus größten Teil ihres Lebens in einem Umkreis von knapp 100 Kilometern.

Aber selbst wer die Welt sein Zuhause nennt, bereist sie nach einem wiedererkennbaren Muster: Einer der besten Köche der Welt, Alain Ducasse, besucht im Wochenrhythmus seine Drei-Sterne-Restaurants in Paris, New York und Tokio, außerdem regelmäßig etwa zwanzig weitere Niederlassungen zwischen Mauritius und Las Vegas – niemand wäre besser zu identifizieren als er. Oder wie einer der Forscher der Handy-Studie kühl formuliert: Uns kennzeichnet »ein hohes Maß an zeitlicher und räumlicher Regularität«.

Nicht nur die Orte sind miteinander verkettet, auch unsere Vorlieben, unsere Hobbys und politischen Präferenzen, unsere Lieblingsmusik und bevorzugten Bücher. Ein T-Shirt in einem Berliner Souvenirgeschäft bringt die Erwartbarkeit des Lebens ironisch auf den Punkt: »Sex, Drugs and Volksmusik«. Eben nicht. Wer in einem besetzten Haus in der Großstadt lebt, sich Metallringe durch die Nase zieht, Punkmusik hört und in alternativen Onlineforen schreibt, wird nur sehr selten CSU wählen. Ein Klischee. Aber das interessiert die Maschinen nicht. Sie bewerten nicht. Sie zählen nur eins und eins zusammen – und als Ergebnis sehen sie: unsere errechenbaren Leben.

Auch wir selbst sprechen nicht von Klischees, sondern von unseren Identitäten. Nur weil die Elemente unserer Existenz in einer erwartbaren, nachvollziehbaren Weise zusammenhängen, haben wir den Eindruck einer lebensgeschichtlichen Stimmigkeit, einer Kohärenz, die uns trägt und für deren Erhalt wir kämpfen.

In der granularen Gesellschaft aber wird diese Kohärenz zur Falle. Treffen unsere grobkörnigen Leben auf die Feinkörnigkeit der digitalen Sensoren und Daten, lassen sich unsere Identitäten rasch entschlüsseln. Darin liegt das unausweichliche Dilemma des Digitalen. Die 1,5 Millionen Menschen der am Anfang des Kapitels genannten Handy-Studie bewegen sich in einem Gebiet mit 6500 Mobilfunk-Antennen, die das Areal so hoch auflösen, dass die Bewegung jedes Menschen darin erkennbar wird. Wäre die Auflösung geringer, würde auch die Identifizierung schwieriger. Man kann sich das leicht vor Augen führen anhand eines Fußballfeldes: Unterteilt man die Spielfläche in 50 kleine Zellen und registriert, wo sich jeder Spieler zu jedem Zeitpunkt befindet, kann man den Weg jedes Einzelnen genau nachverfolgen. Hebt man die Unterteilung auf und nimmt das gesamte Spielfeld als eine einzige Zelle, dann kann man nichts mehr über die Spieler aussagen, außer dass sich alle 22 rund 90 Minuten lang in dieser Zelle aufhalten. Der Einzelne verschwindet wieder in der Masse.

Aber schon ganz wenige Daten holen ihn wieder hervor, fanden die Handy-Forscher. Verfügen sie nicht über vier, sondern bloß über zwei Ortsdatenpunkte, können sie immerhin noch mehr als die Hälfte aller Menschen identifizieren. Kein Wunder, dass es die Datensammler so leicht haben, unsere Privatsphäre zu ramponieren.

Nur ein Mensch, der jede seiner Entscheidungen völlig zufällig trifft, wäre überhaupt nicht erkennbar, nicht vorhersagbar. Ein Springinsfeld, der alle paar Stunden seine nächsten Handlungen erwürfelt, um seinen Weg zu verschleiern, wäre aber auch ein Asozialer, der keinerlei Rücksicht auf die Erwartungen seiner Mitmenschen nimmt.

Weil die Elemente unseres Lebens so streng verkettet sind, benötigt ein Beobachter nur einige wenige von ihnen, um den ganzen Rest zu erschließen. Facebook kann allein aus den öffentlich zugänglichen »Gefällt mir«-Klicks mit 88-prozentiger Wahrscheinlichkeit die sexuelle Orientierung eines Users erkennen und mit 75 Prozent Genauigkeit, ob er Drogen konsumiert. Sogar grundlegende Charakterzüge wie »Offenheit für Erfahrungen« fördert das Klick-Verhalten mit gleicher Präzision zutage wie ein psychologischer Standardtest. Einem Nutzer zeigte Facebook kürzlich eine Werbung für einen Therapeuten, der Homosexuelle beim Coming-out betreut – nur hatte der Nutzer überhaupt niemandem von seinem geplanten Outing berichtet; wenige, scheinbar damit nicht zusammenhängende Klicks hatten ihn verraten.

Dies alles ist nicht, wie gerne behauptet wird, eine Frage der Datenmenge. Es reichen ja vier Datenpunkte zur Identifizierung und wenige »Likes« für die Charaktereigenschaften. Big Data ist gar nicht immer nötig, Small Data genügt. Oft sogar ein einzelner Klick. Ein vermeintlich cleverer Student einer Elite-Universität hatte über ein anonymes Netzwerk einen Bombenalarm ausgelöst, um eine Prüfung zu verhindern. Man fasste ihn in Windeseile – weil er der Einzige gewesen war, der in dem betreffenden Zeitraum das Netzwerk benutzt hatte. Datenpunkte: eins.

Daten existieren immer im Kontext, eine bloße Begrenzung der Datenmenge allein hilft per se überhaupt nicht. Daran krankt auch das derzeitige Datenschutzrecht in Deutschland: Es fordert Datenminimierung und betont den Unterschied zwischen personenbezogenen und nicht personenbezogenen Daten. Aber dieser Unterschied ist hinfällig in Zeiten, in denen sich aus anonymen, nichtpersonalen Daten enorm viel über Personen erschließen lässt. Nicht Daten als solche sind entscheidend, sondern deren Transformation in Wissen. Und dafür reichen schon sehr kleine Bestände.

Die längste Zeit konnten wir die eigene Erwartbarkeit gnädig übersehen, nun belehrt uns die granulare Digitaltechnologie eines Besseren. »Wir haben immer gedacht, Individuen seien unvorhersehbar«, meint Johan Bollen, ein Computerwissenschaftler der Universität von Indiana. Jetzt stellen wir fest: Gerade unsere Einzigartigkeit macht uns erkennbar.

Seit der Aufklärung, also seit knapp 250 Jahren, glorifizieren wir unsere eigene Unvorhersehbarkeit unter dem

Begriff der »Freiheit«. Wir könnten jederzeit auch anders. Wir könnten. Aber wir tun es nicht. Unsere Freiheit nutzen wir vor allem dazu, uns immer weiter auf einen bestimmten Lebensentwurf festzulegen, nicht, uns andauernd zu ändern. Solange unser Spielfeld nur aus einer einzigen Zelle bestand, konnten wir uns der Illusion der Unvorhersagbarkeit hingeben. Aber dies war nur ein Effekt der geringen Auflösung. Je feinmaschiger das Feld parzelliert wird, desto vorhersagbarer werden wir.

## VON DER AUSBEUTUNG ZUR AUSDEUTUNG

Wir stehen also ziemlich dumm da. Ganz buchstäblich. Die Verteilung des Wissens verschiebt sich nämlich – und zwar fort von uns. Früher verstand uns niemand besser als wir selbst; dieses Wissen war nicht immer korrekt und oft verzerrt, aber jeder konnte reklamieren, über das eigene Leben am besten Bescheid zu wissen. Das bleibt bis auf Weiteres auch so, aber der Anteil von Fremden, die viel über uns wissen, steigt rasch an. Und in mancherlei Hinsicht ist ihr Wissen präziser, weil ungetrübter von Emotionen. Im Amerikanischen heißt diese graue Wissensmasse der Kontroll-Revolution lapidar: *OPI, other people's information* – das Wissen über das Leben der anderen.

Umgekehrt wissen wir meist wenig über die, die viel über uns wissen. Wir werden transparent, die Transparenzerzeuger bleiben undurchsichtig. Diese Asymmetrie drängt uns in eine historisch neue Lage. Wer wir sind, wie wir wahrgenommen werden, welche Chancen wir erhalten und welche nicht – darüber wird zunehmend in einem Netz ferner Rechenzentren und Institutionen entschieden. Unser Leben wird dezentriert und verteilt über viele Rechenknoten evaluiert.

Der französische Soziologe Michel Foucault beschrieb die Moderne, also die Zeit vom 18. bis zum Ende des 20. Jahrhunderts, als Disziplinargesellschaft. Die Bürger durchwanderten im Laufe ihres Lebens eine Disziplinaranstalt nach der anderen, von der Schule zur Armee und weiter zur Fabrik. Überall wurden sie überwacht, in ein strenges Verhaltenskorsett gezwängt und oft genug ausgebeutet.

Diese Zeiten sind vorbei. So hat im Anschluss an Foucault der Philosoph Gilles Deleuze die »Kontrollgesellschaft« ausgerufen, die sich zur Disziplinierung der Bürger nicht mehr auf Anstalten stützt, sondern auf eine kontinuierliche Überwachung der sich bewegenden Körper, Affekte und Kapitalströme. Den Bürgern wird nicht mehr ein bestimmtes Verhalten vorgeschrieben, sondern ihnen ist – in gewissen Grenzen – alles erlaubt; sie werden nicht mehr gezwungen, sondern moduliert; ihre Emotionen werden nicht mehr unterdrückt, sondern gesteuert. Sie werden nicht ausgebeutet, sondern ausgedeutet.

Sanft, kaum merklich und sehr granular werden die Ströme ihrer Gefühle und ihres Geldes gelenkt und durch raffinierte, zunehmend digitale Anreizsysteme dorthin geführt, wo die Wünsche der Menschen, die Profite der Firmen und die Interessen der Politik konvergieren. Nicht mehr Vorschriften prägen unsere Leben, sondern eine vielschichtige Matrix aus Beobachtungen, Überwachungen, Vorhersagen, Bewertungen, Verführungen und Ermahnungen.

Die Kontrolle wird diffus, aber nicht weniger mächtig. Das eigentliche Ziel der Kontroll-Revolutionäre ist die Beherrschung der Zukunft. Sie wollen aus unseren Verhaltensmustern vorhersagen, was wir als Nächstes tun werden. Und darauf Einfluss nehmen. Kaufleute wollen die Muster kennen, um uns mehr zu verkaufen, Polizisten, um uns zu zähmen, Politiker, um uns zu ihrer politischen Agenda zu verführen.

Längst gibt es Orte, an denen die Kontrollgesellschaft verwirklicht ist wie nirgendwo sonst. Diese Orte werden leicht übersehen, weil sie nur als Spaßanstalten für Dumme gelten. Trotzdem lässt sich hier viel über die neuen Kontrollmechanismen lernen. Die Rede ist von Spielcasinos.

## IN DER MASCHINEN-ZONE

Casinos sind Labore der Kontroll-Revolution, in ihnen verschränken sich wirkungsvoller als anderswo die Effekte von Granularität und Kontrolle: die Berechenbarkeit des Menschen, seine Dauerüberwachung, die Vorhersage seines Verhaltens und die intensive Kooperation von Mensch und Maschine. Und deutlich wird auch, wie sehr unser Begehren den Stoff für diese Kontrolle liefert.

Wer in Las Vegas, Macau oder Sun City eines der unzähligen Casinos betritt, wird vom ersten Moment an gesehen. Kameras erfassen jeden Gast und jede Bewegung, sie schauen in die Gesichter der Besucher und erkennen automatisch deren Gefühlslagen. Sie analysieren die Ströme der Besucher und ihre räumliche Verteilung im Laufe eines Tages. Wer eine Frequent-Player-Karte oder eine Bonuskarte besitzt (wie inzwischen die überwiegende Mehrheit der Gäste), wird namentlich erkannt und per Funksensoren im gesamten Haus geortet.

Da die Karten auch als Zahlungsmittel an den digitalen *slot machines* dienen, wissen die Computer des Casinos zu jeder Zeit, welcher Gast an welchem Gerät spielt, wie viel er einsetzt, wie lange er bleibt, wie viel Geld er verliert (auf lange Sicht verlieren *alle* Spieler, so sind die Maschinen programmiert), ob er langsam oder schnell spielt, welche Maschinen er bevorzugt, ob er sich seinem Kreditlimit nähert – und vieles, vieles mehr.

Aus den Daten errechnen Algorithmen individuelle Spielprofile, sie bewerten jeden Spieler nach Spielhäufigkeit, nach Einsatzhöhe, nach sonstigen Käufen im Casino, und sie registrieren in Echtzeit aktuelle Befindlichkeiten. Ein System namens »Micro seePower« zum Beispiel zeigt Casino-Angestellten auf kleinen portablen Bildschirmen die mutmaßliche Stimmung aller Spieler in ihrer Umgebung; diese erscheinen als gelbe Gesichter, deren Ausdruck je nach aktuellem Spielglück wechselt: heruntergezogene Mundwinkel bedeuten, der Spieler benötigt rasch eine Ermunterung in Form eines Essensgutscheins oder Gratisdrinks, um bei Laune zu bleiben. Der Hersteller preist das System vor allem als Erleichterung für die Angestellten: »Sie müssen nicht mehr beobachten, die Maschine beobachtet für sie.«

Das Ziel ist, die sogenannte »Produktivität« jedes Spielers zu erhöhen – für das Casino selbstverständlich, nicht für ihn. Ein Spieler ist umso produktiver, je mehr Geld er verliert. Die zynische Formel klingt einfach, ihre Umsetzung erfordert aber Fingerspitzengefühl: Der Spieler soll ja nicht möglichst schnell verlieren und in den Bankrott getrieben werden, sondern möglichst lange möglichst viel Geld im Casino lassen. Es geht darum, seine Produktivität über den Lebenszyklus zu maximieren, nicht, ihn einmalig auszunehmen. Das Ziel ist nicht krude Abzocke, sondern effizientes, langfristiges, datengestütztes Melken. Oder wie die Casinodesigner sagen: Verhaltensmodulation.

Diesem Zweck dient alles im Casino. Und alles heißt hier: alles. Architektur, Farben, Gerüche, Geräusche, die Maschinen selbst. Keine andere Welt wird derart umfassend durchgeplant und kontrolliert wie die der Casinos. Es beginnt am Eingang. Dank ausgiebiger Bewegungsstudien wissen Designer, dass sanft geschwungene Zugangswege deutlich mehr Spieler hineinspülen als rechtwinklige Einfallstore.

Das setzt sich im Inneren fort, wo ecken- und kantenlose Gänge immer tiefer hineinleiten in ein präzise kalkuliertes Labyrinth, das parzelliert und unübersichtlich ist und zugleich behütend und einnehmend. Die Casinobauer wissen aufgrund einschlägiger Datenanalyse, wie hoch die als beschützend wahrgenommenen Decken über den Maschinen sein müssen, haben den perfekten Wandbelag gewählt und können anhand ihrer Daten sehen, ob Menschen lieber auf gelben oder lindgrünen Teppichen gehen.

Die Spielgeräte selbst sind längst hochkomplexe Maschinen aus Tausenden von Bauteilen, ihre Farben sind genauestens erprobt, ihre Töne präzise vermessen, um den *affective grip* zu steigern, den »emotionalen Zugriff« auf die Spieler. Aufgrund der Daten, die ihnen die Spieler liefern, wissen die Designer immer genauer, wie sich die Knöpfe anzufühlen haben, sie entwerfen Musik, die perfekt mit den Hintergrundgeräuschen harmoniert, oder sie schaffen mit *noise cancelling*-Lautsprechern im Lärm der Maschinensäle Zonen der Ruhe. Die Maschinen werden optimiert, damit sich die Menschen »optimal« an ihnen verhalten.

Der raffinierteste Trick der Maschinen betrifft die Gewinnwahrscheinlichkeit. Bis in die frühen 1990er-Jahre bevorzugten die Besucher analoge Spiele an grünen Tischen wie Poker oder Blackjack. Inzwischen machen die Casinos bis zu 80 Prozent ihrer Umsätze mit digitalen Geräten. Denn sie erlauben eine andere Auflösung der Spieler. Im Dauer-Feedback zwischen Mensch und Maschine wird die Produktivität des Spiels immer weiter vorangetrieben. Die Digitaltechnologien erlauben es vor allem, an den *slot machines* zwei Dinge zu entkoppeln: das, was die Maschine tut, und das, was der Mensch sieht.

Nach vorne suggerieren sie dem Menschen beständig, er habe soeben einen Gewinn knapp verfehlt. Sie räumen ihm Boni und Extrachancen ein und vermitteln ihm auf immer raffiniertere Weise das Gefühl, er könne die Maschine beeinflussen. Darin nämlich ist der Mensch ganz leicht berechenbar: Wenn er glaubt, er habe Einfluss auf ein Geschehen, bleibt er dran – sogar wenn er sich *rational* bewusst ist, dass es ihm schadet.

Im Hintergrund nutzen die *slot machines* diesen Fehler im menschlichen Betriebssystem und erzeugen für Spieler unsichtbar den Gewinnvorteil für die Casinos. Dafür sorgen sogenannte *mystery chips*, geheimnisvolle Schaltkreise, die den Zufall minimal zuungunsten der Spieler verschieben. Was der Mensch vorne tut, hat keinerlei Auswirkung auf die langfristige Entwicklung des Spiels. Es gibt statistisch immer nur einen Gewinner – das Ergebnis ist voll unter Kontrolle der Schaltkreise.

Damit verhalten sich *slot machines* wie alle Computer: Die blinkende und menschenfreundliche Oberfläche verbirgt einen dunklen Silizium-Wald, den nur Spezialisten verstehen. Die Maschine tut, was sie am besten kann: rechnen. Und der Mensch genießt, womit er sich am wohlsten fühlt: mit den Illusionen seiner Handlungsmacht.

Bis hierhin lässt sich das als eine Geschichte der Manipulation, der Abzocke lesen. Finstere Casino-Betreiber manipulieren die hilflosen Spieler. Rücksichtslos, profitgierig, zynisch. Was nicht falsch ist. Aber es ist eben nur die eine Hälfte der Wahrheit, wie die Anthropologin Natasha Dow Schüll herausfand, die 15 Jahre lang die Casinos und Spieler in Las Vegas erforscht hat. Sie hat aus diesem Stoff eines der besten Bücher zum Mensch-Maschinen-Verhältnis verfasst, *Addiction by Design*.

Darin lässt sie kein gutes Haar an den Machenschaften der Casino-Betreiber. Sie beschreibt aber auch sehr deutlich, dass ohne das Zutun der Spieler, ohne ihr Begehren, die Casino-Industrie kollabieren würde. Der Mensch liefert mit seinen Wünschen und Begierden den Rohstoff für die

Veredelung der Sucht an den Maschinen. Nur beides zusammen erklärt die ungeheure Macht einer Industrie, die fast 500 Milliarden Dollar umsetzt und Hunderte Millionen von Menschen bewegt. Natasha Schüll bezeichnet dieses Zusammenspiel von Profit und Psyche als »geheimes Einverständnis« zwischen Mensch und Maschine.

Worin besteht es? Der Anthropologin blieb nicht lange verborgen, dass die meisten Spieler in Las Vegas nicht spielen, um zu gewinnen. Keiner der Spieler, so Natasha Schüll, bildet sich ein, die Maschinen schlagen zu können. Sie wissen, dass sie am Ende verlieren und bei null landen – *zeroed out*. Es geht darum, dieses Ende so weit wie möglich hinauszuschieben, um möglichst lange in jenem glücklichen Zustand zu verweilen, den ihnen die Maschine beschert.

Die Spieler nennen diesen Zustand: die »Maschinen-Zone«. Sie verlieren sich darin. »Du bist wie in Trance, du bist auf Autopilot. Die Zone ist wie ein Magnet, sie zieht dich rein und hält dich fest«, sagt eine Spielerin. Und eine andere schwärmt: »Ich werde hypnotisiert, fast, als wäre ich eins mit der Maschine.« Nicht wenige beschreiben die Zone wie eine Meditation, eine transzendente Erfahrung. Andere vergleichen sie mit einem Flow-Erlebnis, als vollständige Absorption. Noch im übelsten Lärmgewitter der Casinos sind die Süchtigen ganz bei sich, der Rest der Welt wird ausgeblendet und es bleibt nichts als eine fast schmerzhaft intensive Verschmelzung mit der Maschine.

Wie entsteht dieser Zustand? Durch Rhythmus, durch das enorm feinkörnige Feedback der Maschinen und durch das, was Psychologen Selbstwirksamkeit nennen. Man drückt den Spielknopf, sofort passiert etwas. Man drückt ihn erneut. Wieder passiert etwas, aber nicht genau dasselbe, sondern etwas minimal Verändertes. Ob man gewinnt oder verliert, ist egal. Es geht nur darum, den Knopf erneut zu drücken. Aktion, Reaktion, in ungeheuer dichter Folge. Versierte *gambler* spielen drei bis vier Spiele pro Minute, 900 bis 1200 pro Stunde, und nicht wenige sitzen stundenlang vor den Apparaten. In der Maschinen-Zone. »Du kannst alles auslöschen an den Maschinen – sogar dich selbst«, sagt einer.

Das sind extreme Erscheinungsformen, aber im Kleinen dürfte vielen diese Zonenerfahrung vertraut sein. Jeder, der sich schon einmal in der Endlosschlaufe einer Spiele-App verfangen hat oder im Netz stundenlang von einem Link zum nächsten gesurft ist, kennt diese Kraft der Verführung, diesen Sog der Maschinen. Jeder Klick, jede Handlung produziert ein belohnendes Feedback, das zum nächsten Klick führt – wir erfahren die Wirklichkeit als einen endlosen Strom von Selbstwirksamkeit. Komplexe Computerspiele wie *World of Warcraft* oder *Grand Theft Auto* funktionieren ähnlich. Dort regieren dieselben Mechanismen wie in den Casinos, nur ist der Einsatz geringer.

Viele Studien zeigen, dass die Vielfältigkeit und die Intensität des Feedbacks uns in die Zone ziehen. Die »einzigartige Reaktionsfreudigkeit und Empfindlichkeit« der Maschinen, schreibt eine Forscherin, »verstärkt und adelt die Handlungen des Nutzers auf so unwiderstehliche Weise, dass er mit der Maschine verschmilzt«. Eine andere Wissenschaftlerin beobachtet, dass »die Erfahrung der sofortigen, präzisen und stets gleichen Reaktion des Computers« auf eine Handlung uns »überwältigt«. Natasha Schüll spricht überaus gelungen von »anschmiegsamen Technologien«. Digitale Maschinen sind unendlich variabel, formbar, veränderbar und können sich jeder physischen und psychischen Regung von Menschen umstandslos, schnell und zuverlässig anpassen, weil sie letztlich auf der unendlich variablen Mathematik beruhen. Ein Spieledesigner sagt: »Es ist, als würde es sich der Spieler auf einem Mathematik-Modell gemütlich machen.« Hier liegt der Urgrund der digitalen Granularität: in der unendlichen Feinteiligkeit der Mathematik.

Aus dem Umstand, dass Menschen die Maschinen-Zone lieben und möglichst viel Zeit in ihr verbringen, hat die Spieleforscherin Jane McGonigal abgeleitet, dass sich im digitalen Spiel der wahre Mensch zeige: kreativ, geduldig, ausdauernd. Und dass Spieler dort eine Welt erleben, die viel besser sei als die »echte« Welt, weil sie die Bedürfnisse der Spieler nach Herausforderungen, Anerkennung, schneller Resonanz und klaren Regeln umfassender befriedige.

Auch die Spieler in Las Vegas berichten übereinstimmend, dass sie mit den Maschinen einen Zustand der Klarheit erreichen, den sie sonst schmerzhaft vermissen. »Viele behaupten, Spielen sei pures Glück«, sagt eine Spielerin, »aber dabei weiß man stets: entweder man gewinnt oder man verliert. Das ist kein Glück – im Gegenteil: Es ist eines der wenigen Dinge, die ganz sicher sind.« Im engen Feedback der Maschinen werden das eigene Tun und die Umwelt berechenbar. Die Maschine schenkt, auf eine irritierende Weise, was das Leben nicht bieten kann: Übersichtlichkeit. Kein Wunder, dass viele Spieler von einer großen Ruhe in der Maschinen-Zone berichten, vom beglückenden Gefühl, endlich ihr chaotisches Leben in den Griff zu bekommen.

Für die Kontroll-Revolution sind das wichtige Einsichten. Wir sollten nicht so tun, als hätten uns die Maschinen nichts zu bieten, als würden sie uns bloß als fremde, böse Macht gegenübertreten, die es zu disziplinieren gilt. Wir investieren Sehnsüchte und Begierden in die digitalen Wesen, wir verbinden uns auf immer »intimere Weise« mit ihnen, wie Bruno Latour schreibt, und sie kommen uns weiter entgegen als alle anderen Wesen bislang. Sie sind auf verstörende Weise selbstloser, dienender, anschmiegsamer als alles zuvor Gekannte. Sie sind Wunschmaschinen oder besser: Wunscherfüllungsmaschinen.

Das macht es so schwer, sie auf Abstand zu halten. Wir haben sie bereits in unsere Leben gelassen, und wir werden die Tür noch weiter öffnen. Dieses »stillschweigende Einverständnis« ist die Grundlage der Kontroll-Revolution. Deswegen ist sie so schwer zu handhaben: Weil wir nie nur bei den Maschinen ansetzen müssen, sondern immer auch bei uns.

Ich hatte oben den Gedanken aufgenommen, dass wir von einer Disziplinargesellschaft in eine Kontrollgesellschaft wechseln. In ihr werden die Bürger nicht mehr in Anstalten (Schule, Armee, Fabrik) diszipliniert und unter Androhung von Strafe auf ein bestimmtes Verhalten abgerichtet. Stattdessen ist ihnen – in gewissem Rahmen – alles erlaubt. Wir werden nicht mehr gezwungen, sondern verführt, nicht mehr ausgebeutet, sondern informationell ausgedeutet. Die Bewegungen ihrer Körper, ihrer Handlungen, ihrer Gefühle und ihres Kapitals stehen unter dauerhafter Beobachtung, aber werden nicht mehr kommandiert, sondern moduliert, ihr Verhalten nicht befohlen, sondern beeinflusst. Sie werden in gewaltige Feedback-Loops gespannt, die sich aus den Daten ihres eigenen Verhaltens speisen und wieder auf ihr Verhalten zurückwirken. Und als Ergebnis bleibt nicht mehr, wie früher, (religiöse) Schuld, sondern: (finanzielle) Schulden.

Für diese Kontrollgesellschaft sind Spielcasinos die perfekten Symbole. Sie verwirklichen, was im Internet oder bei Computerspielen nur unvollständig, weil ausschließlich digital realisiert ist, und verschränken *bits, bricks* und *brains.* Allerdings ist das »geheime Einverständnis« zwischen den Begierden der Spieler und der Unternehmer ein höchst asymmetrischer Pakt, bei dem die Firmen die volle Kontrolle erringen und die Spieler sie – zusammen mit ihrem Geld – verlieren. Während die Spieler komplett transparent sind, bleiben die Firmen hinter einem digitalen Schleier verborgen. Und weil niemand »gezwungen« wird, sich an der Maschine finanziell zu ruinieren, kann es den Anschein haben, als wären allein die Spieler Schuld an ihrem Unglück. Die Singularisierung der Verantwortung. Diese Asymmetrie zwischen den Beobachteten und den Beobachtern, den Datengebern und Datennehmern, ist vielleicht das größte Problem der granularen Gesellschaft. Sie begegnet uns nicht nur im Casino, sondern überall, wo Big Data im Spiel ist – zum Beispiel im Supermarkt.

## VORHERSAGEMASCHINEN

Bei BlueYonder blicken sie jeden Tag in die Zukunft des Konsums. Die Karlsruher Datenfirma errechnet unter anderem, wie sich Artikel in Supermärkten oder bei Versandhändlern verkaufen werden. Das ist wichtig für die Planung und den Einkauf, und dafür, dass nicht zu viele Lebensmittel unverkauft verrotten.

Die Datenfirma, eine der innovativsten in Deutschland, belegt zwei Etagen in einem weißen Bürohauskasten am südlichen Stadtrand, die Belegschaft wächst in großen Sprüngen, aber nichts verrät, woran die Datenwissenschaftler arbeiten. Die Erscheinungsform der Kontroll-Revolution: Menschen vor Bildschirmen.

Das Herz der Firma ist unsichtbar. Es wird fast liebevoll NeuroBayes genannt und ist ein Algorithmus, den Michael Feindt mitentwickelt hat. Feindt, baumlang und herzlich, ist Professor am Karlsruher Institute of Technology, Hochenergiephysiker und hat am CERN gelernt, große Daten kleinzukriegen. Der Teilchenbeschleuniger des CERN ist die größte Datenmaschine der Erde, sie erzeugt ein Petabyte Daten pro Sekunde, das sind alle 60 Sekunden mehr Daten, als die gesamte Menschheit bis zum 21. Jahrhundert produziert hat.

Für den Umgang mit großen Datenmengen hat sich der Begriff *Big Data* eingebürgert. Vom Umgang mit großen Daten verspricht man sich viel, vor allem, die Welt durchschaubarer zu machen, Zusammenhänge zu sehen, die vorher niemand erkannt hat. Und Entscheidungen zu treffen, die nicht mehr auf dem begrenzten Wissen von Experten, sondern auf der stetig wachsenden Fülle von Daten beruhen. *Big*, wie groß, riesig, unfassbar. *Data*, von lateinisch *datum*: gegeben, vorhanden.

Aber einfach so gegeben ist gar nichts in der Datenwelt. Supermärkte sind gewaltige Big-Data-Produzenten. Für einen Kunden errechnet BlueYonder Nacht für Nacht 500 Millionen Vorhersagen: die Abverkaufsprognosen für alle Artikel in allen Filialen über die nächsten 21 Tage. Die Daten fließen allmorgendlich in das Bestellsystem des Kunden, aus dem der Nachschub geordert wird.

Die Menschen assistieren dem Algorithmus, indem sie die Daten aufbereiten, die von ihm verrechnet werden. Bei Absatzprognosen können das Hunderte von Variablen sein: historische Verkaufsdaten der Kassen, Artikelbeschreibung, Preise, Ferienzeiten, Ereignisse (Fußball-WM, Olympia), Werbeaktionen, Konkurrenten. Alles kann Auswirkungen haben. Fester Bestandteil vieler Modelle etwa ist der »Geldsamstag«, der erste Samstag nach der Lohnzahlung, an dem die Verkäufe bestimmter Produkte nach oben schnellen.

Ein Satz dieser Variablen wird dem Algorithmus gefüttert. »Zum Trainieren«, sagt Feindt. Dabei errechnet die Maschine, wie sie die Variablen so kombiniert, dass sie möglichst nah an die bisherigen Verkaufszahlen herankommt. Die Datentrainer von BlueYonder nennen diesen Zielwert: »die Wahrheit«. Mathematisch gesehen geschieht bei diesem Training die »Optimierung der Kantengewichte im Netzwerk«, de facto lernt die Maschine die Menschen kennen. Wie sie ticken. Was sie so machen beim Einkaufen, welche Vorlieben sie haben. Ihre aggregierten Einzigartig-keiten.

Lange Zeit verfolgten Forscher auf dem Gebiet der Künst-lichen Intelligenz das Ziel, dem Computer das menschliche Denken beizubringen. Aber inzwischen beherzigen sie die Einsicht, dass Computer eine ganz eigene Spezies sind, die nicht so denkt wie wir. Daher füttern Experten wie Feindt die Computer nun mit möglichst vielen Daten und lassen sie dann ihre eigenen Schlüsse daraus ziehen. Dieses *machine learning* findet auch bei jeder Suchanfrage bei Google, jeder Zahlung mit einer Kreditkarte, jedem Anruf per Han-dy statt: Immer lernen Algorithmen mit.

Ein bemerkenswertes Beispiel dafür hat Google geliefert, als es vor ein paar Jahren den kostenlosen Service GOOG-411 in den USA anbot. Menschen riefen an, nannten einen beliebigen Suchbegriff, und die Maschine las die Ergebnisse vor. Google-Suche per Stimme. Die Konkurrenten fragten sich, warum Google einen derart teuren Service kostenfrei anbot. Als die Firma ihn beendete, erfuhren sie, warum: Die Anfragen der Menschen hatten einen Computer trainiert, ihn mit einem gewaltigen Wortschatz versorgt und Google zur besten Spracherkennung der Welt verholfen.

Bei BlueYonder hat die Maschine inzwischen so gut vom Menschen gelernt, dass sie ihn locker schlägt. Die Ab-satzprognosen aus dem Computer sind bis zu 40 Prozent genauer als die Vorhersagen der Verkaufsprofis. Und das bedeutet: weniger faule Bananen, weniger unverkäufliches Fleisch, geringere Lagerbestände. Deswegen schafft eine Supermarktkette nach der anderen ihre Experten ab und verlässt sich nur noch auf die Maschinen. Auch hier wirkt die Intelligenz-Revolution. »Unsere Intuition kann einfach nicht mithalten.« Michael Feindt sagt das nicht triumphal, er meint es nicht böse, es entspricht bloß seiner Erfahrung. Wann immer der Mensch gegen den Algorithmus antritt, gewinnt die Maschine. »Wir können höchstens drei Variablen zueinander in Beziehung setzen, die Computer Tausende.«

Die Regelmäßigkeiten, die sie in den Datenmengen finden, sind der Rohstoff der Vorhersagen. Viele davon sind extrem nützlich und beinhalten oft auch keinerlei sensible Daten. So fanden Forscher der Stanford-Universität allein mit statistischer Analyse heraus, dass zwei populäre Medikamente – ein Antidepressivum und ein Cholesterin-Senker – schwere Diabetes auslösen können, wenn sie gemeinsam eingenommen werden. Die Wechselwirkung zwischen Medikamenten werden bei der Zulassung meist nur unzureichend geprüft, was bei Hunderttausenden von Wirkstoffen kein Wunder ist. Die Forscher kamen dem verheerenden Zusammenspiel auf die Spur, als sie mehrere Datenbanken miteinander abglichen. Außerdem analysierten sie, ob Menschen, die in der Internet-Suchmaschine Bing nach beiden Medikamenten gesucht hatten, auch häufiger nach Diabetes-Symptomen gesucht haben – was sich bestätigte. Mit ähnlichen Methoden fanden südafrikanische Wissenschaftler heraus, dass Vitamin B den Krankheitsverlauf bei HIV-Patienten abmildern kann.

An diesen Fällen ist zweierlei bemerkenswert. Zum einen sind die verwendeten Daten oft nicht speziell für die jeweilige Fragestellung erhoben worden; Suchanfragen bei Bing werden ja nicht zu medizinischen Zwecken gesammelt. Man kann also nie sicher sein, wofür Daten eines Tages verwendet werden – was ihre Kontrolle deutlich erschwert. Zum anderen kann die Kombination von unterschiedlichen Datenbanken völlig neue, überraschende Ergebnisse hervorbringen, die aus keinem der beiden Datensätze allein auch nur erahnbar war. Je mehr Daten, desto mehr Überraschungen. Die Intelligenz der Daten.

Diese Erfahrung machen viele Firmen. So entdeckten Telefonkonzerne, dass Kunden fünfmal häufiger ihren Vertrag kündigen, wenn zuvor ein Freund dasselbe getan hat – seither versuchen sie die Freundesnetzwerke zu durchleuchten und, sowie einer kündigt, den anderen Freunden gezielt Sonderkonditionen anzubieten.

Bevor der US-amerikanische Streamingdienst Netflix die enorm erfolgreiche Serie *House of Cards* in Auftrag gab, analysierte er die Vorlieben seiner rund 40 Millionen Kunden und ermittelte, dass Politik, Kevin Spacey und Zynismus gut ankommen.

Eine Kreditkartenfirma fand in ihren Daten die merkwürdige Koinzidenz, dass die Tageszeit, zu der Menschen ihre Autos betanken, etwas über die Höhe der späteren Einkäufe aussagt. Warum das so war, konnte niemand sagen.

Aus solchen »Erkenntnissen« werden Profile für Käufergruppen und einzelne Käufer abgeleitet. Das ist hochriskant für alle Beteiligten. Aus zwei Gründen. Der erste ist schlicht: Überoptimismus. Denn die Suche nach Regelmäßigkeiten scheitert mindestens so oft, wie sie gelingt. Es ist verflucht schwierig, aus der Menge der Daten brauchbare Informationen herauszulesen. Bei großer Datenfülle finden sich haufenweise Korrelationen, die statistisch signifikant, aber dennoch komplett sinnlos sind. Generell gilt: je mehr Daten, desto mehr plausibel aussehender Müll. Das Phänomen heißt Apophänie. Man sieht Muster, wo gar keine sind – Fata Morganas der Datenwelt. Ein Forscher demonstrierte eine starke Korrelation zwischen dem US-Börsenindex S&P 500 und der Butterproduktion in Bangladesch. Bei diesem Beispiel sticht die Abwegigkeit ins Auge, bei anderen Fällen nicht.

Denn oft präsentieren die Maschinen Ergebnisse, die der Mensch nicht mehr einschätzen kann – wie auch, bei zuweilen Zehntausenden von Variablen. »Wir haben noch keine Sprache für die unerwarteten Verbindungen, die Algorithmen ziehen«, schreibt der Digitalforscher Tarleton Gillespie, und werden derzeit noch allzu leicht von den ehrfurchteinflößenden Ergebnissen überwältigt, deren Zustandekommen wir nicht begreifen.

Häufig haben wir es aber auch einfach nur mit mieser Datenqualität zu tun. Viele Daten sind unsauber und unstrukturiert, liegen also nicht säuberlich als Zahlen vor, sondern bestehen aus Textfragmenten, Facebook-Einträgen, Bildern oder Graphiken, die erst in langwierigen und fehleranfälligen Verfahren gesäubert und strukturiert werden müssen. Und schließlich können auch bei der Verarbeitung zahllose Fehler unterlaufen.

Die Kontroll-Revolution humpelt also oft noch auf statistischen Krücken daher. Das macht sie allerdings nicht weniger wuchtig. Es kommt nämlich gar nicht so sehr darauf an, dass alle Berechnungen stimmen, es reicht, dass die Berechnungen existieren und unsere Wahrnehmung und unsere Entscheidungen prägen. Ihr Einfluss beruht auf der wundersamen Vereinfachung, die sie uns anbieten, auf der »Reduktion der Komplexität«, wie der Soziologe Niklas Luhmann zu sagen pflegte. Zahlen ordnen unsere Welt, auch wenn wir nicht genau wissen, wie sie eigentlich errechnet wurden und ob wir ihnen vertrauen können.

Vom Ordnen ist es dann nur ein winziger Schritt zum Bewerten. Aus den Zahlen werden Normen, aus Maßen werden Maßstäbe. Anhand der Berechnungen beginnen wir, Menschen zu sortieren, zu diskriminieren und zu kontrollieren. Das ist der zweite Grund, warum Big Data so riskant ist.

## DIE BEWERTUNGSGESELLSCHAFT ODER: FINDEN SIE DIESES KAPITEL HILFREICH?

Im Jahr 2013 veröffentlichte Dave Eggers den Roman *The Circle*. Darin beschreibt er eine gleichnamige Firma, die eine Art datengetriebene Weltherrschaft ausübt und dank allgegenwärtiger Kameras und der Totalüberwachung des Internets nahezu alles über jeden Mensch weiß: »Alles, was passiert, müssen wir wissen«, lautet das Motto der Firma.

Feuilletonisten priesen *The Circle* als ersten literarisch anspruchsvollen Roman über die großen Datenfirmen wie Google und Facebook, Tech-Experten verlachten ihn als naiv und falsch in allen wesentlichen technischen Dingen. Beide Gruppen haben recht, der Roman liest sich rasant und der Autor hat – wie er selbst zugibt – keinen blassen Schimmer von den Technologien, die er beschreibt. Aber das macht manche seiner Beschreibungen nicht weniger treffend: Die Firma verrechnet alle Daten über die User automatisch zu Bewertungen, die ihr Verhalten nicht nur beschreiben, sondern vergleichen und einstufen. Angestellte von »The Circle« werden nach ihrer Partizipation in sozialen Medien bewertet (dem sogenannten PartiRank). Bürger, die sich für eine Art Nachbarschaftspolizei registrieren, werden in der Augmented Reality des Romans mit blauer Farbe markiert – als Zeichen, dass man sich bei ihnen sicher fühlen kann. Kriminelle hingegen werden je nach Gefahrengrad gekennzeichnet: gelb für Gelegenheitsdiebe, rot für Gewaltverbrecher. Und das TruYou-Profil jedes Menschen, das alle Daten aus sozialen Netzwerken, Banküberweisungen, Kreditkarten, Videokameras verarbeitet, erlaubt nahezu jede beliebige Bewertung und Einstufung: der Kreditwürdigkeit, des Einkaufsverhaltens, der Arbeitsmoral und vieles mehr.

Das ist viel weniger weit hergeholt, als man vermuten möchte. Längst werden wir als Menschen und Konsumenten so intensiv bewertet wie die Musik bei iTunes und die Bücher bei Amazon. Und jeder Klick reichert die Informationen an: Wer immer die Frage »War diese Rezension für Sie hilfreich?« beantwortet, wirft den Algorithmen einen Knochen zu. Die Bewertungen, die digital entstehen, heißen mal *scores*, mal Profile. Job-Bewerber erhalten Punkte für die Kreativität und die Führungsqualitäten, die ihre Online-Aktivitäten verraten. Programmierer erwarten größere oder kleine Boni je nachdem, wie andere die Güte ihrer Programmzeilen bewerten. Eine Kreditkartenfirma lässt von Algorithmen die Kreditwürdigkeit all jener herabstufen, die mit ihrer Karte Therapeuten, Eheberater und – skurrilerweise – einen Reifenreparaturservice bezahlen. Und eine kanadische Bank fand in ihren Datenwolken, dass Besucher einer bestimmten Bar ein besonders hohes Bankrottrisiko haben, und wertete entsprechend die Bonität *aller* Barbesucher ab.

Sogar die Sache mit den farblich gekennzeichneten Kriminellen ist nicht mehr sonderlich weit hergeholt. Mehr als 50 Behörden und Polizeidienststellen in den USA haben MORIS eingeführt, ein kleines Zusatzgerät zum iPhone. Es führt eine Gesichtserkennung durch und sucht den Betreffenden in verschiedenen Kriminal-Datenbanken und auf Flickr und Facebook. Jeder kann so in Sekunden identifiziert werden – und zwar noch granularer, als es in Deutschland üblich ist, wo jeder jederzeit durch seinen Personalausweis identifizierbar ist.

Jede Bewertung enthält zugleich eine Vorhersage: So wie in der Vergangenheit wird sich der Betreffende vermutlich auch in Zukunft verhalten. Wer bei Amazon fleißig Liebesromane kauft, wird morgen nicht auf Horrorvideos umsteigen. Der per MORIS erfasste »Kriminelle« wird von der Polizei anders behandelt als ein unbescholtener Bürger. Scores, Profile, Muster sagen also stets zugleich etwas über

Vergangenheit und Zukunft aus: wie gestern, so auch morgen. Wir hatten gesehen, dass vieles für diese Verknüpfung spricht: Menschen bleiben sich treu. Nur deswegen lohnt es für Datenfirmen und Staaten, so viel Geld und Aufwand in die Analyse der Vergangenheit zu stecken.

Aber trotz aller vermeintlichen Stabilität des Verhaltens: Gerade die Bewertungen und Vorhersagen verändern die Zukunft auch. Sie sind nicht neutral. Sie greifen in das Leben Einzelner ein und strapazieren unsere Auffassung von Gleichheit in unserer Demokratie. Das lässt sich auf einem vermeintlich unverdächtigen Gebiet zeigen: an der Veröffentlichung wissenschaftlicher Aufsätze. Eine Gruppe von Forschern des MIT hat errechnet, welche Fachartikel die größte Chance haben, in Zukunft häufig zitiert zu werden. Schon wenige Tage nach der Veröffentlichung lasse sich eine Vernetzungsstruktur erkennen, die sich Jahre später in stark erhöhter Popularität des Aufsatzes ausdrücken werde. Oder auch nicht. So kann die Karriere von jungen Wissenschaftlern beendet sein, bevor sie überhaupt begonnen hat. Nur wissen sie es nicht.

Was, wenn ein Computer dem fünfjährigen Albert Einstein mit großer Wahrscheinlichkeit eine Zukunft als Nobelpreisträger prophezeit hätte? Wäre er es dann auch geworden oder hätte ihn die Prognose zur Faulenzerei animiert – und damit die Erfüllung der Prognose vereitelt? Wie greifen Vorhersagen, die sich in die Aura algorithmischer Objektivität kleiden, in unser Leben ein? Wie sollen wir auf sie reagieren: als Wahrheiten, als Trends, als Lächerlichkeiten? Was bedeutet ein Satz wie: »Ihre Genanalyse ergibt eine 37-prozentige Chance, dass Sie vor dem fünfzigsten Lebensjahr an einer schrecklichen Krankheit erkranken«? Ist das viel oder wenig und welches Verhalten verlangt es uns ab?

Die meisten Kennziffern wirken allerdings nur im Hintergrund. Nahezu alle Datenfirmen legen Profile über ihre Nutzer an und versehen sie mit *scores* über ein nahezu unbegrenztes Feld des Messbaren: Bonität, Kaufbereitschaft, Einfluss in sozialen Medien, Renitenz, Beeinflussbarkeit. Die Kunden erfahren davon meist nichts. Das erzeugt gewaltiges Unbehagen und weckt den Verdacht universeller Benachteiligung. Irgendwie fühlt sich jeder zugleich beobachtet und schlecht behandelt. Nur Transparenz könnte daran etwas ändern.

Aber die Frage, wem solche Verfahren tatsächlich schaden und wen sie bevorteilen, ist nicht so leicht zu beantworten. Ein oft geäußerter Verdacht lautet, dass vor allem Arme und Benachteiligte unter dem *scoring* leiden. Banken werden Kunden mit wackligen Finanzen durch mehr Daten noch besser erkennen, Kreditkartenfirmen aus den Zahlungen noch leichter die Risikofälle herauslesen und diskriminieren. »Die persönlichen Daten eines Individuums werden automatisiert und ohne sein Wissen zu seinem Schaden missbraucht«, schreibt der Autor Sascha Lobo, der früher mal ein glühender Anhänger der digitalen Sphäre war und sich zu einem der eloquentesten Schwarzseher gewandelt hat.

Aber so einfach, wie Lobo schreibt, ist es nicht. Die Daten können Benachteiligten ebenso zu Hilfe kommen. Eine Firma namens Gild sucht im Netz anhand von 56 000 Variablen nach Programmierern, die keine Elite-Universität absolviert haben und dennoch gute Arbeit leisten; sie entdeckt also jene, die bislang übersehen wurden, und gibt ihnen eine Chance.

Die Reise-Site Orbitz fand heraus, dass Besitzer von Apple-Computern eine größere Zahlungsbereitschaft für Hotels haben, also zeigte sie ihnen höhere Zimmerpreise als Windows-Nutzern. Der Vorteil der Mac-Besitzer, mehr Geld für einen Computer ausgegeben zu können, wendet sich zu ihrem Nachteil. Forscher in Barcelona verglichen die Preise, die Internetnutzern mit einem »Spar-Profil« und solche mit einem »Reichtums-Profil« angeboten wurden: Die Preise für die »Sparer« lagen zum Teil 4-mal niedriger als für die »Reichen«; Surfer, die einen Online-Shop von einer Discounter-Seite aus ansteuern, zahlten bis zu 23 Prozent weniger als Surfer, die von anderen Seiten kommen. Alles andere würde ja ökonomisch auch keinen Sinn machen: Wenn Händler die Preise für weniger Begüterte *erhöhen*, schneiden sie sich ins eigene Fleisch.

Auch *können* algorithmische Profile gerechter sein als menschliche Urteile. Ein dunkelhäutiger Bewerber hat in unserer Gesellschaft womöglich bessere Chancen, wenn eine Maschine die Auswahl trifft. Wir dürfen die *scores* der Maschinen ja nicht mit idealen Entscheidungen vergleichen, sondern mit denen, die Menschen üblicherweise treffen. Und die sind oft vorurteilsbeladen, engstirnig, befangen. Algorithmen haben durchaus das Zeug, für mehr Gerechtigkeit zu sorgen, aber nur, wenn wir sie richtig handhaben.

Ein Beispiel könnte der Verbraucherschutz sein. Eine seiner Herausforderungen besteht darin, Menschen vor Entscheidungen zu bewahren, die sie mit hoher Wahrscheinlichkeit bereuen werden, ohne ihnen ihre Entscheidungsfreiheit zu nehmen. Das Mittel der Wahl ist Aufklärung. Algorithmische Modelle könnten deutlich präzisere und personalisierte Auskünfte geben, bei Hauskäufen, Versicherungen oder Krediten zum Beispiel. Leuten, die sich ein Haus kaufen wollen, könnte man sehr viel genauere Daten an die Hand geben als bislang, etwa: Wie hoch ist die Wahrscheinlichkeit, dass Käufer mit einem ähnlichen Profil bankrottgehen? Wie wahrscheinlich ist es, dass sie ein zu großes Haus kaufen, mit dem sie sich übernehmen? Und viele brauchbare Informationen mehr.

Oder man stelle sich vor, die Stiftung Warentest oder

eine vergleichbar respektierte Institution bietet unter strikter Wahrung der Privatsphäre an, Profile von Kunden zu erstellen, um daraus deren typische Fehler abzuleiten. Oder die Stiftung lässt »Guerilla-Algorithmen« bauen, mit denen sie die Programme von Banken und Kreditkartenfirmen simuliert, um zu verstehen, wie sie die Kunden bewerten. Auf dieser Grundlage lassen sich viel effektivere Warnungen und Empfehlungen aussprechen.

Wichtig ist auch zu begreifen, dass wir es mit einer großen Vielfalt von Bewertungsschemata zu tun haben. Derzeit zeichnet sich jedenfalls weder ab, dass sie einheitlich gesteuert oder zertifiziert werden – noch, ob das sinnvoll oder wie gefährlich es wäre. Wahrscheinlich werden wir uns in einem Netz aus sich überlappenden und widersprüchlichen *ratings* bewegen. Die Matrix der Kontrollgesellschaft ist vor allem eins: unübersichtlich.

Alle diese Ratings werden vorurteilsbeladen sein. Das ist unvermeidlich. Sie sind nie neutral, immer fließen fragwürdige Entscheidungen über die Auswahl der Daten und die Logik der Algorithmen ein. Zwar reklamieren einige Algo-Propagandisten für ihre Analyse-Software geradezu göttliche Objektivität und behaupten, sie würden die Wirklichkeit abbilden, »wie sie ist«, aber das ist Augenwischerei. Jede Software drückt die Entscheidungen derjenigen aus, die sie programmiert haben.

Facebook etwa gewichtet kontinuierlich den Wert und die Bedeutung aller Freunde eines Users, je nachdem, wie viel er mit ihnen kommuniziert. Freunde sind also nicht gleich Freunde, sondern höchst unterschiedlich. Verwandte etwa stuft Facebook höher ein und zeigt ihre Status-Updates auch dann, wenn man gar nichts mit ihnen zu tun hat. Blut ist dicker als Wasser – qua Code bekräftigt Facebook diese Norm unterschwellig und für viele Nutzer nicht erkennbar.

Mit solchen Einflüssen müssen wir vermutlich leben, zumindest bei nichtstaatlichen Anbietern, die ja auch in der Offline-Welt Präferenzen für bestimmte Lebensstile oder Ideen ausdrücken dürfen. Es bedeutet auch nicht, dass die Algorithmen stets dieselben gesellschaftlichen Gruppen benachteiligen und andere bevorteilen, in der Kontroll-Matrix der granularen Gesellschaft verschieben sich die Vor- und Nachteile rasch.

In der Überlagerung von Differenz- und Kontroll-Revolution bekommen wir es vielmehr mit vielen Mikrodiskriminierungen zu tun, mit einer schwer zu durchschauenden Gemengelage aus rasch errechneten und ebenso rasch verschwindenden Profil-Lagen, die wie Blitze unser Leben erhellen, beeinflussen und wieder verlöschen. Eine gesamtgesellschaftliche Benachteiligungsbilanz lässt sich daraus nur schwer erstellen. Allerdings werden diese flüchtigen Miniatur-Diskriminierungen das *Gefühl* flächendeckender Benachteiligung stark befördern.

Eine Gruppe kann in der Rating-Gesellschaft allerdings klar als Verlierer gelten: die Kaste der Experten.


## DAS ENDE DER EXPERTEN

Angenommen, die Leistungen von Rechtsanwälten würden öffentlich zugänglich. Klienten könnten ihr Smartphone konsultieren, um zu erfahren, welche Universität die Anwältin besucht hat, welche Noten sie hatte und welche Berufsstationen sie absolviert hat. Dazu die Information: »Die Qualität der Schriftsätze der Anwältin liegen im obersten Fünftel ihrer Altersklasse. Das erklärt 27 Prozent ihrer Erfolge vor Gericht.«

Nicht alle Anwälte würden ihre Daten den Algorithmen und Bewertungen zugänglich machen, aber das würde rasch als Nachteil ausgelegt: Wer sich nicht erfassen lassen will, versucht schwache Leistungen zu verbergen. Eine Plattenfirma, die sich weigert, eine Veröffentlichung vorab den Kritikern zur Verfügung zu stellen, dürfte jedenfalls Skepsis ernten – und damit die Marktchancen des Künstlers erheblich eintrüben. Es steht also zu erwarten, dass sich früher oder später alle Arbeitnehmer und Geschäfte durchleuchten lassen, schon weil Verweigerer bestraft werden.

Wem nützt das, wem schadet es? Vor allem den Armen? Unwahrscheinlich. Klar, exzellent bewertete Anwälte oder Ärzte werden deutlich höhere Honorare verlangen, sie sind die Superstars der digitalen Rating-Gesellschaft. Zugleich werden die öffentlichen Noten zu härterem Wettkampf führen, von dem üblicherweise alle Kunden profitieren: Drei Eisdielen im Viertel bedeuten meist besseres Eis als eine.

Anwälte und Ärzte mit schlechten Bewertungen müssen vermutlich ihre Preise senken, was sie für Arme zugänglicher werden lässt. Benachteiligte erhalten also weiterhin einen schlechteren Service als Begüterte, aber immerhin müssen sie dafür nicht mehr wie jetzt dieselben Preise zahlen. Die Bewertungstransparenz verbessert für Arme also zumindest das Preis-Leistungs-Verhältnis, auch wenn es ihnen nicht dieselbe Beratungsqualität sichert.

Die meisten Bewerteten werden die Systeme hassen. Und versuchen, sie zu manipulieren. Das wird in einem gewissen Maße immer wieder gelingen, aber mit der Zeit dürften die meisten Bewertungsraster relativ robust und recht fair sein – wenn natürlich auch nicht perfekt. Aber vermutlich gut genug, damit die Vorteile überwiegen.

Die Reputation Einzelner wird gewaltig steigen, aber Berufszweige als Ganze dürften eher an Ansehen verlieren. Die öffentlich gemachte Fehlbarkeit von Anwälten, Ärzten, Richtern, Handwerkern und Lehrern dürfte ihre Aura lädieren und ihren Expertenstatus relativieren. So wie Schachgroßmeister nicht mehr ganz so glorios dastehen, seitdem

Taschencomputer sie schlagen, werden auch Fachleute Probleme haben, eine Aura der Unfehlbarkeit zu kultivieren. Mehr Ärzte als bisher werden als zweit- oder drittklassig entlarvt und ihr Abstand zu den Besten ihres Faches wird der Öffentlichkeit schmerzhaft bewusst.

Wie schmerzhaft, zeigt sich an der Diskussion um schlechte Lehrer, die in den Schulen bislang standhaft verweigert wird, weil die Institutionen noch nicht wissen, wie sie damit umgehen sollen. Dabei ist der Abstand zwischen guten und schlechten Lehrern gewaltig und kann den Lebensweg der Kinder entscheidend beeinflussen, vor allem der bildungsfernen. Aber im Schulsystem wird weiter vorgetäuscht, alle Lehrer wären gleich gut – oder wie ein Kultusminister ironisch formulierte: »Ausgehend von den Beurteilungen sind 90 Prozent aller Lehrer überdurchschnittlich.«

Diese Illusion der fachlichen Hochleistung wird in der Rating-Gesellschaft zerbröseln. Experten müssen zunehmend mit Widerstand rechnen: Wir werden ihnen grundsätzlich kritischer entgegentreten und munitioniert mit Bewertungen, Gegenwissen und Kontra-Expertisen. »Dr. Google«, also eigenmächtig im Internet recherchierende Patienten, ist nur eine Facette dieser Entwicklung. Wir lassen uns weniger leicht lenken und werden uns, bewaffnet mit Bewertungen aller Art, ein Stück weit selbstermächtigt fühlen.

Der wirkliche Machtzuwachs liegt aber bei der algorithmischen Elite. Man mag vom Datenhunger der Konzerne halten, was man will, richtig gefährlich für unsere Demokratie wird es erst, wenn die Staatsmacht sich mit dieser neuen Elite verbündet.

## POLITIK DER EVENTUALITÄTEN

Wagen wir ein Gedankenexperiment. Angenommen, auch der Staat bediente sich der Profile und *scores*. Auch er würde granular handeln, also zum Beispiel seine Leistungen nicht mehr anhand einheitlich festgelegter Kriterien verteilen, sondern aufgrund fließender algorithmischer Bewertungen. Manche Medikamente erhalten nur die Bürger, deren *score* vermuten lässt, dass sie sich an die Dosierung halten und ihren Lebensstil gesundheitsfördernd umstellen. Steuerrabatte zur Stimulierung der Wirtschaft gehen nur an jene, deren Profil eine besondere Ausgabenfreude nahelegt, damit das Geld wieder in die Realwirtschaft fließt und nicht auf ein Sparkonto. Studenten, deren Kennziffern erwarten lassen, dass sie ihr BAföG schneller als vorgesehen und ohne Ausfälle zurückzahlen, erhalten entweder mehr Förderung oder günstigere Konditionen – schließlich geht der Staat bei ihnen ein geringeres Risiko ein oder spart sogar Geld.

Möglicherweise wäre ein solches staatliches *profiling* ökonomisch sinnvoller als das bislang vorherrschende Gießkannenprinzip, die Verschwendung von ungenutzten Medikamenten ließe sich eindämmen, der Nutzen von eingesetzten Subventionen steigern. Aber selbst wenn das so wäre, bliebe die große Frage: Würden wir eine solche Politik wollen und – ertragen? Würden wir es hinnehmen, dass der Gleichheitsgrundsatz von Wahrscheinlichkeitsrechnungen ausgehebelt wird? Oder empfänden wir das als verwerfliche Diskriminierung? Und wenn wir es akzeptieren würden, dann auch im Extremfall algorithmisch gewichteter Wahlstimmen? Denn auch das wäre ja denkbar: dass die Stimme eines Bürgers nach bestimmten Kriterien kalkuliert wird, etwa nach sozialem Engagement oder Zahl der Kinder oder nach sozialer Bedürftigkeit (im Ausgleich zu den Einflussmöglichkeiten, die reiche Bürger haben).

Vor dem Recht sind alle Bürger gleich, es urteilt ohne Ansehen der Person. Das ist die Grundidee unserer demokratischen Ordnung. Sie wurde in jahrhundertelangen Kämpfen gegen die Privilegien der aristokratischen Elite und allen Vorstellungen von der angeblichen Ungleichheit des Menschen durchgesetzt. Was aber, wenn das technische Dispositiv genau diese Ungleichheit sichtbar und berechenbar macht?

So ganz neu wäre das nicht. Wer einen Autounfall verursacht und zuvor nie aufgefallen ist, wird anders bestraft als ein notorischer Straßenrowdy. Auch die Versicherung behandelt beide sehr unterschiedlich. Und selbst der Staat ist nicht frei von gewollten Diskriminierungen. Der derzeit meistdiskutierte Fall ist die Frauenquote (etwa für Aufsichtsräte), die beide Geschlechter diskriminiert – das eine positiv, das andere negativ –, um eine gerechtere Verteilung herzustellen. Auch die steuerliche Höherbelastung von Besserverdienenden ist eine – restlos akzeptierte – Ungleichbehandlung zwecks größerer Gerechtigkeit.

Staatliches algorithmisches *profiling* löst dieses Prinzip höher auf. Es verfeinert es zu einer granularen Diskriminierung anhand von algorithmischen Profilen, die nicht nur Gruppen – Frauen, Gutverdienende –, sondern Einzelne unterscheiden. Singularisierte Diskriminierung.

Es gibt bereits erste Fürsprecher für diese Art von Politik. Nicht, wie man vermuten könnte, von großen Datenfirmen, die ihre Dienste anbieten, sondern zum Beispiel von einem eher linken Harvard-Professor, der lange für Präsident Obama gearbeitet hat. Cass Sunstein beschäftigt sich damit, wie man Menschen zu für sie vorteilhaftem Verhalten animieren kann. Er beklagt etwa, dass in Schulkantinen die Dickmacher wie Chips und Cola ganz vorne ausliegen, nicht aber die gesunden Speisen. Wenn man die Theken in den Kantinen anders arrangiert und das Obst und Gemüse sichtbar macht, so fand er heraus, dann greifen die Schüler viel eher zu. Sunstein nennt das: eine »Wahl-Architektur« schaffen, also die Vorgaben für die individuelle Wahl so gestalten, dass eher eine vorteilhafte Entscheidung getroffen wird.

Ein anderes Beispiel, das Sunstein gerne zitiert, stammt aus Deutschland. Bei uns haben sich rund zwölf Prozent der Bürger zur Organspende bereit erklärt. In Österreich sind es fast 99 Prozent. Weil die Deutschen weniger empathisch sind? Weil es kulturelle Unterschiede gibt? Nein, sondern weil in Österreich automatisch jeder zur Organspende verpflichtet ist, es sei denn, er entscheidet sich ausdrücklich dagegen. In Deutschland ist es umgekehrt: Niemand ist verpflichtet, es sei denn, er erklärt ausdrücklich seinen Willen zur Spende. Die Grundeinstellung in Österreich ist opt-out, in Deutschland ist sie opt-in. Diese unterschiedliche »Wahl-Architektur« erklärt die gewaltigen Unterschiede in der Spendenbereitschaft.

Was wäre nun, fragt Sunstein, wenn man diese *choice architectures* nicht auf ganze Völker, sondern singularisiert auf Einzelne zuschneiden würde? Wenn man, wie zwei andere Juristen es nennen, »granulare personalisierte Grundeinstellungen« etablieren würde?

Anhand von Daten über das Ausgabeverhalten, Risikofreude, Alter, Beruf und vielen anderen Faktoren würden individuelle Zahlungen für die Renten- oder Krankenkasse ausgehandelt. Verträge etwa für Wohnungsmieten oder bei teuren Anschaffungen könnten automatisch individuelle Passagen enthalten: Bei extrem vorsichtigen, gut informierten Menschen würde etwa das Rückgaberecht von Waren ausgeschlossen, im Gegenzug erhielten sie Rabatt auf den Einkaufspreis.

Sunstein geht davon aus, dass »personalisierte Grundeinstellungen mit dem zunehmenden Wissen über die Entscheidungen der Bürger in allen möglichen Lebenssituationen eine große Zukunft haben werden«. Er sieht darin hauptsächlich zwei Vorteile: Zum einen wird der Staat jedem individuell gerecht. Und zum anderen subventionieren die »guten« Bürger nicht mehr das Fehlverhalten der Problembürger. Jeder bekommt das, was er durch sein Verhalten verdient. Aber ist das ein Vorteil oder stellt das unsere gängige Gerechtigkeitsidee auf den Kopf?

In jedem Fall übersieht Sunstein die gravierenden Nachteile. Denn der entscheidende Unterschied zum jetzigen System besteht nicht darin, wie viele Menschen unter eine Regelung fallen, sondern *wie* sie jeweils erfasst werden. Größere Gruppen wie etwa Besserverdienende oder Frauen lassen sich vorab gut definieren, die Kriterien sind eindeutig, sie sind allen Beteiligten transparent und die Gruppen selbst sind recht stabil. Zwar sinkt bei einzelnen Bürgern das Einkommen gelegentlich und manche Frauen wechseln ihr Geschlecht, aber insgesamt haben wir es mit verlässlichen Gruppen zu tun.

Bei der algorithmischen Kalkulation ist dagegen unklar, wer jeweils zu welcher Gruppe gehört. Es gibt nichts oder nur wenig, worauf sich ein Bürger vorab einstellen könnte. Sein algorithmisch erstelltes Profil ist stets intelligent, im Sinne von überraschend – es ist nur schwer oder gar nicht nachzuvollziehen. Auch sind wir mit einer ganz neuen Form von »Gleichheit« konfrontiert. Angenommen, ein Gesundheits-Score von 7 (auf einer Skala von 0 bis 10) würde den Zugang zu bestimmten Medikamenten erlauben. Es könnte durchaus sein, dass zwei Menschen 7 Punkte erreichen, die sich in nahezu allen Belangen unterscheiden. Erst die Verrechnung macht aus ihnen »Gleiche«. Die Gruppen von Bevor- und Benachteiligten entstehen also überhaupt erst im Prozess des Rechnens. Die Gesetze werden nicht mehr für gleiche Menschen verfasst, sondern wir erzeugen »Gleiche«, um sie dann dem Gesetz zu unterwerfen.

Die entstehenden Gruppen sind zudem alles andere als stabil, wie auch Cass Sunstein einräumt. Die Grundeinstellungen für eine Person »können sich von Jahr zu Jahr stark unterscheiden. Im Prinzip können sie sich jeden Tag, sogar jede Stunde verändern«. Der Bürger wüsste vermutlich bald nicht mehr, in welcher Rechtslage er sich befindet. Das Recht selbst würde sich auflösen und für den einzelnen Bürger nicht mehr nachvollziehbar sein. Auch die Gerichte hätten vermutlich größte Mühe, die jeweilige Rechtslage im Blick zu behalten. Die Komplexität dieses fragmentierten Rechts wäre nur mit ganz neuen Verfahren zu bewältigen.

Diese Fabrikation von Bürgern unterscheidet sich grundlegend vom bisherigen Verfahren. Nicht mehr das Parlament, die gewählten Volksvertreter würden festlegen, welche Kriterien für öffentliche Leistungen entscheidend sind, sondern Maschinen. Ihre Rechnungen wären in jedem Fall dynamisch und würden sich in Abhängigkeit vom Input, also den Daten und Variablen, die ins System gefüttert werden, verändern. Aber auch Updates und der technologische Fortschritt könnten die Rechnungen beeinflussen.

Ihr Grundprinzip wäre die Diskriminierung durch Algorithmen – allerdings in nichtdiskriminierender Absicht. Die Differenz-Revolution hätte die Demokratie umhüllt. Wir hätten es dann mit einem sehr komplexen Geflecht an Unterschieden, Identitäten und Betroffenengruppen zu tun. Ich halte es nicht für ausgeschlossen, dass wir eines Tages unsere Demokratie auf Algorithmen aufbauen, aber zumindest zum jetzigen Zeitpunkt ist völlig ungelöst, wie wir mit einer solchen fragmentierten Öffentlichkeit umgehen sollen. Wer könnte schon sagen, ob die algorithmischen Prozesse fair oder gerecht sind, ob sie ihre Rechnungen ohne Tendenz und Verzerrungen verrichten. Wie sähe überhaupt ein legitimierter, algorithmischer Fairness-Check aus?

Die eigentliche Pointe der Überlegungen besteht allerdings darin, dass das, was ich im Modus des Konjunktivs beschrieben habe, in vielen Bereichen längst Wirklichkeit ist. Die Algorithmisierung der Politik findet bereits statt. Wir haben die Zukunft bereits betreten – ohne zu wissen, worauf wir uns eingelassen haben.

Strafgefangene werden bereits aufgrund algorithmischer Rückfall-Berechnungen entlassen oder in Haft gehalten. Sozialarbeiter werden aufgrund statistischer Verfahren eingesetzt, maßgeblich, um den Bedürftigsten zu helfen – aber was ist mit den ein bisschen weniger Bedürftigen oder jenen, die aus undurchsichtigen Gründen von den Algorithmen vernachlässigt werden?

Beim »Kampf gegen den Terrorismus« kommen etwa ausgefeilte Vorhersagesysteme zum Einsatz. Die Niederlande erstellen datengestützte Profile aller Einreisenden und sortieren sie in Gefahrenklassen. Das US-Ministerium für Heimatschutz nutzt Adresse, Kontobewegungen, die Methode des Ticketkaufs, Führerschein, frühere One-Way-Flüge, Sitz- und Speisevorliebe und viele weitere Daten, um einigen – oder vielleicht allen – Flugpassagieren auf dem Weg in die USA eine Risiko-Kennziffer zu verleihen. Der *score* entscheidet darüber, ob das Gepäck gesondert untersucht wird, ein Verhör bei der Einreise stattfindet oder das Visum verweigert wird. Die Algorithmen sind ebenso geheim wie die eingespeisten Daten und die Ergebnisse der Berechnungen.

Das Ziel ist die Singularisierung des Risikos. Ein hochrangiger Beamter sagte: »Wir benutzen die Daten, um auf das tatsächliche, individuelle Verhalten zu fokussieren, nicht auf Rasse oder Ethnizität. So vermeiden wir krude Vorurteile.« Der Algorithmus als vermeintlich fairer Schiedsrichter. Tatsächlich aber wird damit die Entscheidung, wer einreisen darf und wer nicht, den üblichen rechtsstaatlichen Methoden entzogen. Nicht belastbare Indizien, nicht richterliche

Anordnungen geben den Ausschlag, sondern ein undurchschaubares Geflecht aus Algorithmen und Variablen.

Der nächste Schritt besteht darin, auch die geringsten Wahrscheinlichkeiten als Gewissheiten zu behandeln. Genau dies passiert seit den Anschlägen vom 11. September 2001 – den Beginn markierte Dick Cheneys Ein-Prozent-Doktrin, nach der man bei einer einprozentigen Chance für einen terroristischen Anschlag so handeln muss, als wäre er eine Gewissheit. Das stellt die rechtsstaatliche Logik auf den Kopf: Aus Wahrscheinlichkeiten, die es abzuwägen gälte, werden Gewissheiten. Aus Eventualitäten werden Tatsachen. Es ist der Traum der totalen Kontrolle: nicht nur der Gegenwart, sondern auch der Zukunft.

Das betrifft längst nicht mehr nur mögliche Terroranschläge, sondern sickert in den Alltag staatlichen Handelns ein. Bestes Beispiel ist *predicitve policing*. Das ist, was Blue-Yonder mit Gemüse und Zahnpasta macht, nur mit Kriminalität. Große Mengen von Daten aus Überwachungskameras, Kriminalstatistiken, Wetterberichte, wirtschaftliche Indikatoren, Veranstaltungshinweise, Zahltage und vieles mehr werden zu Vorhersagen verarbeitet, wo und wann welche Straftaten wahrscheinlich begangen werden.

Die Aussagen sind extrem granular. Es geht nicht um vage Muster, die jeder formulieren könnte, etwa: auf der Reeperbahn nachts um halb drei sind mehr Taschendiebe unterwegs, sondern um möglichst präzise Angaben über Straftat, Zeit und Ort. Mehrere US-Städte setzen solche Systeme bereits ein, in Europa werden sie mit großem Nachdruck entwickelt. In der US-Hauptstadt Washington errechnet eine Software, welche Straftaten entlassene Häftlinge als Nächstes begehen werden.

Die anfänglichen Erfolge werden als gewaltig geschildert, allerdings sind die Systeme zu jung, um sagen zu können, wie sich die Menschen auf die Algorithmen einstellen: Womöglich führen die Vorhersagen ja dazu, dass sich die Verbrecher verstärkt um Unberechenbarkeit bemühen.

Doch unabhängig von solchen Anpassungsreaktionen gilt: Sowie diese Systeme etabliert sind, verändern sie die Gesellschaft grundlegend. Aus dem traditionellen *post-crime*, der Aufdeckung begangener Straftaten, wird das *pre-crime*: die Verhütung des noch Ungeschehenen. Die nachträgliche Bestrafung wird durch vorauseilendes Verhaltensmanagement ersetzt, indem etwa Polizeipräsenz mögliche Straftaten abschreckt. Das führt in logische Abgründe: Wenn das vorhergesagte Verbrechen nicht eintritt, ist das ein Beleg für die Richtigkeit der Prognose (und der entsprechenden Maßnahme) oder ein Beleg für deren Falschheit – das Verbrechen wäre eh nie passiert?

Vor allem aber heben solche Verfahren die Unschuldsvermutung auf. Wenn die Suche nach den potentiellen Tätern vor der Tat beginnt, sind ausnahmslos alle Bürger verdächtig. Bisher konzentrierten sich die Ermittlungen auf das Umfeld eines Verbrechens, jetzt beginnen sie weit vorher in den Daten aller Gespeicherten. Davon sind alle Bürger betroffen, wie das britische Parlament in einem bemerkenswert selbstkritischen Dossier feststellte: Fortan gelte »jeder Bürger als unzuverlässig und nicht vertrauenswürdig. Wenn wir unablässig Daten über Leute sammeln unter der Annahme, sie könnten etwas Falsches tun, fördern wir den Gedanken, dass man uns als Bürger nicht vertrauen kann.«

Dieses entgrenzte Misstrauen verführt zu uferloser Datensammelei, die wir spätestens seit den Snowden-Enthüllungen mit der amerikanischen Sicherheitsbehörde NSA verbinden. Aber auch die EU-Staaten haben sich mit weitreichenden Befugnissen ausgestattet, die es ihnen erlauben, die Daten der Bürger zu sammeln, zu analysieren und daraus Rückschlüsse zu ziehen. So besorgt die EU um den Datenschutz auftritt, bei den meisten Regeln nimmt sie Verfolgungsbehörden und andere staatliche Stellen aus. Der »Schutz der Bürgerrechte gegen den datenhungrigen Staat« wird systematisch ausgehebelt. Der Staat macht uns schutzlos vor sich selbst und errichtet gleichzeitig eine neue Form der Kontrolle, die, wie der renommierte Soziologe Gary Marx schreibt, »besser durch Manipulation als durch Zwang, durch Computerchips als durch Gefängnisgitter, durch entfernte und unsichtbare Filter als durch Handschellen und Zwangsjacken symbolisiert wird«.

Die granulare Gesellschaft löst die bisherigen Verfahren der Disziplinierung auf. Zwar gibt es weiterhin Gesetz und Strafe, aber sie werden durch Dauerüberwachung, Risikokalküle und vorauseilende Entschärfung von möglichen Problemen ergänzt und unterwandert. Nicht mehr das Geschehene, sondern das Eventuelle gilt als Maßstab des staatlichen Handelns, das jetzt zunehmend darauf setzt, durch unauffällige Maßnahmen erwünschtes Verhalten zu erzeugen.

Demokratie und Gerechtigkeit in der granularen Gesellschaft werden also nicht nur durch Wahlkämpfe und Auflösung des Wahlvolkes umgeformt, sondern auch durch die algorithmischen Vorhersagemechanismen der Exekutive. Und auch für diese Verfahren gilt: Die Kontrolle ist überaus asymmetrisch verteilt. Der Bürger wird zum Berechneten, der nicht zurückrechnen kann. Das grundlegende Missverhältnis des Digitalen legt auch einen Schleier über die Demokratie. Und fordert, wie wir im nächsten Kapitel sehen werden, die rechtsstaatlichen Institutionen, aufs Äußerste heraus.

# ÜBERFORDERTE INSTITUTIONEN
## ODER
# WARUM WIR UNSER RECHT VERLIEREN

### DIE DOPPELTE AUFLÖSUNG

Es war ein kühler, grauer Märztag, als ich mich von einer Maschine in Form eines VW Passats durch den Berliner Straßenverkehr steuern ließ. Sie machte das verblüffend gut. Sie fuhr 50 Stundenkilometer, wo 50 erlaubt waren, sie hielt an roten Ampeln, während eine lispelnde Computerstimme »red« sagte, sie stoppte, wenn plötzlich ein Fußgänger auf die Straße trat. Kein menschlicher Fahrer griff ein, der Passat fuhr völlig autonom. Hätte man den wascheimergroßen Laserscanner vom Dach genommen, den auffälligen Umdrehungsmesser vom hinteren Rad geschraubt und die Aufkleber mit der Aufschrift »MadeInGermany« entfernt, das Auto der Freien Universität Berlin wäre nicht aufgefallen.

Auch im Fahrzeuginnern war der Wagen kaum verändert – mit Ausnahme von fünf kleinen Kameras an der Windschutzscheibe sowie zwei roten Notknöpfen, mit denen der Fahrer die Automatik jederzeit abschalten konnte. Der Fahrer hieß Fritz Ulbrich, zwängte sich mit 2,04 Metern und einem ungeordneten Schopf aus weißblonden Haaren hinter das Steuer, das er möglichst selten anfasste. Die Sonderzulassung für das Forschungsfahrzeug verlangt, dass ein Mensch jederzeit eingreifen kann. Auf dem Beifahrersitz stellte Paul Czerwionka einen handelsüblichen Laptop auf seine Knie – viel Rechenleistung ist für die Steuerung des Wagens nicht notwendig.

Google hatte 2011 verkündet, mit autonomen Autos bereits 300 000 unfallfreie Meilen in Kalifornien und Nevada absolviert zu haben. Bald zogen Fahrzeughersteller nach, Daimler-Benz schickte einen Selbstfahrer auf die historische Strecke, die Martha Benz 125 Jahre zuvor absolviert hatte: eine anspruchsvolle Strecke durch enge Dörfchen und über gewundene Landstraße.

Seither legen Forscher Prognosen vor, wie die Maschinen-Autos unser Leben ändern werden. Es wird viel weniger Unfälle geben, so dass die Versicherungsprämien sinken. Es wird aber auch weniger Autos geben, weil wir sie leichter teilen können: Morgens nutzt Mama das Auto für den Weg zum Kindergarten, schickt es dann zu Papa, der einen Kundentermin absolviert und es danach zu einem Freund schickt, der ein paar Einkäufe erledigt. Nachts parkt das Auto selbsttätig am Stadtrand, um am Morgen pünktlich vor der Haustür zu stehen. Man stelle sich selbstfahrende Busse vor, LKWs, Taxis: Die Straßen wären besser ausgelastet, die Umweltbelastung würde sinken. Die neue Automobilität, ein Wunder.

Erstaunlich war, dass es mir an dem grauen Tag in Berlin schon nach wenigen Minuten nicht mehr wie ein Wunder vorkam. Vielleicht hing dies mit der Selbstverständlichkeit der beiden Forscher zusammen. Sie hatten spontan entschieden, mich mitzunehmen, obwohl wir das vorher nicht vereinbart hatten. Wir gingen einfach zur Garage, die sich der Passat mit ein paar Elektronen-Mikroskopen teilte. Ulbrich und Czerwionka stiegen ins Auto, klappten den Laptop auf, starteten das Steuerungsprogramm und fuhren los. Ein Klacks.

Ist es natürlich nicht. Das selbstfahrende Auto ist ein Musterbeispiel fortgeschrittener, granularer Technologie. Nur weil es die Welt extrem hoch auflöst, kann es sich in ihr zurechtfinden. Und weil es das kann, werden wir gezwungen sein, viele unserer Institutionen rund um das Auto neu zu erfinden: Straßenrecht, Versicherungen, Infrastruktur.

Die technologische Auflösung in der digitalen Welt bewirkt eine Auflösung des Vertrauten. Denn unsere Institutionen sind auf die Granularität der neuen Verhältnisse nicht vorbereitet. Sie taugen dazu, eine grobkörnigere Gesellschaft zu regulieren und zu steuern, eine behäbigere und langsamere. Nicht eine, die von staubfeinen Daten durchpulst wird, in der sich Autos selbsttätig bewegen und damit die Unterschiede zwischen Mensch und Maschine verwischen und in der Autonomie und Steuerung keine Gegensätze mehr sind.

In der Einleitung habe ich das Bild benutzt, dass unsere bisherige Gesellschaft wie aus Billardkugeln gebaut sei. Auf deren Größe und Eigenschaften sind unsere Institutionen geeicht. Nun ersetzen wir die Billard- durch Schrotkugeln. Für sie benötigen wir ein neues institutionelles Gefüge. Sonst zerspringt der Haufen der Schrotkugeln zu einem regellosen, chaotischen Gebilde. Wir haben es also mit einer doppelten Auflösung zu tun: technologisch und sozial.

Einige Beispiele dafür sind uns bereits begegnet: Experten sehen sich in ihrer Autorität herausgefordert, Manager und Mitarbeiter erschließen neue Kommunikationskanäle, die Demokratie verändert sich unter der Hochauflösung des Wahlvolkes. Selbstfahrende Autos übertreffen diese Beispiele noch, weil sie besonders viele Veränderungen auslösen und Probleme aufwerfen – auch solche, für die wir nicht einmal ansatzweise eine Lösung haben.

## TRÄUMEN ROBOTER VON
## ELEKTRISCHEN GESETZEN?

Unter idealen Bedingungen weiß »MadeInGermany« auf drei Zentimeter genau, wo es sich befindet. Der Laserscanner auf dem Dach schickt 64 Strahlen in die Umwelt und erkennt bewegliche und unbewegliche Hindernisse; Radarsensoren rund ums Auto sowie fünf Kameras erfassen die unmittelbare Umgebung, zwei davon für eine Art 3-D-Blick und zwei, um zu erkennen, ob Ampeln auf rot oder grün stehen.

Auf dem Bildschirm des Laptops entsteht daraus eine Welt von zuckenden Umrissen und Linien, aus grünen Streifen für den errechneten Fahrweg, aus gelben, sich ruckartig bewegenden Figuren, die Menschen sind, und aus einer Art Schichttorte – dem Rest der Stadt. Die Auflösung wird sich mit genaueren Sensoren und größerer Rechenleistung weiter dramatisch steigern, aber zur sicheren Fahrt ist gar nicht viel mehr nötig.

Wichtiger als besseres Erkennen ist besseres Verstehen. Damit tut sich »MiG« noch schwer, weshalb sich bei mir der irritierende Eindruck einstellte, dass die Maschine nervös sei. Man kann das nur in menschlichen Begriffen beschreiben, weil wir für Maschinen dieser Art noch kein Vokabular besitzen. In ruhiger Fahrt betätigte das Auto plötzlich und ruckartig die Bremse, dann schnellten die Köpfe der Forscher zwischen Laptop-Bildschirm und Außenwelt hin und her, um die mögliche Ursache des Ruckens zu finden; aber oft sahen sie keine. »Es macht manchmal merkwürdige Dinge«, sagte Fritz Ulbrich lapidar.

Oder es machte Blödsinn, zumindest aus menschlicher Perspektive. Ein Linksabbieger ragte mit dem Heck wenige Zentimeter in die Fahrbahn. »MiG« hielt deshalb die Fahrspur für blockiert und blieb stehen. Die menschlichen Fahrer hinter ihm hielten »MiG« für einen Deppen. Sie hupten und schoben sich rechts mit minimalem Abstand vorbei. Menschen sind irre, dachte ich, als wäre ich auf der Seite der Maschine.

Maschinen sind nicht minder irre, merkte ich kurz darauf, als ein Bus an der Haltestelle eine Winzigkeit in die Fahrspur ragte und »MiG« abrupt bremste. Auch als der Bus bereits weitergefahren war, blieb die Maschine noch quälend lange stehen und analysierte die Umwelt, bevor sie weiterfuhr. Hinter ihr: Hupen. »Tja«, sagte Fritz Ulbrich gleichmütig, mit der »Intentionserkennung tut sie sich noch schwer«. Damit also, zu wissen, dass ein Bus an einer Haltestelle üblicherweise rasch weiterfährt und das selbstfahrende Auto zügig nachfolgen sollte.

Mensch und Maschine können sich bis auf Weiteres nicht gut verstehen. Dennoch werden sie sich zunehmend eine gemeinsame Welt teilen. In der uns vertrauten humanen Welt, in der Prägeform der Industriegesellschaft, werden wir nicht bleiben können. Dazu fordern uns die Maschinen zu sehr heraus. Sie sabotieren die Gewissheiten, auf denen wir unsere bisherige Welt errichtet haben.

Wenn Soziologen von Institutionen sprechen, dann meinen sie nicht wie in der Umgangssprache einzelne Behörden oder den ADAC, sondern sie verstehen darunter Regelsysteme, an denen Menschen ihr Verhalten ausrichten. Institutionen sind grundlegende Elemente der Gesellschaft: Recht, Religion, Tradition gehören dazu, aber auch die Ehe oder der Nationalstaat. Gemeinsam ist diesen Institutionen, dass sie ihre Stabilität oft grundlegenden Unterscheidungen verdanken, die selten hinterfragt und oft nicht bewusst werden.

Unser Menschenbild beruht auf der Unterscheidung von Freiheit und Notwendigkeit. Wir Menschen sind autonom, Maschinen werden gesteuert und sind es nicht. Aber in welche Kategorie fällt eine autonome Maschine? Unser

Rechtssystem (und unsere philosophische Tradition) trennt traditionell Subjekt von Objekt; das eine handelt, das andere wird behandelt – aber was ist ein handelndes Objekt? Für das Recht ergibt sich aus der Destabilisierung dieser Unterscheidung eine Kaskade schwerlösbarer Probleme.

Noch vergleichsweise übersichtlich ist das Problem der *Haftung*. Ein selbstfahrendes Auto fährt jahrelang tadellos, es hat gelernt, seine Umwelt zu erkennen, es bewegt sich mit aller Zurückhaltung – und bringt eines Tages eine alte Dame am Straßenrand zu Fall, die unglücklich stürzt und sich schwer verletzt. Wer haftet? Der Autohersteller, der Programmierer der Software (die allerdings »selbstlernend« ist, also nur begrenzt vom Programmierer kontrolliert wird), der Autohändler, der Besitzer des Fahrzeugs – oder gar das Auto selbst, was nicht so abwegig ist, als dass es einige Rechtsexperten nicht bereits diskutierten.

Solche Haftungsfragen sind in manchem Rechtssystem kniffliger (im angelsächsischen *common law* zum Beispiel) und in anderen einfacher zu lösen (im deutschen, das Produkt- und Herstellerhaftung kennt). Aber die große Sorge gilt hier wie da der immer länger werdenden Kette von möglichen Verursachern, die kaum noch zu entwirren ist. Zudem wird die Software von Hunderten von Programmierern geschrieben und ändert sich mit jedem Update. Eine Konsequenz aus dem Wirrwarr könnte sein, dass nach einem Unfall, wie ein Experte fürchtet, »*alle* verklagt werden« – aus Angst, am Ende ohne Schuldigen dazustehen. Die granulare Gesellschaft würde von Prozessen überflutet.

Eine andere Konsequenz könnte ein ganz neues Rechtskonzept sein, das selbstlernende Maschinen und intelligente Roboter zu einer Art rechtsfähigem Subjekt erklärt. Sogenannte *legal artificial agents* oder Elektronische Personen (e-persons) könnten meist in Verbindung mit denen, die sie herstellen oder programmieren, in gewissem

Rahmen schuldfähig werden. Das sind radikale, sehr umstrittene Konzepte, die noch weit von der Umsetzung entfernt sind. Zudem sind sie vor allem dem deutschen Recht völlig fremd, das darauf beharrt, ausschließlich Menschen als schuldfähige Subjekte anzuerkennen. Die zunehmende Autonomie von Maschinen wird ein gewaltiges Knirschen im Rechtsgefüge erzeugen.

Drängender als Haftungsfragen ist das Problem der *Zulassung*. Vielleicht schon im Jahr 2017, spätestens aber 2020, wollen deutsche Autofirmen ihre Spitzenmodelle mit Autopiloten für die Autobahn ausstatten. Die Autobahnen sind zwar Rennstrecken, aber sehr überschaubare: Alle fahren in dieselbe Richtung, es gibt keinen Querverkehr, die Sensoren können weit vorausschauen. Deswegen soll hier die Karriere der Selbstfahrer beginnen.

Nach derzeitigem Recht ist es allerdings ausgeschlossen, dass autonome Autos eine Zulassung erhalten: Die sogenannte ECE-Regelung 79 gibt vor, dass bei spätestens 12 Stundenkilometern jede autonome Steuerung automatisch ausgeschaltet werden muss. Die Konsequenz ist, dass die deutschen Autobauer ihre fortschrittlichsten Autos womöglich nicht auf dem heimischen Markt anbieten können, sondern bloß in China oder Schweden – in Ländern, die das einschlägige internationale Wiener Abkommen aus dem Jahr 1968 nicht unterschrieben haben. Eine grässliche Vorstellung in den Vorstandsetagen: Deutschland als technologischer Nachzügler.

Es gibt bereits dringende Appelle der Firmen an die Politik, die Gesetze zu ändern, aber das ist gar nicht leicht: Man müsste sich international einigen und unter anderem auch die maßgebliche Wiener Straßenverkehrskonvention aus dem Jahr 1968 ändern, was sehr langwierig ist. Und man müsste wissen, in welche Richtung man ändert, am besten gleich so, dass zukünftige Fortschritte inbegriffen sind. Aber dafür müsste auch ein Grundgedanke des Straßenverkehrsrechts aufgegeben werden, nämlich dass der Mensch allein das Verkehrsgeschehen bestimmt. Ein solch schwerwiegendes Problem hat es in der Rechtsgeschichte bislang nicht gegeben. Und derzeit ist es sehr unwahrscheinlich, dass die Juristen mit der technischen Entwicklung Schritt halten können.

Je weiter die Automation der Autos voranschreitet, umso mehr merken die Ingenieure zudem, dass die Fahrzeuge sich eigentlich wie Menschen verhalten müssen. Das ist eine der großen Ironien der Intelligenz-Revolution und der autonomen Maschinen. Sie verlangen eine Art *Soziale Programmierung*. Fährt ein selbstfahrendes Auto etwa an eine vielfrequentierte Vier-Wege-Kreuzung heran, ist die Wahrscheinlichkeit groß, dass es ohne menschlichen Eingriff nicht mehr wegkommt. Weil es sich genau an die Straßenverkehrsordnung hält. Aber das macht kein Mensch.

Wir Menschen schieben uns ein bisschen in die Kreuzung, um zu signalisieren, dass wir fahren wollen, wir testen die Grenzen aus und sind aggressiver, als es das Recht erlaubt. Das selbstfahrende Auto fährt unter allen Umständen defensiv. Aggressivität ist in der Software nicht vorgesehen, das »würde der TÜV nie und nimmer abnehmen«, sagt Professor Raul Rojas, Projektleiter von »MiG«. Ähnliches passiert bei der Autobahnauffahrt oder bei der Spurverengung vor einer Baustelle: Stets drängeln wir, um voranzukommen.

Würden *alle* Autos automatisch fahren, könnten sie untereinander kommunizieren und diese Probleme höchst effizient und risikolos lösen. Aber im Mischverkehr aus Mensch und Maschine, den es noch mindestens ein halbes Jahrhundert geben wird, muss das Auto lernen, sich ein bisschen wie ein Mensch zu benehmen. »Wir müssen soziales Verhalten in die Fahrzeuge einbauen«, sagt Raul Rojas.

Aber wie soll das gehen? Wie kann man der Maschine eine Art sichere Unsicherheit einbauen? Wie viel Abweichung vom Recht ist erlaubt? Und wer sollte darüber entscheiden, wie aggressiv selbstfahrende Autos sein dürfen? Müsste der TÜV die Verantwortung übernehmen oder der Bundestag? Und nach welchen Kriterien?

Noch drängender sind Fragen nach einer *Ethik für Maschinen*. Angenommen, die Auflösung der Autos ist hoch genug, um das Alter der Verkehrsteilnehmer zu unterscheiden. Ein Unfall ist unvermeidlich – sollte das Auto dann ein Kind schonen und stattdessen einen Rentner überfahren? Und mit welcher Begründung? Oder: Eine Katze quert plötzlich die Fahrbahn – soll das Auto ausweichen? Wie groß muss ein Tier sein, für das ein selbstfahrendes Auto bremst? So groß wie ein Hirsch? Oder ein Mensch – sollte es ihn überfahren, wenn ein Ausweichmanöver die fünf Insassen in Todesgefahr bringt?

Das ist keine Science-Fiction. Markus Maurer, Professor für Elektronische Fahrzeugsysteme an der TU Braunschweig und einer der Pioniere der Technologie, diskutiert solche Fragen in seinen Vorlesungen bereits mit seinen Studenten. »Das ist ein Thema, das immer wichtiger werden wird: Nach welcher Ethik fährt das Fahrzeug eigentlich?«

Die Ethik beginnt mit kleinen Fragen: Sollen autonome Autos im Verkehr mitschwimmen, was meistens bedeutet: ein wenig schneller zu fahren als erlaubt? Wie viel schneller: drei oder fünf oder sieben Studenkilometer? Oder ist das abhängig von der Verkehrslage? Wie steht es nachts um drei auf der leeren Autobahn? Und wenn ein autonomes Auto einen Verletzten transportiert – darf es dann noch schneller fahren? Aber um wie viel?

Ein anderes Problem skizziert Professor Rojas: Die Sensoren eines Autos, das an einer roten Ampel steht, erkennen ein von hinten in hohem Tempo herannahendes

Auto – soll das stehende Fahrzeug daraufhin das Rotlicht überfahren, um einen Unfall zu vermeiden? Auch auf die Gefahr hin, dabei selbst einen Unfall zu verursachen? Nach welchem Kalkül müsste es die Abwägung treffen – der Anzahl der Beifahrer? Deren Alter oder ökonomischer Leistungskraft?

Wie diese Probleme technisch gelöst werden, ist die eine Sache. Die andere und beunruhigendere ist die Frage, wie unsere Institutionen mit der völlig neuartigen Entscheidungslast umgehen. Denn sie müssen nun vorab verbindlich regeln, was wir bislang der situativen Einsicht des Einzelnen überlassen konnten.

Unsere Institutionen sind um den Menschen als entscheidungsfähiges Subjekt gebaut. Deswegen müssen – und können – sie den Menschen nicht programmieren. Sie geben in Form von Gesetzen nur den Rahmen vor, in dem sich die Einzelnen bewegen. Wir vertrauen auf ihre Vernunft, ihre Erfahrung, ihre Verantwortung, situativ das Richtige zu tun. Und misslingt das, nutzen wir die nachträgliche Möglichkeit, sie zu bestrafen oder freizusprechen.

Dieses Verfahren entlastet unsere Institutionen ungemein; sie können das meiste im Vagen lassen, ungeklärt, undefiniert. Die Entscheidungen selbst liegen beim Menschen, der jeweils tut, was er halt tut, oder unterlässt, was er unterlässt. Er kann wie eine Black Box behandelt werden. Maschinen ticken anders. Ihre Regeln und Handlungsweisen müssen ihnen Buchstabe für Buchstabe einprogrammiert werden. Aus einer gesetzlichen Vorschrift muss eine exakt zu programmierende Vor-Schrift werden. Um diese verfassen zu können, müssen wir alle Regeln, auch die ethischen, vorab festlegen. Was private Entscheidung der Einzelnen war, verwandelt sich zur öffentlichen Entscheidung der Institutionen.

Denn wir müssen die Maschinen in einem doppelten

Sinne kodifizieren: Wir müssen unsere Absichten in den Code der Gesetze formen und zugleich in den Code der Software, der die Maschinen steuert. Das klingt klar und einfach, ist es aber nicht, weil nun auch alle Unklarheiten im ersten Code, dem der Gesetze, beseitigt werden müssen, damit wir den zweiten, den der Software, überhaupt schreiben können. Der Software-Code erlaubt keine Zweideutigkeiten, er muss sagen, was er meint, damit die Maschine tut, was er sagt. Für Vagheiten wie die menschliche Freiheit oder Intuition ist hier kein Platz. Eine Maschine ist nicht frei, also haben wir keinen Freiraum in dem, was wir ihr vorschreiben.

Einen kleinen, noch vergleichsweise harmlosen Vorgeschmack auf die damit verbundenen Schwierigkeiten haben uns kürzlich vier US-Forscher mit einem aufsehenerregenden Experiment gegeben. Ihre Ausgangshypothese war, dass »wir uns mit hohem Tempo in eine Ära begeben, in der Roboter programmiert werden, um entweder Gesetze zu befolgen oder ihre Einhaltung durchzusetzen«. Das könnten Polizei- und Militärroboter sein, aber auch elektronische Fahrtenbücher in jedem Auto, die automatisch Strafzettel ausstellen, sobald die Fahrer die Geschwindigkeit übertreten. Aber wie müssten solche Systeme programmiert werden?

Um das herauszufinden, heuerten die Wissenschaftler insgesamt 52 Programmierer an und baten sie, jeweils eine Software zu schreiben, die automatisch jede Geschwindigkeitsüberschreitung bestraft. Die Programmierer erhielten dafür die Daten aus dem Bordcomputer eines Autos, von einer Fahrt, die etwas mehr als eine Stunde dauerte und durch hügeliges Terrain führte. Die Programmierer erhielten auch Daten über die Geschwindigkeitsbegrenzungen entlang der Strecke. Außerdem teilte man die Informatiker in drei Gruppen: Die erste Gruppe sollte dem Wortlaut des

Gesetzes folgen, die zweite der Intention des Gesetzes und die dritte Gruppe erhielt von den Forschern detaillierte Anweisungen, wie sie programmieren sollte, etwa über die Toleranzen, die es zu bedenken galt.

Die Unterschiede zwischen den Programmen waren gewaltig. Die Algorithmen der »Wortlaut des Gesetzes«-Gruppe vergaben während der einstündigen Autofahrt im Durchschnitt 490 Strafzettel, die Programme der »Intention des Gesetzes«-Gruppe im Durchschnitt 1,5 Strafzettel. Und die dritte Gruppe stellte überhaupt kein Knöllchen aus. Die Unterschiede zwischen den einzelnen Programmierern waren sogar noch größer: ein Informatiker vergab für die kurze Fahrt 932 Tickets, viele andere nur eines oder zwei.

Woher kamen die Unterschiede? Es stellte sich heraus, dass so gut wie alle Vorgaben auf verschiedene Weise ausgelegt und programmiert werden können. Schon auf die Frage: »Was zählt als Verstoß?« gibt es viele Antworten. Jemand fährt in einer 50er Zone zwei Stundenkilometer zu schnell, bremst dann auf 48 km/h ab, beschleunigt auf 54, verlangsamt wieder auf 47 km/h. Wie viele Verstöße sind das? Zwei, weil die zulässige Grenze zweimal überschritten wurde? Einer, weil man eine zeitliche Toleranz einbaut und beide Verstöße zusammenzählt? Aber wie groß darf der Abstand zwischen zwei Übertretungen sein, um als eine einzige zu zählen? Die Programmierer wählten mal 30 Sekunden und mal 30 Minuten. Oder lag in dem Beispiel schließlich gar kein Verstoß vor, weil der Fahrer innerhalb der Toleranz blieb? Und wie hoch darf die sein?

Es gab viele weitere Themen. Einer der Programmierer machte die Zahl der Knöllchen davon abhängig, ob der Fahrer bei jedem Verstoß von dem System gewarnt wurde; dann erhielt er ein paar Sekunden, um die Geschwindigkeit zu drosseln. Ein solches Feedback-System veränderte die Zahl der Knöllchen massiv. Ein weiterer Programmierer schlug vor, die Bestrafung von den Umständen abhängig zu machen: Nachts auf der leeren Autobahn müsse man anders strafen als tagsüber im dichten Stadtverkehr. Als besonders wichtig stellte sich auch heraus, für welche Granularität der Daten die Programmierer sich entschieden. Die Geschwindigkeit wurde auf sechs Stellen hinter dem Komma genau angegeben, bei genauerer Betrachtung zeigte sich aber, dass sie bloß auf 0,6 km/h akkurat waren. Wie ein Programmierer ab- oder aufrundete, konnte einen gewaltigen Unterschied machen.

Keines dieser Probleme ist unlösbar. Aber das Experiment zeigt in aller Klarheit, welch gewaltiger Entscheidungsbedarf auf unsere Institutionen zukommt, wenn wir intelligenten Maschinen das Recht einprogrammieren wollen. Jede Winzigkeit muss berücksichtigt werden, weil die Auswirkungen gravierend sein können. Zudem müssen die Vorgaben für die Maschinen laufend dem technologischen Fortschritt angepasst werden.

Und das Strafzettel-Experiment hat sich nur um *entscheidbare* Fragen gedreht. Die ethischen Dilemmas wurden außen vor gelassen. Wir erinnern uns: Ein autonomes Auto muss im Fall eines unvermeidlichen Unfalls entscheiden, ob es in eine Gruppe von fünf Kindern steuert oder einen Rentner überfährt. Ein Autofahrer würde sich intuitiv entscheiden. Ein selbstfahrendes Auto müsste auf einen Entscheidungs-Algorithmus zurückgreifen – der durchaus auch zufällig entscheiden könnte. Es ist allerdings fraglich, ob wir solch eine »gewürfelte Ethik« akzeptieren würden. Hier müssten schon genauere Regeln her. Mich interessiert an dieser Stelle nicht, wie diese Kriterien aussehen, sondern auf welchem institutionellen Weg wir überhaupt zu einer Entscheidung kommen könnten.

Eine so grundlegende ethische Entscheidung könnte nur der Bundestag treffen. Aber man stelle sich die dazugehörige Debatte vor: Die Abgeordneten legen die Kriterien für Tod oder Leben fest! Volksvertreter erörtern den relativen Wert von Menschen!

Die Diskussion würde vermutlich fundamentale Unterschiede im Wertesystem der Beteiligten zutage fördern. Eine Gruppe von Abgeordneten beruft sich auf die Pflichtethik nach Immanuel Kant, der zufolge die Würde jedes Menschen unverletzlich ist. Andere Parlamentarier würden utilitaristisch argumentieren und das Leben der fünf Kinder höher veranschlagen als das eines Rentners. Wieder andere würden ganz aristotelisch fragen, welche Art von staatsbürgerlicher Tugend man mit der Regelung verwirklichen und fördern möchte. Seit Tausenden von Jahren streiten Menschen über diese Fragen, ohne zu einer allgemein verbindlichen Antwort zu kommen. Die Granularität der digitalen Gesellschaft aber verlangt solche Antworten.

Auf Institutionen wie Parlamente und Gerichte rollt also eine Welle von unentscheidbaren Entscheidungen zu, ein Tsunami des Unlösbaren. Man könnte nun einwenden, dass in Deutschland eine solche Debatte über Tod oder Schonung ausgeschlossen sei. Das deutsche Recht verbietet, Menschenleben gegeneinander aufzuwiegen; jeder Mensch hat der herrschenden Meinung zufolge denselben »Höchstwert«, so dass fünf Kinder nicht mehr Wert sind als ein Rentner. Dies ist das sogenannte »Saldierungsverbot«. Allerdings macht auch im deutschen Recht bei etlichen Vorschriften die Menge der geschädigten Bürger einen Unterschied in der Strafzumessung – natürlich bei Mord, aber etwa auch beim besonderen Unrechtsgehalt der Verwendung gemeingefährlicher Mittel (§ 22, Abs. 2 Gruppe 3 StGB) oder beim Notstand. Die Tötung von fünf Menschen wiegt eben doch schwerer als die eines einzigen Menschen.

Wir können uns auch nicht ewig auf die Zukunft vertrösten. Die Fragen stehen zum Teil bereits heute an, zum Beispiel bei autonomen Kampfdrohnen. Ronald Arkin vom Georgia Institute of Technology ist von der US-Armee beauftragt worden, den Drohnen die Regeln der Genfer Konvention einzuprogrammieren. Die Konvention ist vergleichsweise übersichtlich und enthält klare Angaben darüber, dass heilige Stätten oder Krankenhäuser zu schonen sind. Arkin lehrt die Drohnen, ihre Optionen immer wieder unter rechtlichen Aspekten zu prüfen: fliegen, Panzer auf freiem Feld beschießen, Panzer vor Gebäude wahrnehmen, Gebäude prüfen, Angriff abbrechen, weil Gebäude als Moschee identifiziert. Arkin hat seine Software anhand von Daten aus dem Afghanistan-Krieg geprüft, meist entschied sie ähnlich wie ein menschlicher Operator. Der Professor sieht darin einen Beleg, dass man Maschinen eine Ethik implantieren kann.

Bei einem festen Satz an Regeln wirkt das machbar; müssen wir die Ethik aber erst finden, nach der Maschinen handeln sollen, nützt uns Arkins Modell wenig. Für die ganz schwierigen Fälle haben wir kreative und zugleich zweifelhafte Lösungsmethoden entwickelt. Ein beliebtes Verfahren im Strafrecht ist zum Beispiel, eine Tat zwar zu verbieten, sie aber nicht zu bestrafen. So handhaben wir es mit Abtreibungen. Ähnliches wird von einigen Philosophen empfohlen für den Fall, dass Soldaten ein entführtes Passagierflugzeug abschießen, das Terroristen in ein Atomkraftwerk fliegen wollen. Die Soldaten sollen straffrei davonkommen, obwohl ihre Tat nach den herrschenden Prinzipien des Strafrechts nicht zu rechtfertigen ist. Wir versöhnen so den Ausnahmefall mit der Regel, die Abweichung mit der Norm. Wir lösen das Problem, ohne es zu lösen. Mit Menschen geht das, mit Maschinen aber nicht.

Aus alldem lässt sich folgern, dass wir so schnell nicht aus der Verantwortung entlassen werden – vorerst werden wir selbst hinter dem Steuer des Autos sitzen bleiben. Aber wie lange noch? Irgendwann werden die ersten selbstfahrenden Autos über die Autobahnen rollen – wir werden uns die Antworten nicht ewig schuldig bleiben können.

## DER VERBORGENE WOHLSTAND UND DAS GRANULARE LERNEN

Aber nicht nur in ethischer Hinsicht kommen Institutionen unter Druck. Die Granularität verändert auch ihren Zweck und Nutzen. Eine der wichtigsten Institutionen unserer Gesellschaft ist eine Kennziffer. Sie wird monatlich beschworen, gilt als Ausmaß der wirtschaftlichen Stärke eines Landes und wird mit großem Aufwand erstellt: das Bruttosozialprodukt (BSP). Es misst alle ökonomischen Aktivitäten in einem Land, berechnet anhand von Marktpreisen. Das klingt einfach, als müsse man nur den Wert aller Schuhe, Zahnbürsten, Haarschnitte, Bücher, Traktoren, Yoga-Stunden und so weiter zusammenzählen. In der Praxis ist das höllisch kompliziert. Die Handbücher zur BSP-Berechnung sind Hunderte von Seiten dick und nur wenige Menschen verstehen alle Details der Kalkulationen.

Beunruhigender ist, dass das BSP seinen eigentlichen Auftrag immer schlechter erfüllt. Denn die ökonomischen Aktivitäten verändern sich in der granularen Gesellschaft derart rasant und grundlegend, dass die BSP-Zahlen ihre Aussagekraft zu verlieren drohen. Das BSP wurde vor rund 60 Jahren geschaffen für eine Industriegesellschaft, die vor allem konkrete, zählbare Dinge herstellt. In einer solchen Welt leben wir aber nicht mehr. Den größten Teil unserer Ökonomie machen immaterielle Dienstleistungen aus – und digitale Aktivitäten. Und die erfasst das BSP nur unzureichend, daher unterschätzt es womöglich unseren

Reichtum. Bereits 1987 spöttelte Nobelpreisträger Robert Solow: »Man kann das Computer-Zeitalter überall sehen, nur nicht in den Produktivitätskennziffern.« Weil digitale Wertschöpfung so schwer zu messen ist.

Das hat vor allem drei Gründe. Erstens misst das BSP die Preise der Dinge, nicht ihre Qualität oder Leistungsfähigkeit. Ein Computer kostet heute genau so viel wie vor zehn Jahren – nur ist seine Rechenleistung um ein paar Größenordnungen besser als damals. Außerdem hat er noch eine eingebaute Kamera, eine fünfmal größer Festplatte, WLAN-Zugang zum Internet, und er wiegt nur die Hälfte. Diese Verbesserungen werden vom BSP nicht erfasst. Dass das BSP so etwas wie die »Lebensqualität« nicht abbildet, ist seit langem bekannt – und es war so lange ein verkraftbares Problem, wie die Dinge sich nur langsam verbesserten. Mit der sprunghaften Entwicklung digitaler Geräte hinkt das BSP aber immer weiter hinterher. Eine Kommission in den USA errechnete 1996, dass bei angemessener Berücksichtigung der digitalen Produktivität das jährliche Wachstum um 1,3 Prozent höher liegen würde. Über die Jahre summiert sich das zu gewaltigen Abweichungen.

Zweitens hat das BSP große Probleme, die vielen kostenlosen digitalen Dienste zu erfassen – Googles Suchmaschine etwa, Skype, die unzähligen für User kostenlosen Nachrichtenangebote im Netz, Gratis-Apps, Wikipedia, *free software*. Was nichts kostet, hat im BSP keinen Wert. Das führt zu absurden Ergebnissen. Die US-Statistikbehörde stellt seit dem Jahr 2011 eine *abnehmende* Nutzung des Internets fest. Und der Anteil des sogenannten Informations-Sektors (Radio, Datendienste, Internet etc.) liegt seit 25 Jahren konstant bei vier Prozent der Gesamtwirtschaft. Das Internetzeitalter findet überall statt, nur nicht in den offiziellen Statistiken. Dabei wird geschätzt, dass der tatsächliche Vorteil, den US-Konsumenten von kostenlosen

Diensten wie Google und Wikipedia haben, bei rund 300 Milliarden Dollar liegt. Pro Jahr.

Drittens kommt das BSP nicht mit der granularen Warenwelt des 21. Jahrhunderts klar. Es misst die Anzahl aller Schuhe, nicht deren Vielfalt. Aber in der Wahlmöglichkeit steckt ein ungeheurer Wert für die Konsumenten. Sie können sich zwischen Pumps, Sportschuhen, Fünf-Zehen-Schuhen, veganen Sandalen, Hightech-Wanderschuhen und Tausenden anderen Modellen in allen Farben und Formen entscheiden. Dieser Konsumenten-Mehrwert steigt ständig, findet aber in der Institution BSP keinen Niederschlag. Die Möglichkeiten zu digitaler Maßanfertigung, bei der sich jeder Kunde sein singularisiertes Produkt zusammenstellt (oder demnächst in 3-D-Druckern herstellt), wird das BSP noch weiter von der Wirklichkeit wegrücken.

Das Bruttosozialprodukt war ziemlich brauchbar für die industrielle Gesellschaft. Für die granulare gilt das nur noch eingeschränkt. Deswegen müssen wir die Kennziffer nicht gleich auf dem Misthaufen der Geschichte entsorgen. Es gibt derzeit kaum eine brauchbare Alternative. Aber wie Diane Coyle in ihrer brillanten Geschichte des BSP schreibt, benötigen wir neue Messverfahren, um die Feinkörnigkeit unserer Wirtschaft zu erfassen. Und wir benötigen ein neues Bild dessen, was wir unter Wirtschaft verstehen wollen, »was für uns ›Wirtschaft‹ ausmacht im 21. Jahrhundert«.

Eine andere Institution, die im granularen Wandel ihre Form verändern dürfte, ist das Schulsystem. Das hat verschiedene Gründe, von denen zwei besonders wichtig sind. Zum einen fällt es in der granularen Gesellschaft viel leichter, außerhalb der Schulen zu lernen. Magnus Carlsen hat seinen Weg zum Schachweltmeister fern der üblichen Schachinstitute mit Hilfe von CDs und Internet begonnen. Die besten Wissensquellen in vielen Fächern und Themengebieten sind längst zwischen Wikipedia, TED-Videos,

Apps, Online-Kursen, Foren, Spielen und Chat-Räumen zersprengt. Der Ökonom Tyler Cowen hat festgestellt, dass die Blogosphäre der Ökonomen, darunter viele Nobelpreisträger, die sich täglich über aktuelle Themen austauschen und streiten, für die wirtschaftliche Aufklärung von Studenten und Bürgern inzwischen wichtiger sei als alle Fachbücher.

Die Granularität reicht aber noch viel tiefer. Der Stoff und die Lernsituation selbst werden feinkörnig, wenn Lernen in der Interaktion mit intelligenten Maschinen stattfindet. Online-Kurse beruhen auf ganz anderen Prinzipien als traditionelle Schulstunden. Um nur einige zu nennen: Sie stellen dem Lernenden frei, wann er lernt. Sie geben dem User die Kontrolle über den Fortschritt und erlauben zudem den Aufbau von Lerngemeinschaften, die sich nicht an Schulklassen orientieren, sondern deutlich heterogener sind. Und sie verpacken den Stoff in viel kleinere Happen, als das Schulbücher oder Schulstunden üblicherweise tun – sie sind deutlich granularer.

In den USA lernen bereits 250 000 Schüler in virtuellen Schulen, mehr als zwei Millionen nehmen an mindestens einem Online-Kurs teil. Noch größer ist der Effekt an Hochschulen. Vor allem US-amerikanische Eliteuniversitäten bieten offen zugängliche Online-Kurse an, die sogenannten MOOCs, an denen Hunderttausende von Studenten aus aller Welt teilnehmen, die dadurch Zugang zu Top-Vorlesungen erhalten.

Wir haben noch keine belastbaren Studien darüber, wie diese jungen Technologien sich auf die Schüler auswirken oder welche pädagogischen Konzepte sie erfordern. Aber die hochauflösenden digitalen Lernformen scheinen zumindest zwei Folgen zu haben. Erstens belohnen sie Studenten, die hochgradig selbstmotiviert arbeiten und die wenig Zuspruch von Lehrern oder Tutoren benötigen. Für sie rückt der

Computer ins Zentrum des Lernens – und Lehrer runden die Lernerfahrung bestenfalls ab. Einen MOOC der Stanford-Universität schlossen mehr als 400 Studenten weltweit besser ab als der beste Student der Stanford-Universität. Oder anders gesagt: 400 motivierte Selbstlerner hatten den besten Studenten an einer der besten Unis der Erde geschlagen – ohne einmal mit einem Lehrer zu sprechen. Schüler, die sich mit Selbstdisziplin schwertun, werden hingegen mehr denn je auf motivierende Lehrer angewiesen sein – Lehrer, die sich in Zukunft eher als Motivationsspezialisten definieren dürften denn als fachliche Autoritäten.

Zweitens wird sich nicht nur der Stoff, sondern auch das System der Bewertung granularisieren. Die populäre amerikanische Khan Academy bietet Tausende von Videos mit Lehrstoffen an sowie Online-Tests, um die Fortschritte zu überprüfen. Lehrer können die Videos in ihren Unterricht integrieren und über eine Art Daten-Cockpit minutiöse Informationen über alle Schüler abrufen: Welche Videos sie schauen, wie lange, welche Aufgaben sie bewältigten und welche nicht, wie viel Zeit sie jeweils mit ihnen verbringen und etliche Parameter mehr. Das hilft, um Lernschwächen in Echtzeit zu erkennen, vor allem aber können Leistungen viel breiter erfasst werden.

Das klingt nach schlimmer Überwachung, hilft aber vornehmlich den Schülern selbst. Denn auch sie können ihre Daten verfolgen und erhalten so unmittelbares Feedback. Üblicherweise haben die meisten Schüler nur ein grobes Verständnis ihrer eigenen Fortschritte, die Software macht das bislang Unsichtbare sichtbar. Eine Lehrerin beobachtete nach nur sechs Monaten mit dem Daten-Cockpit dramatische Fortschritte – und eine glühende Begeisterung der Schüler über ihre eigenen sichtbaren Verbesserungen.

Dieses Feedback kann auch von außen kommen. Neuseeländische Lehrer baten ihre Schüler, statt Aufsätze zu schreiben, die nur die Lehrer sehen, in einem öffentlich zugänglichen Blog zu posten. Anfangs geschah wenig, aber als die ersten Kommentare von Fremden unter den Blog-Posts auftauchten, begannen die Schüler ihre Texte mit Akribie zu verfassen. Die Leistungen stiegen spürbar an. Zugleich ließ sich so auch das Verhalten der Schüler in den Onlineforen beobachten und konnte in deren Bewertung einfließen.

Granulares Lernen ist unübersichtlich: Es gibt viele Quellen, viele Einflüsse, viele Bewertungsmaßstäbe. Es verlässt den Klassenraum und schwächt den bislang wichtigsten und oft einzigen Feedback-Geber, den Lehrer. Die traditionellen Unterscheidungen des Bildungssystems zerfallen.

Vergleichbares geschieht an unzähligen Stellen in der hochauflösenden Gesellschaft: Das Medizinsystem kommt durcheinander, weil hochinformierte Patienten mitreden wollen und die Autorität des Arztes hinterfragen. Software zur Gesichtserkennung löst den öffentlichen Raum auf, in dem wir uns bislang anonym wähnten. Implantate wie Gehirnschrittmacher verwischen die Grenze zwischen Mensch und Maschine. Versicherungen wissen plötzlich nicht mehr, wie sie Dinge bewerten sollen – an der Uni Würzburg gibt es einen selbstfahrenden Rollstuhl, der als Mofa versichert ist, weil sich keine andere Einstufung fand.

Und wenn sich selbstfahrende Autos durchsetzen, wird sich das gesamte Verkehrssystem neu zusammensetzen müssen: Die Menge der Autos und Unfälle wird sinken; die Hersteller werden weniger Autos verkaufen; der Staat hat geringere Steuereinnahmen und verteilt weniger Strafzettel; Ölkonzerne verkaufen weniger Benzin; Kliniken verdienen weniger an Unfallopfern; Parkplätze werden in Wohnraum oder Parks umgewandelt, weil die Autos am billigen Stadtrand parken; weniger Polizei ist nötig; Versicherungsprämien sinken und der Straßenbau geht zurück, weil automatische Autos in Kolonnen fahren können und dadurch Autobahnen, deren Fläche bei normalem Verkehr maximal zu fünf Prozent mit Autos bedeckt ist, effizienter nutzen. Nichts bliebe, wie es ist. Und mittendrin sitzen wir Menschen in unseren selbstfahrenden Autos, dösen vor uns hin und hoffen, dass die Maschine weiß, was sie tut.

## DAS UNSICHTBARE SICHTBAR MACHEN

Im Laufe des Buches haben wir immer wieder gesehen, wie das Digitale bislang unsichtbare Phänomene sichtbar macht. Der diabeteskranke Felix verlässt das Dunkel des Durchschnitts und tritt in seiner Einzigartigkeit hervor. Obamas Wähler werden so transparent wie nie, ebenso Wabers Unternehmen, die Spieler an den *slot machines* von Las Vegas oder die Leistungen von Schülern am Computer.

Zugleich war immer wieder von der Undurchschaubarkeit der Computer die Rede, von der Rätselhaftigkeit der Algorithmen. Ihnen wird eine nur »geisterhafte Präsenz« zugeschrieben und sogar mancher Informatiker bezeichnet sie gerne als »ungreifbar, komplex und schwer zu verstehen«. Das mache sie so ungemein schwer zu kontrollieren.

Im Herzen der granularen Gesellschaft liegt also ein Paradox: Die digitalen Maschinen, die so unerbittlich Transparenz herstellen, sind selbst höchst intransparent. Auch diese Spannung überfordert unsere Institutionen. Der Staat gerät unter Druck, einerseits die Bürger vor dem grellen Licht des Digitalen zu schützen – und andererseits Licht ins Dunkel der Maschinen zu bringen. Genau dies ist eine entscheidende Aufgabe des Staates in der granularen Gesellschaft. Von dieser Herausforderung handeln die nächsten beiden Abschnitte.

Das Paradox der intransparenten Transparenz führt zu einem eigentümlichen Widersinn in unserem Denken über intelligente Maschinen und deren Algorithmen. Zum einen heißt es von ihnen, sie würden unser Leben bestimmen und unser Verhalten steuern. Demnach ist eine neue, kaum zu beherrschende Macht über die Erde gekommen, die *alle* Aspekte unserer Existenz betrifft, uns regiert, beeinflusst und diszipliniert – eben weil sie uns so gnadenlos durchschaut und berechnet.

Zum anderen aber stehen wir den Algorithmen weitgehend ohnmächtig gegenüber, weil wir sie nicht verstehen. Wir haben es mit »unsichtbaren Maschinen« zu tun, die sich unserer Kontrolle entziehen, wir bewegen uns durch ein »unsichtbares Jahrhundert«. Dieser Lesart zufolge haben digitale Maschinen zugleich irrsinnig viel Macht und sind völlig schattenhaft. Sie durchdringen alles und sind selbst undurchdringbar. Früher nannte man solche Wesen: Götter.

Die Philosophin Wendy Chun hat darauf hingewiesen, dass digitale Maschinen zu »machtvollen Metaphern« für alles werden, »das unsichtbar ist, aber dennoch mächtige Effekte hat, vom Gencode bis zur unsichtbaren Hand des Marktes, von Ideologien bis zur Kultur«.

Entsprechend wird der Vergleich mit dem Computer inflationär gebraucht. Unser genetischer Code, heißt es, sei »wahrhaft digital, genauso wie der Computercode«; unsere Kultur, meint ein anderer Autor, ist re-programmierbar, unser Geist ein neuronaler Computer; die Evolution hat uns »programmiert« und der genetische Code tut dies noch jeden Tag: »Wir sind Maschinen-Roboter, blind darauf programmiert, unsere Gene zu erhalten.«

Alles ist Computer, auch der Mensch. Aber das ist erstens falsch und zweitens tun wir uns mit diesem Denken keinen Gefallen. Wir vergöttlichen damit etwas zutiefst Irdisches. Denn der Computer ist nicht rätselhaft. Ganz im Gegenteil: Im Prinzip ist er durchschaubarer als ein Mensch. Weil wir jeden seiner Rechenschritte nachvollziehen können. Das ist in der Praxis alles andere als einfach, aber im Grundsatz machbar.

Nehmen wir an, wir wollen entscheiden, wer eine Sozialleistung erhält und sicherstellen, dass keine gesellschaftliche Gruppe benachteiligt wird. Entscheiden Menschen über die Verteilung, können sie es zwar gut meinen – und dennoch eine sehr ungerechte Auswahl treffen, weil sie tiefverankerten und unbewussten Vorurteilen aufsitzen. Ein Algorithmus hingegen kann seine Kriterien nicht verbergen. Man kann überprüfen, ob alle Daten erfasst wurden, man kann statistische Tests laufen lassen, man kann Daten weglassen oder andere Daten nehmen, um den Rechenprozess zu verstehen. Das ist nicht einfach, keineswegs: In Theorie und Praxis gibt es zahlreiche Hürden beim Verständnis von Algorithmen. Aber prinzipiell sind alle ihre Entscheidungen viel solider nachvollziehbar als beim Menschen. Der Mythos um den Computer verschleiert diese simple Tatsache.

Der Grund, warum Algorithmen im Verborgenen arbeiten, liegt nicht an deren Unbegreifbarkeit, sondern schlicht daran, dass sie versteckt werden. Sie werden geheim gehalten. Darin besteht das ganze »Rätsel« der Algorithmen. Die Organisationen, die sie schreiben lassen, von Facebook bis Zalando, von Banken bis zu Universitäten, von Sozialämtern bis zu Geheimdiensten, betrachten sie als Betriebs- und Staatsgeheimnis, das sie hüten wie einen Goldschatz.

Die Intransparenz der Algorithmen ist eine Folge dieser Geheimhaltung. Wir wissen nicht, was sie tun, deswegen empfinden wir zu Recht massives Unbehagen an der Digitalisierung. Wir werden durchschaut und können nicht zurückschauen. Diese Intransparenz aber wird von Menschen hergestellt, sie ist Ausdruck von Macht, nicht vom Wesen der Algorithmen. Diese Einsicht ist wichtig: Wir müssen aufhören, die Algorithmen als »magische Mächte« zu verklären – denn dadurch helfen wir nur jenen, die sich mit ihnen in der Intransparenz verschanzen. Entsprechend lautet die Frage, wie wir Algorithmen durchsichtig und der Prüfung zugänglich machen können, ohne dadurch die berechtigten Interessen von Firmen und Staaten an Geheimhaltung zu ignorieren. Das ist eine der Schlüsselfragen der granularen Gesellschaft, weil sie unmittelbar ihr Machtgefüge betrifft.

Zum Glück ist die Sache nicht so hoffnungslos, wie sie gerne dargestellt wird. Den vermutlich einleuchtendsten Vorschlag machen der österreichische Forscher Victor Schönberger und der britische Journalist Kenneth Cukier in ihrem lesenswerten Buch *Big Data*. Sie setzen ihre Hoffnungen in sogenannte Algorithmisten. Das sind nicht die Computerexperten der Waldorfschule, sondern Informatiker, Mathematiker und Statistiker, deren Aufgabe es ist, Algorithmen aller Art zu prüfen: in Firmen, in Verwaltungen, in Universitäten. Sie sind das, was Wirtschaftsprüfer für Bilanzen sind – nur für Algorithmen. Wie diese verpflichten sie sich auf Unparteilichkeit und Gewissenhaftigkeit und sind für Fehler und Schludrigkeiten haftbar zu machen.

Es ist kein Zufall, dass Schönberger und Cukier den neuen Berufszweig nach dem Vorbild der Wirtschaftsprüfer entwerfen. Auch sie entstanden in einer Zeit heftigen Umbruchs und rasch steigender gesellschaftlicher Komplexität. Ihre Tätigkeit wurde notwendig, als im Zuge der Industrialisierung Ende des 19. Jahrhunderts Firmen zu Großkonzernen und Konglomeraten heranwuchsen, die nicht mehr zu durchschauen waren und die – wie Algorithmen heute – ihre Macht höchst undurchsichtig ausübten. Die Verpflichtung zur Prüfung von Aktiengesellschaften wurde 1870 im Deutschen Reich eingeführt, danach wuchs das Metier immer weiter und bildete einen Berufsethos der Präzision und Verschwiegenheit aus, der seinen Niederschlag auch in Gesetzen fand. Heute erscheint diese Form der Prüfung so selbstverständlich, dass wir vergessen haben, wie umstritten dieser Vorgang war und wie ungewöhnlich der Gedanke, Unternehmen sollten gezwungen sein, ihre Bücher zu öffnen.

Unternehmen müssten also verpflichtet werden, ihre Programme Prüfungen zugänglich zu machen. Der Computerwissenschaftler Anupam Datta hat in mehreren Arbeiten nachgewiesen, wie man etwa Verstöße gegen die Privatsphäre sogar dann entdecken kann, wenn nicht alle Rechenschritte nachzuvollziehen sind. Eine Firma müsste also nicht einmal jedes Detail offenlegen, um dennoch geprüft werden zu können. Die Techniken solcher Untersuchungen sind hochkomplex, aber auch darin unterscheiden sie sich nicht von den üblichen Wirtschaftsprüfungen.

Ed Felten, Professor in Stanford, entwickelt ähnliche Verfahren. Er nennt seinen Ansatz *accountable algorithms*, rechenschaftspflichtige Algorithmen. Ihm geht es darum, nicht nur private, sondern auch staatliche Algo-Verfahren zu durchleuchten. Beispiel: Am Flughafen bestimmt ein Algorithmus, welcher Reisende zu Sonderkontrollen gebeten wird. Das soll streng nach dem Zufallsprinzip geschehen – aber tut es das auch? Oder diskriminiert der Algorithmus systematisch bestimmte Gruppen? Und wie kann man das feststellen, ohne den Mechanismus offenzulegen und dadurch möglichen Terroristen das Wissen an die Hand zu geben, wie sie die Kontrollen umgehen können? Felten beschreibt einige Lösungen, die alle darauf hinauslaufen, dass staatliche Verfahren geheim bleiben und doch überprüfbar werden. Eine große Zahl von algorithmischen Verfahren ließe sich demnach auf Fairness untersuchen, ohne sie in einer Weise öffentlich zu machen, die einen Missbrauch ermöglicht.

Die Beispiele zeigen: Transparenz ist machbar! Aber noch fehlen standardisierte Verfahren dafür. Die Korrektheit einer Buchführung ist leichter zu prüfen, weil alle Bilanzen demselben Muster folgen und dasselbe Ziel haben. Programmierte Algorithmen hingegen verhalten sich höchst individuell und bezwecken ganz unterschiedliche Ziele. Es ist fraglich, ob ein einzelnes Team von Algorithmisten die Rechenverfahren in einem Großunternehmen wie Google prüfen, geschweige denn verstehen könnte. Die Prüfung ist außerordentlich komplex, und derzeit wissen wir nicht einmal, worauf wir besonders zu achten hätten. Was bedeutet algorithmische Neutralität oder Unparteilichkeit? Kann es die überhaupt geben? Was genau zeichnet einen »fairen« Algorithmus aus im Gegensatz zu einem »unfairen«, was unterscheidet einen »guten« von einem »schlechten«? Schlecht zu wem, gerecht nach welchen Kriterien, fair gemäß welcher Theorie?

Das soll nicht gegen die Idee von Algorithmisten und rechenschaftspflichtigen Algorithmen sprechen, sondern die Herausforderungen deutlich machen. Die Institutionen, die Algorithmen durchleuchten, müssen komplex sein, enorme Kompetenz versammeln und mit cleveren Leitlinien und Standards ausgestattet werden. Das ist möglich und sollte das Ziel sein – liegt aber derzeit noch jenseits unseres Horizonts.

Andererseits: Die Wirtschaftsprüfer haben sich seit Erfindung der Zahlen zu Verwaltungszwecken in Mesopotamien vor 4000 Jahren auch ein wenig Zeit gelassen. Die Probleme der Algorithmen sind kaum 60 Jahre alt, und als Massenphänomen treten sie erst seit rund zwei Jahrzehnten auf. Derzeit noch lösen sich die bestehenden Institutionen schneller auf, als wir neue errichten können. An der Asymmetrie von Algo-Besitzern und Algo-Betroffenen wird sich also vermutlich sobald nichts ändern.

# VOM DATENSCHUTZ

Die institutionelle Auflösung trifft kaum eine Institution so hart wie den Datenschutz. Erst in den 1970er Jahren erfunden, ist er im Wesentlichen »ein einziges Vollzugsdefizit«, so Professor Eric Hilgendorf von der Universität Würzburg, der Deutschlands einzigen Lehrstuhl für Roboterrecht innehat. Und er fügt süffisant hinzu: »Und Vollzugsdefizite mag das deutsche Recht nicht.«

Ohne Übertreibung lässt sich sagen: Der Datenschutz ist in seiner jetzigen Form tot. Seine Annahmen stimmen nicht mehr, seine Kategorien sind hinfällig. Die Daten haben den Schutz aufgelöst.

Daten sind, was Algorithmen verarbeiten. Das Fleisch am Skelett der Rechenverfahren. Oder das Fett. Die Schicht jedenfalls wird immer dicker, weil Daten an immer mehr Stellen anfallen: bei E-Mails, Telefonaten, Videos, Bildern, beim Surfen, Fernsehen und Networking in sozialen Medien, bei Arztbesuchen, Autofahrten und Flugreisen, im Urlaub, bei der Arbeit und beim Sport, in der Kommunikation zwischen Maschinen (die inzwischen weltweit den Großteil der Daten erzeugen), in Fabriken, durch Satelliten und durch Kleidung, beim Lesen von E-Books und beim Lernen am iPad. Das schafft eine Welt, auf die der Datenschutz nicht vorbereitet war – und die ihn restlos überfordert.

Hier ist nicht der Ort, um die Fragen von Datenschutz und Privatsphäre im Detail zu erörtern. Aber ich möchte knapp zeigen, wie sich die Institution Datenschutz auflöst und in welcher Richtung wir neuen Schutz finden können.

Der alte Datenschutz unterscheidet *personenbezogene Daten* von nicht personengebundenen. Das klingt einleuchtend, immerhin wollte man ja die Personen schützen. Nur hat Big Data dazu geführt, dass auch vermeintlich anonyme Daten viel über Personen verraten. Sind genügend Daten vorhanden, ist die Identifizierung von Einzelnen ein Klacks. Eigentlich sind heute fast alle Daten auf die eine oder andere Weise personenbezogen – und ihre Verarbeitung müsste nach dem Willen des Gesetzes eingestellt oder eng beschränkt werden. Aber das ist illusorisch.

Ähnlich ergeht es dem *Verbotsprinzip*. Es besagt: Jede Verarbeitung personenbezogener Daten bedarf der persönlichen Einwilligung des Betroffenen. Auch das klingt gut. Nur funktioniert es in der Praxis nicht: Wir klicken ständig auf ellenlange Einwilligungserklärungen bei Apps oder Services, ohne sie zu lesen oder gar zu verstehen. Und würden wir sie begreifen, hätten wir trotzdem nur die Wahl, den Service im Ganzen zu benutzen oder eben nicht. Für Datenpuristen gibt es dann eben kein Facebook, kein Twitter, kein WhatsApp mehr. Derzeit werden wir granular erfasst, können aber nicht granular reagieren, sondern nur schwarzweiß mit Zustimmung oder Ablehnung.

Praktisch jedes Datenrecht auf der Erde stützt sich auf die Idee der *persönlichen Kontrolle* der Daten. Nur sind wir gar nicht in der Lage, diese Kontrolle auszuüben. Auch weil wir leicht zu manipulieren sind: Versuche haben gezeigt, dass man Menschen nur suggerieren muss, sie hätten Kontrolle über ihre Daten, schon gehen sie noch viel freigiebiger mit ihnen um. So wie die Spieler von Las Vegas mit ihrem Geld.

Auch gebietet das Recht die *Datenminimierung*. Es sollen so wenige Daten erhoben werden wie möglich. Aber wollen wir das tatsächlich? Oder benötigen wir in bestimmten Bereichen nicht eher möglichst viele Daten für möglichst präzise Erkenntnisse? Bei der Gesundheitsvorsorge etwa, der Verkehrslenkung oder beim *smart grid*, das notwendig ist, um unsere Stromversorgung aus erneuerbaren Energien zu sichern. Auch können sich einzelne User in schwer zu durchschauenden, großen Datenwolken oft besser verstecken als in datenarmen Umgebungen.

Schließlich schreibt unser derzeitiges Recht eine strenge *Zweckbindung* vor. Mit den Daten darf nur geschehen, was vorher vereinbart wurde. Aber wer kann schon wissen, wofür Daten einmal sinnvoll sein werden: Wer hätte vermutet, dass Anfragen bei Bing helfen, die tödliche Wechselwirkung zweier Medikamente zu entdecken? Zweckbindung limitiert auch die nützlichen Möglichkeiten der Datenverarbeitung, sie kann zur Erkenntnis- und Innovationsbremse werden.

Weil noch nicht durchgesickert ist, dass der Datenschutz in seiner bisherigen Form obsolet ist, gebiert er immer neue Monstren. Eines hört auf den Namen *Recht auf Vergessenwerden* und ist ein gerngesehener Gast in den Talkshows. Im Mai 2014 hat der Europäische Gerichtshof (EuGH) dieses Recht erstmals höchstrichterlich bekräftigt: Eine spanische Zeitung hatte 1998 auf die Zwangsversteigerung eines Grundstückes hingewiesen, dessen Besitzer Schulden bei der Sozialversicherung hatte. Suchmaschinen von Google wiesen auf diese Zeitungsseiten hin. Der Spanier verlangte sowohl die Löschung der Seiten bei der Zeitung als auch die Löschung der Links auf die Seiten bei Google. Das EuGH urteilte, dass die Seiten der Zeitung nicht zu löschen seien, weil sie rechtmäßig veröffentlicht wurden; dass aber Google die Links auf die Seite löschen muss.

Das ist ein kurioses Urteil. Es verbietet den Hinweis auf Veröffentlichungen, aber nicht die Veröffentlichungen selbst. Es erschwert allein die Auffindbarkeit von unangenehmen Veröffentlichungen. Und es hat eine Welle von Anträgen an Google ausgelöst, unliebsame Links zu löschen. Bis Juli waren 91 000 Löschanfragen bei Google eingegangen, die das Unternehmen nach eigenem Gutdünken abarbeitet, weil der EuGH und die EU es bislang versäumt haben, das Recht auf Vergessenwerden näher zu bestimmen. De facto hat die EU die Umsetzung des Rechtes nach Kalifornien delegiert.

Das mag auch damit zu tun haben, dass das Recht überaus schwer zu handhaben ist und gravierende Probleme aufwirft. Das Recht reklamiert, jeder solle jederzeit darüber befinden dürfen, welche seiner Daten gelöscht werden. Maximale persönliche Kontrolle. Nur wie soll die gehen?

Zwei heiraten, stellen ihre Bilder ins Netz, lassen sich scheiden. Der Mann verlangt, alle Bilder, auf denen er zu sehen ist, aus dem Blog zu löschen. Die Frau will sie dort stehen lassen. Wer hat recht? Wer setzt sich durch? Und was ist mit den Gruppenbildern der Hochzeitsbesucher – kann ein Einzelner verlangen, sie zu löschen? Das geht nicht, ohne das Recht der anderen auf freie Meinungsäußerung zu beeinträchtigen. Nach welchen Kriterien erfolgt die Abwägung der Rechte?

Eine Zeitschrift veröffentlicht aufgrund frei zugänglicher Daten einen kritischen Artikel über einen Unternehmer. Hat er das Recht, die Daten und womöglich sogar den auf ihnen beruhenden Artikel löschen zu lassen, wenn er sich falsch repräsentiert sieht? Und wenn der Artikel *nicht* kritisch wäre – hätte der Unternehmer dann das Recht auf Datenlöschung? Aber wenn im letzten Fall, warum dann nicht auch im ersten Fall? Kein Wunder, dass die Organisation »Reporter ohne Grenzen« warnt, ein »Recht auf Vergessenwerden« wäre nur »schwer zu vereinbaren mit dem Recht auf freie Meinungsäußerung und freie Information«.

Was ist also die Lösung? Es gibt sie noch nicht, das ist ja gerade das Wesen der granularen Gesellschaft: überall Auflösung, aber keine Lösungen. Dennoch zeichnen sich Wege ab. Aber sie erkennt nur, wer sich von zwei Mythen befreit. Zum einen sind Daten kein Teufelszeug. Und zum anderen ist Privatheit eine komplexe Angelegenheit, die nicht entweder geschützt oder kompromittiert ist. Wir haben es mit fließenden Übergängen zu tun. Die Privatsphäre folgt feinen Abstufungen, sie verändert sich je nach Zusammen hang. Helen Nissenbaum hat dafür den Begriff der »kontextuellen Integrität« geprägt. Daten beim Arzt freizugeben hat eine ganz andere Bedeutung als dieselben Daten in einem sozialen Netzwerk zu finden. Es geht also nicht darum, eine einheitliche Privatsphäre zu schützen, sondern ihre verschiedenen Ausprägungen zu managen.

Ähnlich verhält es sich mit den Daten. Sie sind weder Fluch noch Segen, sondern ein neuartiger Rohstoff, dessen Eigenschaften wir noch zu begreifen haben. Wir müssen die Daten nicht vor den Menschen schützen und die Menschen nicht vor ihnen. Datenschutz ist ein überholter Begriff. Daten sollen unser Leben bereichern, daher müssen wir sie managen wie Nahrungsmittel, Energie oder Abfall.

Datenmanagement also statt Datenschutz. Dafür gibt es viele technische Verfahren mit abschreckenden Begriffen wie *differential privacy* oder *privacy by design*. Mir kommt es im Folgenden allein auf die institutionellen Verfahren an.

Am Anfang könnten Zuckerbrot und Peitsche stehen. Zuckerbrot heißt: Unternehmen dürfen auch ohne detaillierte Zustimmung von Einzelnen manche innovative Dinge mit Daten tun. Peitsche heißt: Bei Missbrauch und Bruch der »kontextuellen Integrität« werden sie streng bestraft – dafür müssen sie zumindest teilweise ihre Praktiken und Algorithmen offenlegen, um die Prüfung durch neutrale Instanzen zu ermöglichen. Im Übrigen muss gewährleistet werden, dass Einzelne nicht unbedingt die Herausgabe ihrer eigenen Daten erzwingen können, aber aller Daten, die das Geschäftsgebaren der beklagten Firma belegen. Denn das ist ja der umgekehrte Vorteil der Daten: Sie verzeichnen auch präzise, was die Firmen selbst tun. So haben etwa die Casinos in Las Vegas ihre Datensammelei eingeschränkt aus Angst vor Klagen, die anhand der Daten beweisen, dass die Casinos systematisch Spielsucht fördern.

Einen weiteren wichtigen Punkt haben Omar Tene aus

Israel und Jules Polonetsky aus den USA vorgebracht. Bislang herrscht nicht nur eine Asymmetrie beim Umgang mit den Daten, sondern auch beim Profit, den sie bescheren. Mark Zuckerberg oder die Gründer von WhatsApp verdienen Milliarden an ihnen, die User gar nichts. Tene und Polonetsky schlagen vor, den Usern die Daten nicht nur zugänglich zu machen, sondern ihnen auch zu gestatten, sie zu anderen Unternehmen zu tragen, um sie dort profitabler verwerten zu lassen. Dazu müssen sie in einem gebräuchlichen Format vorliegen und portierbar, also übertragbar, sein. Facebook und andere müssten die Daten also mit den Usern teilen, weil sie auch arbeitsteilig zwischen Netzwerk und User entstehen.

In eine ähnliche Richtung geht Doc Searls in seinem Buch *Intention Economy*. Auch er will die Machtverhältnisse auf den Kopf stellen: Nicht mehr allein die Anbieter von Dienstleistungen besitzen die Daten, sondern ebenfalls die Kunden, die sie erzeugen. Sie haben die Möglichkeiten, ihre Daten zu speichern, zu verwalten und nach ihren eigenen Maßgaben für Unternehmen freizugeben; und um sie damit nicht zu überfordern, so Searls, wird es Zwischenhändler geben, die im Interesse der Konsumenten agieren. Statt Blanko-Zustimmungen stellen Kunden den Firmen Bedingungen: Wenn ihr mit mir Geschäfte machen wollt, müsst ihr mir meine Daten geben, ihr dürft sie nur mit vorab benannten Firmen teilen, und nach Geschäftsende sind alle Daten zu löschen. Ein solcher Datenkontrakt ist »optimistisch oder sogar utopisch«, schreibt Searls, aber solche Utopien schärfen den Blick für Alternativen.

Jeder dieser Vorschläge hat Fallstricke und bringt viele offene Fragen mit sich, aber insgesamt skizzieren sie ein neues, höher aufgelöstes Bild des Datenschutzes und der Privatsphäre. Haben solche Ideen eine Chance, sich durchzusetzen? Das hängt davon ab, wie groß der soziale Druck wird. Auffällig ist, dass die Debatte weit entfernt vom Volk und nur unter Spezialisten geführt wird. Nach dem schnellen, unrühmlichen Scheitern der Piraten gibt es keine soziale Bewegung mehr, die sich des Themas annimmt.

Das kann dreierlei bedeuten: Das Thema ist entweder zu komplex. Oder es brennt den Menschen doch nicht unter den Nägeln. Oder die granulare Gesellschaft hat drittens noch keine geeigneten Formen des kollektiven Protestes hervorgebracht. Die neue Auflösung hätte in diesem Fall auch die »Institutionen« des Widerstandes unterwandert.

## VON ANTI-GESICHTERN UND GEISTERANFRAGEN

Bislang jedenfalls wird die Gegenwehr nur von Einzelnen vorangetrieben. Adam Harvey hat sich eine der kreativsten Abwehrmaßnahmen einfallen lassen: Auf seiner Webseite »CV Dazzle« stellt er Haarschnitte und Gesichtsbemalungen vor, die automatische Gesichtserkennungs-Software in die Irre führen. Leider würden sie auch die meisten Menschen überfordern. Ein Haarschnitt etwa sieht mindestens drei Farben vor und eine lange, dichte und vor allem kobaltblaue Strähne, die bis zum Kinn hängt; sie wird ergänzt durch einen dicken schwarzen Strich auf einer Wange. Andere Vorschläge sind eine Art Haargitter vor dem Gesicht oder zu Schnecken gerollte Strähnen um die Nase. Er nennt das, was dabei herauskommt, »Anti-Gesichter«. Das Vorgehen ist zweifelsohne nicht sonderlich praktisch, was vermutlich damit zusammenhängt, dass Harvey ein Künstler ist, der sich um die Anforderungen des Alltags nicht sonderlich schert. Er will mit seiner Aktion vielmehr auf die Allgegenwart von Überwachungs-Software aufmerksam machen.

Aber das Prinzip von »CV Dazzle« ist eine der beliebtesten Verschleierungsmethoden: Irreführung durch falsche oder zufällige Informationen. Eine Möglichkeit, sich unsichtbar zu machen, besteht darin, möglichst viele Daten zu produzieren – aber irrelevante. Man kennt das bislang eher von Ganoven, etwa aus dem Film *Die Thomas Crown Affäre*. An dessen Ende stiehlt der auffällig in Anzug und Bowlerhut gekleidete Dieb ein seltenes Bild aus dem Metropolitan Museum of Art in New York und kann entkommen, weil er (Vorsicht Spoiler) Hunderte Männer ins Museum bestellt hat, die exakt so gekleidet sind wie er selbst – und die Polizei vor lauter Verdächtigen den Täter verfehlt.

So ähnlich geht auch das kleine Hilfsprogramm »TrackMeNot« vor. Diese Software sendet automatisch und in unregelmäßigen Abständen zufällige Anfragen an Internet-Suchmaschinen, etwa an Google. Das Programm versucht also nicht, die Daten zu minimieren, sondern im Gegenteil aufzublähen. Es versteckt die eigentlichen Anfragen des Users in einer Wolke aus »Geisteranfragen« und verschleiert so seine Datenspuren. Die Datenprofile, die alle Firmen von den Nutzern anlegen, sollen auf diese Weise entwertet werden.

Ähnlich verfuhren in den 1990er-Jahren Benutzer von Kundenkarten etwa von Supermärkten oder Kaufhausketten, die ihre Karten untereinander austauschten. Es entstanden aufwendige, landesweite Tauschringe, bei denen sich die Nutzer gegenseitig ihre Karten zuschickten. So konnten sie zum einen die Vorteile der Karten nutzen – günstige Preise –, zugleich aber ihre Datenspuren mit den Käufen der anderen verwischen.

Eine andere Strategie setzt darauf, bestimmte Datenströme zu blockieren. Das reicht von der Empfehlung, möglichst wenige digitale Dienste zu nutzen, zu solchen Zusatzprogrammen wie »Ghostery« und »DoNotTrackMe«, die ebenfalls im Browser installiert werden und sogenannte *tracking cookies* blockieren. Populär ist auch das weltweite Tor-Netzwerk, das erlaubt, die Verbindungsdaten etwa beim E-Mail-Verkehr und beim Surfen zu anonymisieren. Allerdings steht auch dieses Netzwerk im Verdacht, von der NSA überwacht zu werden.

Singularisiert und im Verborgenen bleiben auch die vielen Akte der alltäglichen Sabotage. Vor der Londoner Börse fiel jeden Tag etwa zehn Minuten lang das GPS-Signal aus. Navigationssysteme in Autos streikten und in der Börse bangten Händler um die Zeitstempel ihrer Transaktionen, die auf GPS angewiesen sind. Nachforschungen ergaben, dass wohl ein Kurierfahrer das Signal blockierte, um sich zehn Minuten der Überwachung durch seinen Arbeitgeber zu entziehen. Die (meist illegalen) GPS-Störsender kosten nur ein paar Euros, blockieren die Signale oft in einem Umkreis von ein paar hundert Metern und werden vermutlich von einem Großteil der Kurierfahrer eingesetzt.

Ähnlich gehen LKW-Fahrer in den USA vor, die sich mittlerweile bei ihren Fahrten lückenlos überwachen lassen müssen – der Trucker-Traum von der großen Freiheit wird aus riesigen Datenzentralen im Minutentakt beobachtet. Allerdings lebt der Widerstandsgeist: Einige Fahrer haben das System gehackt und spielen darauf Poker. »Gaming the system«, nennen sie es, die Mächtigen austricksen. In Zukunft wird es mehr von solchen Umgehungstricks geben – und energische Gegenmaßnahmen des »Systems«. Das Wettrüsten zwischen Überwachern und Überwachten hat längst begonnen.

Eine weitere Form des Widerstands leisten kleine lose Gruppen wie die Cypherpunks oder Anonymous. Sie legen Webseiten lahm (wie die von Mastercard und Visa, nachdem diese Firmen Zahlungen an WikiLeaks unterbunden hatten), greifen Regierungswebseiten von Iran und Simbabwe an oder blockieren im Rahmen von Occupy-Protesten die Website der Stadt Frankfurt, indem sie sie mit automatisierten Anfragen überfluten. Was immer man von diesen Aktionen halten will, die Hacker leben eindeutig bereits in der Datenwelt jenseits der Knappheit. Andererseits sind solche Aktionen fast immer auf die traditionellen Verstärkermechanismen der Presse angewiesen, um überhaupt wahrgenommen zu werden. Für sich genommen bewirken sie relativ wenig.

Kollektive, weitreichende Formen des Protests hat die granulare Gesellschaft bislang nicht entwickelt. Dabei wären sie leicht denkbar. Ein Versandhändler, dessen Datenhunger allzu groß erscheint, ließe sich im Weihnachtsgeschäft unter Druck setzen, wenn Kunden massenhaft Dinge bestellen und retour schicken. (Angeblich haben sich Onlinehändler auf diese Weise schon untereinander bekämpft.) Die Server von Suchmaschinen-Betreibern, deren Datenverarbeitung suspekt ist oder die sich Transparenzanliegen verweigern, ließen sich durch massenhaft eingesetzte Such-Bots belagern. Ein einziger kollektiver Protesttag gegen soziale Netzwerke würde erhebliche Unruhe auslösen.

Aber seltsamerweise hat es dafür bislang nicht gereicht. Das Netz scheint, so eine erste Einschätzung, eher zu singularisieren als zu kollektivieren; es verbindet zwar, aber es mobilisiert nicht. Entsprechend unklar ist die Zukunft kollektiver Aktionen in der granularen Gesellschaft.

Das mag auch damit zusammenhängen, dass die neuen Organisationsformen in und durch das Netz noch weitgehend unerforscht sind, ja, nicht einmal eine klare Begrifflichkeit vorliegt. Zwar wird von Prosumers und Crowds, von Swarms und E-Communities gesprochen, aber was genau sich dahinter verbirgt, bleibt oft unklar. Offensichtlich ist nur, dass diese neuen sozialen Formen aufs Innigste »in einer so zuvor nicht gekannten« Weise mit der technischen Infrastruktur verschränkt sind, die ihre Entstehung ermöglicht. Die granularen Technologien gebären granulare, noch unverstandene Organisationsformen, die aber zugleich auf einen Mangel hinweisen: Die singularisierte Anarchie des Widerstands ist zwar das Beste, was Bürger derzeit gegen die digitale Verfolgung haben, aber es fehlen brauchbare Institutionen zum Schutz der Nutzer vor Überwachung. Dafür müsste sich der Staat einsetzen. Aber auf ihn ist derzeit wenig Verlass.

## DER GRANULARE STAAT

Das Internet ist noch jung und hat doch bereits eine lange, verwickelte Geschichte. Mitte der 1990er Jahre, in der Phase der größten Euphorie, schleuderte John Perry Barlow in seiner »Unabhängigkeitserklärung des Cyberspace« den Staaten große Sätze entgegen: »Regierungen der industriellen Welt, ihr müden Giganten aus Fleisch und Stahl, ich komme aus dem Cyberspace, der neuen Heimat des Geistes. Im Namen der Zukunft bitte ich euch Gestrige, uns allein zu lassen. Ihr seid nicht willkommen unter uns. Ihr habt keine Macht, wo wir uns versammeln.«

Dann pries er die Vorzüge der freien, unzensierten Welt aus materielosen Bits und Bytes, in der sich Menschen versammeln, »ohne Furcht, zum Schweigen gebracht oder in die Konformität gezwungen zu werden« und ohne Ansehen von Rasse, Religion und Status. Und er schloss mit den sehnsüchtigen Worten: Möge die Welt, die wir erschaffen, »menschlicher und gerechter sein als jene, die die Regierungen errichtet haben«.

Die Prophetie war nicht gänzlich falsch. Die Menschen versammeln sich im Cyberspace, sie finden neue Wege, sich auszutauschen, und zuweilen spielen Rasse und Religion tatsächlich keine Rolle. Aber die Furcht ist nicht gewichen. Und die Regierungen haben die Menschen im Netz nicht allein gelassen. Ganz im Gegenteil. Sie sind die größten Nutznießer der Digitalisierung. Die alten Herren der industriellen Welt sind auch die neuen der granularen Gesellschaft. Die müden Giganten aus Fleisch und Stahl navigieren wach und ausgeschlafen durch den Cyberspace, wo sie mit offenem Rachen Daten fressen. Sie haben eine neue Nahrungsquelle gefunden, um ihren Hunger nach Informationen über die Bürger zu stillen. Der Cyberspace wurde zur Kolonie erniedrigt.

Edward Snowdens Enthüllungen über die umfassende Überwachung aller digitalen Kommunikationen durch amerikanische, britische und etliche weitere Geheimdienste haben die letzten Zweifel an der Vermutung ausgeräumt, dass sich die Staaten im digitalen Raum exzessive Sonderrechte anmaßen und ihre Bespitzelungen der demokratischen Kontrolle entziehen. Die größten Datenskandale und die gravierendste Verletzung der Privatsphäre gehen jedenfalls nicht von Firmen aus (so übel viele von ihnen auch sind), sondern von den Regierungen.

Es fällt vielen erstaunlich schwer, diese einfache Wahrheit auszusprechen. So tat sich etwa der im Sommer 2014 verstorbene Herausgeber der *Frankfurter Allgemeinen Zeitung*, Frank Schirrmacher, immer wieder als staatstreuer Konservativer hervor und schob die Schuld den Datenkonzernen zu. Nachdem er in einem Artikel einige der Verfehlungen der Geheimdienste aufgelistet hatte, schloss er den Satz an: »So wichtig es ist, die besondere institutionelle Macht von Geheimdiensten und des Staates zu betonen, so wichtig ist die Erkenntnis, dass sie selbst nur Bestandteil der globalen und zentralisierten Überwachungsmärkte ist.«

Aus den staatlichen Untaten werden so unter der Hand die Verfehlungen der Märkte: Als ob Mark Zuckerberg und nicht Obama der NSA vorsteht. Und sicher würde der britische Premierminister David Cameron seine Spione gerne zurückpfeifen, aber die Märkte diktieren ihm die böse Tat. So klingt digitale Aufklärung als fortgeschrittene Entschuldigung der Mächtigen.

Dagegen ist es wichtig, den Staat als Zentralgefahr der granularen Gesellschaft auszumachen. Viele der traditionellen Probleme im Umgang mit staatlicher Macht tauchen nun in aktualisiertem technologischen Gewand wieder auf: Die flächendeckende Überwachung etwa durch den amerikanischen Geheimdienst NSA ist ein klassischer und im Grundsatz nicht neuer, sondern nur mit neuen Technologien durchgeführter Versuch, die Bürger auszuhorchen und zu kontrollieren.

Die Staaten bedienen sich dabei der Infrastruktur großer Datenkonzerne wie Google oder Facebook und verwachsen mit ihnen zu einem datenindustriellen Komplex. Man muss kein Freund der Datenfirmen sein, um den großen Unterschied zu den staatlichen Akteuren zu sehen: Google-Mitarbeiter werden nicht nachts um drei an der Tür eines Verdächtigen klopfen, ihn nicht abführen und womöglich ohne Prozess wegschließen. Sie werden auch keine Drohnenschläge verordnen, wie Präsident Obama dies regelmäßig jeden Dienstag tut, wenn er sich mit Beratern im Weißen Haus zum *Terror Tuesday* trifft, um anhand von algorithmischen Profilen und *scores* über die nächsten Hinrichtungen aus der Luft zu beraten. Bislang hat der Präsident die Ermordung vermutlich mehrerer Tausend Menschen angeordnet.

Das zentrale Problem besteht derzeit darin, dass nur Regierungen die Bürger sinnvoll vor Überwachung schützen können, dass sie aber nur ein sehr begrenztes Interesse an diesem Schutz haben. Die herrschende Doppelmoral schlägt sich auch in den Vorschlägen der EU zur Erneuerung und Harmonisierung des Datenschutzes nieder, die 2012 veröffentlicht wurden. Darin werden deutliche Verschärfungen gefordert – aber zugleich staatliche Stellen ausgenommen. Behörden, die im weitesten Sinne mit der Verhinderung, Ermittlung, Aufklärung oder Bestrafung von Straftaten zu tun haben, sind vom Datenschutz ebenso ausgespart wie die Dienste der »Nationalen Sicherheit«. Erstaunlicherweise muss sich auch die EU-Datenschutzbehörde sowie die EU-Kommission nicht dem Datenrecht unterwerfen, das sie allen anderen auferlegt. Die vorgeschlagene EU-Datenschutzbehörde unterliegt zudem keiner verfassungsrechtlichen Kontrolle und darf Strafen verhängen, gegen die kein rechtlicher Einspruch mehr möglich sein soll. Johannes Masing, Richter am Bundesverfassungsgericht, hat analysiert, dass durch die Vorschläge, die das deutsche Datenschutzrecht ersetzen würden, »die Grundrechte des Grundgesetzes … nicht mehr anwendbar« wären.

Man muss die Maßnahmen im Zusammenhang mit Plänen sehen, die Datendurchdringung deutlich zu erhöhen. Die EU baut zwei riesige Speicher voller Personendaten, die europaweite Polizeidatenbank SIS II sowie das Ein- und Ausreisesystem EES; beide wären von den Datenschutzvorgaben ausgenommen. Auch wird die Entwicklung von intelligenten Frühwarnsystemen wie INDECT vorangetrieben: Das System soll Daten aus öffentlichen Videokameras, sozialen Netzwerken, Veröffentlichungen im Netz und vielen anderen Datenquellen zusammenführen, analysieren, und automatisch Alarm schlagen, wenn es eine Bedrohung für die öffentliche Sicherheit entdeckt. Zudem arbeiten viele Staaten an weiteren Erfassungssystemen, etwa Mautbrücken, die Kennzeichen, Fahrzeughalter und andere Daten erheben können.

Die Komplexitätssteigerung der Moderne hat den Ausbau des Staates notwendig gemacht, der sich seit der Industriellen Revolution immer mehr Lebensbereiche erschlossen hat. Für gewöhnlich wurde diese Entwicklung von dem erbitterten Kampf um Bürgerrechte begleitet. Auch der Komplexitätszuwachs in der granularen Gesellschaft dürfte eine weitere Stärkung des Staats nach sich ziehen – inklusive neuer, erbittert geführter Abwehrkämpfe.

Dass sich Regierungen auf die neuen Möglichkeiten stürzen, ist kein Zufall. Computer waren von Anfang an »Regierungsmaschinen«, schreibt der britische Soziologe Jon Agar. Wie Bürokratien sind auch Rechner »universelle, für alle Zwecke geeignete ›Maschinen‹, die von einem Code gesteuert werden«. Computer dienen der Verwaltung, aber auch der »Herstellung« der Bürger: Durch Datenerhebungen sind wir erst zu denen geworden, die wir sind. Auf allen Formularen lernen wir seit Jahrzehnten die Kategorien, mit denen wir uns zu beschreiben haben: Geschlecht, Beruf, Einkommen, Religion (und eben nicht: Familie, Clan, Herkunft). Datenbanken, Umfragen, Statistiken, biometrische Merkmale – ohne Daten kein Staat, keine Bürger, keine Steuereinnahmen, keine Gesellschaft. Was aber passiert, wenn sich die Technologien der Datenerfassung und damit auch die Daten selbst verändern, feinmaschiger werden? Werden auch wir dann andere?

Einen Effekt habe ich bereits angesprochen: Auch Bürger werden dann neu aufgelöst. Plötzlich wird die Ungleichbehandlung verschiedener Gruppen machbar und sogar verführerisch. Das kann durchaus dem Ziel der Gerechtigkeit dienen, verletzt aber auch unsere eingefleischten Überzeugungen von Gleichheit.

Der granulare Staat besitzt aber noch weit mehr Optionen, Unterschiedliches unterschiedlich zu behandeln. Und neue granulare Einnahmequellen zu erschließen. So ließe sich der gesamte $CO_2$-Ausstoß eines Menschen über alle seine Aktivitäten hinweg verfolgen und besteuern, vom elektronisch aufgerüsteten Auto, das die tatsächlich gefahrenen Kilometer misst, über den Ausstoß der Wohnung dank *smart grid* und via elektronischem Ticketing auch die Belastungen durch Zugfahrten und Flüge. Mit zunehmender Sensorik und Vernetzung wird der gesamte ökologische Fußabdruck messbar – und besteuerbar.

Ähnlich könnte ein auf Verhaltenssteuerung versessener Staat eine Kaloriensteuer einführen: Bei jedem Kauf im Supermarkt wird automatisch nicht nur die Mehrwertsteuer, sondern auch die K-Steuer aufgeschlagen, die sich aus dem Dickmacher-Index der Ware ergibt. Theoretisch könnten sogar individuelle Faktoren wie regelmäßiger Sport (nachzuweisen anhand der Karte aus dem Fitness-Studio oder Sensormessungen) oder das Körpergewicht die Höhe der Steuer beeinflussen. Schon jetzt haben wir verbrauchsabhängige Steuern etwa bei Alkohol oder Tabak, dieses Prinzip können granulare Technologien verfeinern. Auch Fahrzeugsteuer und -versicherungen bieten sich für eine höhere Auflösung an und können sich an den gefahrenen Kilometern oder dem Fahrverhalten orientieren.

Und ein letztes Beispiel: Je mehr sich elektronische Assistenten und Tracking-Geräte in Autos verbreiten, desto verlockender wird es, sie zu Sicherheitszwecken einzusetzen. Die Polizei könnte elektronische Sperrgebiete einrichten, in denen Autos automatisch verlangsamt werden oder in die sie erst gar nicht eindringen können. Der Zugang ließe sich sehr feinkörnig und nach wechselnden Kriterien regeln: bei einem Fußballspiel nur Fans im Besitz einer Eintrittskarte, bei Schulfesten nur Schüler und Angehörige, bei Notfällen nur Ärzte und Pfleger. Man bekäme »durch Software sortierte Geographien«.

Der Phantasie bei solchen Maßnahmen sind keine Grenzen gesetzt. Entscheidend ist, nicht das Gemeinsame dieser Ansätze aus den Augen zu verlieren: Die granulare Gesellschaft erlaubt zunehmend, Unterschiedliches unterschiedlich zu behandeln, weil es so leicht erfasst und registriert werden kann. Der Staat wird – so wie digitale Firmen auch – in die Lage versetzt, »differentielle Standards, Normalitäten und Anomalien« zu definieren und entsprechend zu handeln.

Der granulare Staat wird mit den Daten, die er erhebt und sammelt, tiefer ins Geflecht der Gesellschaft eindringen denn je. Und eine neue, technologisch aufgeklärte Bürgerbewegung, die ihm Einhalt gebieten könnte, der granulare Widerstand, hat sich noch nicht formiert. Dafür benötigen wir einen neuen Gesellschaftsvertrag – und einen neuen Menschen, der die neue technologische Wirklichkeit in seinem Weltbild, seinen alltäglichen Handlungen und seinen Hoffnungen verkörpert.

# DER GRANULARE MENSCH
## ODER
# WIE WIR UNS NEU ERFINDEN

## DAS ZEITALTER DER KRÄNKUNG

Ray Kurzweil ist der Bürgerschreck unter den Futuristen. Seit Jahren prophezeit er den Menschen die Niederlage gegen die Maschinen. Er nennt das: die »Singularität« (nicht zu verwechseln mit der Singularisierung in diesem Buch). Zur Singularität kommt es, wenn Maschinen so intelligent sind, dass sie sich selbst immer leistungsfähiger machen – und damit den Menschen abhängen. Nach Kurzweils jüngsten Schätzungen soll es im Jahr 2029 so weit sein. Mit unverhohlener Freude zieht er durch die Lande und gemahnt den Menschen an seine kommende Dummheit. Den Rest der Zeit arbeitet er bei Google, was weder die Firma noch ihn selbst sympathischer macht.

Ganz so abwegig ist Kurzweils langer Blick in die Zukunft nicht. Im Frühjahr 2014 präsentierten zwei Forscher und ein Computer der University of Liverpool die Lösung für eines der letzten großen Rätsel der Mathematik: das sogenannte Erdős-Diskrepanz-Problem. Es stammt aus den 1930er Jahren und dreht sich um die Frage, ob zufällige, unendliche Reihen von Zahlen bestimmte regelmäßige

Muster enthalten (glauben Sie mir, genauer wollen Sie es nicht wissen).

Die gute Nachricht: Das Problem ist gelöst. Die schlechte: Wir haben keine Ahnung, ob die Lösung richtig ist und was sie bedeutet. Denn sie ist länger als alle 30 Millionen Artikel in Wikipedia zusammen und nur von Computern zu verstehen. Es bräuchte ein Heer von Mathematikern, das jahrelang rechnet, um den Computerbeweis überhaupt nur zu erfassen. Vor einigen Jahren prophezeite der Mathematiker Steven Strogatz, dass es nicht lange dauern würde, bis Computer Lösungen anbieten, die kein Mensch mehr versteht. Dieses Zeitalter ist nun angebrochen.

Es wirft interessante philosophische Fragen auf: Darf ein mathematischer Beweis als gültig gelten, wenn kein menschliches Wesen ihn überprüfen, geschweige denn lesen kann? Wer ist noch Herr im Hause der Mathematik? Wer ist noch Herr im Hause des Denkens?

Der ebenfalls mit solchen Monsterbeweisen befasste israelische Forscher Gil Kalai beschwichtigt: Wenn ein anderer Computer auf einem anderen Lösungsweg zu einem ähnlichen Ergebnis käme wie der Rechner in Liverpool, dann sollten wir den Beweis akzeptieren. Aber ist das wirklich beruhigend? Sollte es uns nicht eher alarmieren, schließlich geben wir auf diesem Wege nicht nur das Rechnen selbst an die Computer ab, sondern auch noch die Kontrolle der Ergebnisse.

Andere Forscher spekulieren bereits darüber, dass die Computer uns bald Theorien in allen möglichen Fachgebieten vorlegen werden, die wir nicht mehr begreifen: neue Kosmologien, hochkomplexe Aufschlüsselungen des menschlichen Erbguts, mathematische Theorien der Gesellschaft. Die »Wissenschaft wird undurchschaubar sein und deshalb immer mehr wie Religion oder Magie aussehen«, sagt ein Ökonom.

Was uns wieder zu Ray Kurzweil bringt. Der Mann besitzt bei aller Großspurigkeit eine gute Portion Humor und hat in einem seiner Bücher eine Karikatur veröffentlicht, die das Dilemma des Menschen in der granularen Gesellschaft auf den Punkt bringt. Auf dieser Zeichnung sieht man einen Mann in einer engen Kammer. Er sitzt schwitzend an einem Schreibtisch und schreibt einen Satz nach dem anderen auf die Blätter eines Abrissblocks. Nur um jeden dieser Sätze wieder durchzustreichen. Es sind Sätze wie: »Nur Menschen können Schach spielen.« – »Nur Menschen können Gesichter erkennen.« – »Nur Menschen können Sprache verstehen.« – »Nur Menschen können Auto fahren.« Und nach dem Erdős-Beweis könnte dort auch stehen: »Nur der Mensch kann mathematische Beweise erstellen und überprüfen.« Der Mann bewohnt die Kammer der geplatzten menschlichen Einzigartigkeiten. Die Kammer der Kränkungen.

Im Zuge der Intelligenz-Revolution sind diese Kränkungen alltäglich geworden. Aber dahinter steckt eine erstaunliche Ironie. Man sagt, wir seien ins sogenannte Anthropozän eingetreten, also in das Zeitalter, in dem der Mensch der wichtigste Einflussfaktor auf der Erde ist: Nicht mehr die Natur formt die Umwelt, sondern vor allem der Mensch. Aber je mehr der Mensch die Welt nach seinen Bedürfnissen gestaltet, umso mehr relativiert er seine Einzigartigkeit.

Oder anders und paradox gesagt: Nur wir Menschen können Maschinen bauen, die alle Sätze widerlegen, die mit »Nur wir Menschen …« beginnen. Das wäre nicht weiter schlimm, wenn der Mensch nicht die Angewohnheit hätte, auf solche Sätze besonderen Wert zu legen. Der Psychologe Daniel Gilbert hat mit spöttischem Unterton erklärt, dass jeder Psychologe – und jeder Denker, Philosoph, Biologe – irgendwann in seinem Leben eine Version »des SATZES« niederschreiben muss. »Der SATZ« beginnt stets mit den

Worten: »Der Mensch ist das einzige Tier, das ...« Die Menschheit hat einen endlosen Strom an Varianten »des SATZES« hervorgebracht, sie füllen Lexika: »Allein der Mensch ist ein politisches Tier« (Aristoteles); »Nur der Mensch ist zur Mühsal geboren« (Hiob); »Der Mensch ist das Ziel der gesamten Schöpfung« (Thomas von Aquin). Die Geschichte des menschlichen Selbstbewusstseins ist die Geschichte der widerlegten Versionen »des SATZES«.

Das Tempo dieser Widerlegungen zieht derzeit deutlich an. Wir können nahezu im Monatstakt lange gehegte Überzeugungen von der menschlichen Einzigartigkeit über Bord werfen. Sogar die Technologien, die wir ausdrücklich erfinden, um uns von Maschinen zu unterscheiden, halten nicht mehr sonderlich lange Stand. So erging es kürzlich zum Beispiel den sogenannten Captchas.

Das sind die schiefen, verzerrten und oft kaum leserlichen Zahlen und Buchstaben, die wir auf manchen Internetseiten abzuschreiben haben. Sie sollen Softwareprogramme daran hindern, eine Seite zu knacken oder Spam zu versenden; derartige Programme sind nämlich nicht in der Lage, die Captchas zu entziffern, nur Menschen können das. Konnten das. Im Frühjahr 2014 meldete Google, dass Maschinen die krummen Zeichen nun mit 99-prozentiger Akkuratesse lesen können, also besser als Menschen. Zugleich beruhigten Googles Informatiker: Beim Abschreiben verraten sich Menschen durch verschiedene Merkmale, etwa die vergleichsweise lange Zeit, die sie dafür benötigen, so dass Menschen und Maschinen auch weiterhin zuverlässig unterscheidbar seien. Sollte uns das beruhigen?

Was als menschliche Domäne gilt, unterliegt also zunehmend dem technischen Wandel. Aber wollen wir das, was uns als Mensch auszeichnet, tatsächlich von der rasch fortschreitenden technologischen Entwicklung abhängig machen? In diese Klemme sind wir geraten, weil die populärsten Versionen »des SATZES« mit unserem Denken, unserer Rationalität zu tun haben.

Seit der Aufklärung vor 250 Jahren haben wir uns angewöhnt, vor allem solche Fortsetzungen »des SATZES« für plausibel zu halten, die unsere kognitiven Fähigkeiten verherrlichen. Der Mensch ist das einzige Wesen, das … vorausschauend planen kann; … logisch abwägen kann; … sich selbst neue Ziele setzen kann; … rational ist. Als »vernünftig« hat Immanuel Kant dieses Selbstbild gelobt, aber noch nachhaltiger hat Descartes es dem modernen Menschen eingeflüstert: »Ich denke, also bin ich.«

Ich denke. Nicht: »ich fühle« oder »ich erfahre« oder »ich begehre« oder »ich spüre«. Oder gar: »Ich glaube, also bin ich.« Wir deuten uns zerebral, als Hirnwesen mit angeschlossener Herz-Lungen-Maschine. Ein Computer, an einen Körper geflanscht, wie der Neurowissenschaftler Oliver Sacks es ausdrückt. Das Selbstbild des Menschen ist uns zu Kopf gestiegen. Dort steht es jetzt zunehmend auf verlorenem Posten. Wer hätte gedacht, dass Computer logisches Denken meistern und komplexe kognitive Fähigkeiten entwickeln, bevor sie simple Bewegungen erlernen, die sogar Babys meistern?

Unsere hirnzentrierte Selbstverherrlichung macht uns im Wettkampf mit den hirnzentrierten Computern besonders anfällig. Bislang haben wir uns oft mit einem Trick zu helfen gewusst. Der Informatiker Douglas Hofstadter hat diesen Kniff in seinem Kult-Buch *Gödel, Escher, Bach* beschrieben: »Sowie eine mentale Funktion programmiert worden ist, hören die Menschen auf, sie als essentiellen Teil von ›echtem Denken‹ zu erachten.« Als Computer begannen, die Schachweltmeister zu schlagen, wurde Schach zu einem rein rechnerischen Problem herabgestuft. Hofstadter selbst war einer der Ersten, der erklärte: »Mein Gott, ich hatte geglaubt, Schach habe etwas mit Denken zu tun. Nun sehe ich, das hat es nicht.« Und als die Computer höhere Mathematik erlernten, wurde sie von der Krönung des humanen Denkens zu einer mechanischen Tätigkeit umdeklariert.

Dieser Trick ist einerseits clever, weil wir so unser Selbstbild intakt halten. Aber er ist auch dumm, denn wenn es kein Denken mehr ist, weil es Maschinen können, dann ist es auch kein Denken mehr für uns. So oder so schrumpfen unsere kognitiven Fähigkeiten mit der neuen Herrlichkeit der Maschinen. Wir spielen gegen sie mit gezinkten Karten – und verlieren trotzdem.

Vor allem kann der philosophische Rückzug vor den Maschinen nicht endlos weitergehen. Wenn irgendwann einmal *alles*, was wir für Denken hielten, von Maschinen erledigt wird – was bleibt dann noch? Wenn uns Maschinen auch beim Autofahren, bei komplexen Mustererkennungen und bei anderen anspruchsvollen Tätigkeiten schlagen – wofür werden wir uns dann noch loben? Auf welche Insel flüchten wir uns, wenn fremde Mächte den Kontinent des Denkens besetzen? Wo bauen wir eine neue Heimat, wenn wir aus unserem Hirn vertrieben werden?

So wie wir neue Institutionen brauchen, brauchen wir also auch ein neues Selbstbild. Wir werden die Domäne des Menschlichen neu abgrenzen und neue Gebiete erobern müssen, auf denen wir uns – zumindest zeitweise – sicher fühlen können. Es wird im 21. Jahrhundert darum gehen, auf dem Treibsand der Veränderungen ein neues Haus zu errichten, über dessen Tür wir anschlagen können: »Hier wohnt der Mensch.« Darum, eine grundlegend neue Variante für »den SATZ« zu finden – eine Variante, die nicht mehr viel mit den bisherigen zu tun haben wird, weil sie nicht mehr um das Phantom der Rationalität kreist. Wir werden natürlich immer noch »denken«, wir werden abwägen, Pläne schmieden, »rational« sein, aber wir werden darauf nicht mehr unser Selbstbewusstsein gründen können. Ist einfach schwer, sich viel auf etwas einzubilden, das ein Smartphone vom Grabbeltisch zuweilen besser kann.

Was an seine Stelle treten wird, das ist noch nicht klar. Aber ich halte vier Entwürfe eines neuen Selbstbildes für besonders vielversprechend. Diese Entwürfe sind noch nicht ausformuliert, doch sie lassen sich bereits umreißen. Sie schließen einander nicht aus und lassen sich phantasievoll kombinieren. Alle bringen uns einer Antwort näher auf jene Frage, die wir auf schwankendem Grund zu beantworten haben: Was ist der Mensch in der granularen Gesellschaft? Der Weg zu der Antwort dorthin wird das aufregendste Abenteuer der neuen Zeit.

Jeden dieser vier Entwürfe habe ich auf eine Eigenschaft zugespitzt. Es sind: Der verteilte Mensch. Der irritierbare Mensch. Der spielende Mensch. Der empathische Mensch. Einer aber ist nicht dabei, obwohl er besonders naheliegend wäre. Wäre nicht die einfachste Antwort auf diese Krise der Schwenk zum Irrationalen? Der Mensch als unvernünftiges Wesen. Das ist eindeutig, klar und leicht zu verinnerlichen. *Homo irrationalis*. Klingt doch gut. Ich denke nicht, also bin ich. Oder: Ich denke nicht besonders klar und schnell, also bin ich.

Es gibt eine schöne Werbung für den inzwischen millionenfach verkauften Saugroboter namens Roomba. Er fährt selbständig durch die Wohnung und saugt sie sauber, während die Besitzer unterwegs sind. Die Werbung zeigt eines der flachen Geräte beim Saugen. Daneben steht die Zeile: »Programmiert, um sauber zu machen.« Links davon sieht man einen kleinen, spielenden Jungen, der mit einem Sandwich einen Teppich vollkrümelt. Neben ihm die Zeile: »Programmiert, um Unordnung zu machen.«

Ist das die Lösung: Wir sind halt darauf programmiert, ein bisschen chaotisch zu sein, schlampig, nachlässig, impulsiv – die Roboter können uns ja hinterherräumen.

Diese Umdeutung klingt banaler, als sie ist. Der Versuch, die Irrationalitäten des Menschen zu seinem entscheidenden Kennzeichen zu machen, ist nicht neu, zu allen Zeiten wurde darüber nachgedacht. Die Moderne hat dem vor allem eine Kritik an der Irrationalität und Gewalt der technischen Rationalität hinzugefügt, in den verschiedensten Varianten: von feministischen und psychoanalytischen zu kulturkritischen und postmodernen. Derzeit hingegen haben Verhaltensökonomen und Psychologen die Deutungshoheit über unsere Irrationalität inne. Sie ziehen genüsslich über unsere zahlreichen Wahrnehmungsverzerrungen her und halten uns immer wieder den Abstand zum Ideal des rationalen Menschen vor. Insbesondere die Erkenntnisse des Nobelpreisträgers Daniel Kahnemann werden in Bestsellern wie *Die Kunst des klaren Denkens* ausgewertet.

Das ist alles sehr unterhaltsam und richtig. Es verheißt dennoch keine Antwort auf unsere Fragen, weil uns der Verweis auf unsere Defizite kaum weiterbringen dürfte (schon weil Computer ohne Zweifel abwärtskompatibel sind). Der irrationale Mensch kommt zu sehr als Schwundform daher und bleibt dem Ideal der Rationalität verhaftet, von dem er uns erlösen soll. Das ist kein attraktives Modell. Zumindest sollten wir zunächst die anderen prüfen.

## NEUE MENSCHEN

Unternehmen wir folgendes Gedankenexperiment: Ein hochgebildeter Zeitreisender aus dem Jahr 1913 begibt sich in die Gegenwart, um bei einem aufsehenerregenden Versuch mitzumachen. Der Mann aus der Vergangenheit betritt einen Raum, der von einem Vorhang geteilt wird. Ein Wissenschaftler bittet ihn, die Intelligenz der Person auf der anderen Seite des Vorhangs zu ermitteln, indem er beliebige Fragen stellt. Nach der ersten Frage stellt der Zeitreisende fest, dass hinter dem Vorhang eine offenbar junge Frau sitzt, die merkwürdige Worte benutzt (aus dem frühen 21. Jahrhundert halt), aber ansonsten gut zu verstehen ist.

Die Frau, das bemerkt der Fragende rasch, besitzt ein außergewöhnliches Gedächtnis. Sie zitiert fehlerfrei und ohne lange zu überlegen nahezu jede Passage der Bibel oder aus Goethes Werken. Komplexe Begriffe wie »Theodizee« oder »Relativitätstheorie« erklärt sie in Windeseile. Ihre mathematischen Fähigkeiten sind verblüffend, auch komplexe Rechnungen löst sie in Sekunden. Sie kennt nicht nur Worte in allen gebräuchlichen Sprachen, sondern übersetzt zwischen entlegenen Sprachen, etwa aus dem Isländischen ins Lateinische (das der Mann versteht).

Besonders beeindruckt den Zeitreisenden, dass die junge Frau nahezu jeden Ort der Welt in erstaunlicher Detailliertheit beschreiben kann, als wäre sie gerade vor Ort. Sie kann auch von nahezu jedem ihrer Freunde (und sie hat Hunderte, wie sie sagt) ziemlich genau angeben, wo sie in diesem Moment sind und was sie tun.

Nach einem langen und für ihn erschöpfenden Gespräch kommt der Mann schließlich zu einem eindeutigen Urteil: Er hat es mit einer menschlich klingenden Superintelligenz zu tun. Entweder, schlussfolgert er, hat die Menschheit innerhalb von hundert Jahren einen gewaltigen Evolutionssprung vollzogen. Oder eine völlig unvorstellbare künstliche oder außerirdische Macht hat von den Menschen Besitz ergriffen.

Das Experiment mit dem Zeitreisenden ist Teil einer Fernsehshow (sie hat die beste Einschaltquote aller Zeiten). Je länger die Sendung dauert, umso häufiger schwenkt die Kamera auf das zunehmend verwirrte Gesicht des Mannes aus dem Kaiserreich. Dann nähert sich endlich der dramatische Höhepunkt der Show: Der Vorhang wird zurückgezogen. Und der Zeitreisende sieht: eine junge Frau in Jeans und T-Shirt (was schon erschreckend genug wäre für einen Mann aus dem Jahr 1913), die ein kleines, merkwürdiges Ding in einer Hand hält. Es ist ein Smartphone mit Internetverbindung, mit dem sie Seiten wie Wikipedia, Google Maps, Projekt Gutenberg besucht und einige Apps benutzt hat. Ihre Superintelligenz.

Für uns ist die junge Frau nichts Besonderes, für den Mann ein Wunder. In Verbindung mit den Maschinen erscheinen wir heutigen Menschen wie von einem anderen Stern, als *augmented humans*: verbesserte, erhöhte Menschen. Nur gehen wir mit diesem Wunder ziemlich blasiert um, weil wir uns so sehr daran gewöhnt haben. Wir bedenken zu selten, in welchem Maße und in welcher Geschwindigkeit wir uns in prothetische Götter verwandeln. Denn Smartphones und Computer und Algorithmen sind wie mentale Prothesen, die uns beschleunigen, verbessern, erhöhen. Allerdings reizen sie uns auch permanent, wie es neue Prothesen zu tun pflegen. Und sie lösen gravierende Phantomschmerzen aus, wenn man sie uns wegnimmt, wie jene Menschen zu berichten wissen, die ein digitales Detox hinter sich gebracht haben.

Das Gedankenexperiment lässt sich in verschiedene Richtungen deuten: Es wirft zum Beispiel Fragen nach dem Wesen der Intelligenz auf. Auch lädt es dazu ein, die Wandlungsfähigkeit der menschlichen Gesellschaft zu betrachten. Mir aber geht es um etwas anderes. Der Zeitreisende öffnet uns die Augen für die Tatsache, dass die junge Frau ohne ihre technischen Geräte nicht mehr zu verstehen ist. Buchstäblich. Es gibt praktisch nichts in ihrem Leben, das unabhängig ist von den digitalen Geräten und der Software, mit denen sie sich umgibt: Die Kommunikation mit ihren Freunden findet über das Handy statt; die Arbeit der jungen

Frau ist durchzogen von digitalen Werkzeugen; ihre Ärzte verstehen ihren Körper nur noch aufgrund digitaler Diagnose-Apparaturen; ihre Reisen bucht sie im Netz und die Fotos macht sie mit ihrem Smartphone; ihr Auto läuft nur noch dank digitaler Technologie, ebenso wie ihr Fernseher.

Der Zeitreisende wird sich vermutlich fragen, wo denn nun die Grenze zwischen der menschlichen und der technischen Intelligenz verläuft. Schließlich hat er, auf der anderen Seite des Vorhangs, ja beide als Einheit wahrgenommen. Und immer mehr Menschen würden darauf antworten: Die Grenze verläuft nirgendwo. Sie ist nicht mehr klar definierbar. Das bedeutet nicht, dass Mensch und Maschinen ununterscheidbar sind (das wäre albern: Wo die Hand der jungen Frau aufhört und das Smartphone beginnt, diese Grenze erkennen wir natürlich. Bei Gehirnschrittmachern und Cochlea-Implantaten ist die Sache allerdings schon nicht mehr so klar). Aber es bedeutet, dass wir das, was wir üblicherweise für den Ausweis unseres Menschseins halten: unsere sozialen Beziehungen, unser Wissen, unsere Ambitionen, unsere Werte – dass wir all das nicht mehr ohne die technischen Mittel verstehen können, die uns dabei helfen, dieses Leben zu führen. Wir scheinen ein Teil des technischen Ensembles geworden zu sein, das uns umgibt und uns durchdringt.

Diese Einsicht nehmen zunehmend mehr Philosophen auf. Die Verwobenheit des Menschen in seine technischen Apparaturen führt langsam, aber sicher zu einer Revision des Menschenbildes. Noch vergleichsweise sanft gehen die Theoretiker des *extended mind* vor, des erweiterten Geistes. Sie nehmen das Denken aus dem Kopf – und erklären, dass es verteilt über viele Dinge, Geräte, Hilfsmittel stattfindet. Das ist im Kern nicht neu. Der Mensch hat schon immer Apparaturen benutzt, um sich selbst zusätzliche Denkpower zu bescheren. Bücher entlasten das Gedächtnis, weil man nachschlagen kann und nicht mehr memorieren muss. Stift und Papier verändern das Rechnen, weil sich damit lange Kalkulationen durchführen lassen, für die ein Kopf zu klein ist. Oder wie es Andy Clark, ein Vertreter der Theorie vom erweiterten Geist, sagt: Der Mensch ist seit jeher ein »geborener Cyborg«, ein Mischwesen aus seiner Biologie und seinen Werkzeugen – ob diese nun Pfeil und Bogen, Amphoren, Streitwagen oder Laborpipetten heißen.

Aber bislang galt als eigentlicher Ort der Erkenntnisfähigkeit und des Denkens stets das menschliche Hirn. Der Kopf rechnet *mit Hilfe* von Papier und Bleistift, aber das eigentliche Rechnen erledigt er selbst, nicht der Stift. Der Kopf ragte immer heraus. Die Philosophen der *extended cognition* schlagen ihn nun ab.

Oder weniger martialisch formuliert: Sie rücken ihn zurecht und nehmen ihm sein Privileg, das Zentrum der Welt zu sein. Stattdessen gestehen sie auch den Werkzeugen zu, Teil des Denkens zu sein. Es denkt nicht der Mensch allein, sondern das System aus Hirn, Hand, Bleistift und Papier. Ohne Papier und Stift wäre das Denken ein anderes und nicht zu denselben Erkenntnissen in der Lage, deswegen müssen die Dinge in den Kreis des Geistes einbezogen werden. Das Denken ist eine verteilte Angelegenheit und wir sind nur ein Teil davon. Das gilt natürlich auch für Computer und Algorithmen: Sie denken oft ohne unmittelbares Zutun des Menschen, der sie nur noch baut und gewissermaßen beauftragt.

Diese scheinbar geringfügige Verschiebung der Perspektive hat gravierende Auswirkungen. Der Satz »Ich denke, also bin ich« macht in dieser Philosophie schlicht keinen Sinn mehr, weil ihm das Subjekt abhandengekommen ist. Das Ich wird prekär, sowie man es verteilt und ihm seine Selbstvergewisserung im eigenen Denken nimmt. Aber wo schlüpft das Ich dann noch unter? Wo findet es Halt? Man erkennt an diesen Fragen die ungeheure Bedrohung durch die denkenden Maschinen: Sie nagen an unseren Ichs.

Andere Wissenschaftler spitzen die Idee vom erweiterten Geist noch weiter zu. Sie nehmen dem Menschen nicht nur das Vorrecht auf das Denken, sondern auch auf das Soziale. Ihr wichtigster Vertreter ist Bruno Latour. Der französische Soziologe ärgert seine Kollegen damit, dass er auch Dingen zugesteht, sozial zu sein. Wie soll das gehen? Sozial können doch wohl nur wir Menschen sein! Was hätte man sich denn unter einer sozialen Tastatur vorzustellen? Unter einem sozialen Abblendlicht oder einem sozialen Schminktäschchen?

Auf seine abweichlerischen Gedanken kam Latour, als er erforschte, wie Wissenschaftler denken und zu ihren Erkenntnissen kommen. Was er vor Ort sah, entsprach nicht der reinen Ideologie der Wissenschaften. Forscher blicken nicht kühl und distanziert auf eine von ihnen getrennte Wirklichkeit, die sie objektiv beschreiben; vielmehr interagieren sie in Laboren, Teilchenbeschleunigern und Umfragen mit dieser Wirklichkeit genauso, wie diese mit den Forschern interagiert. Beide verschränken sich, es bilden sich Hybride, aus denen sich Erkenntnisse ergeben. Der wissenschaftliche Prozess erstreckt sich über viele, sehr unterschiedliche Dinge, Begriffe, Methoden, Menschen. Er ist so hybrid und heterogen wie alles andere auch: Stets handeln in der modernen Welt Menschen mit technischen und natürlichen Objekten gemeinsam, wir gehen unzählige Verbindungen mit ihnen ein. Nur übersehen wir sie meistens, weil wir so tun, als würden sie keine Rolle spielen und bloße Instrumente sein, tote Materie. So erhalten wir die Illusion aufrecht, wir alleine seien maßgeblich in der sozialen Welt.

»Wir müssen lernen, Handlungen sehr viel mehr Agenten zuzuschreiben«, sagt Latour. Er nennt sein Modell daher: Akteur-Netzwerk-Theorie. Das Netzwerk der vielen Akteure. Eine der radikalen Folgen aus dem Modell ist, dass es für Latour keine feststehenden Gruppen mehr gibt, keine fertigen sozialen Klassen, keine ein für alle Mal fixierten Interessen oder anderen großen »sozialen« Gebilde. Vielmehr fasst er die Wirklichkeit streng granular auf (auch wenn er diesen Begriff nicht benutzt).

Die gemeinsame Welt von Menschen und Dingen, von Wünschen und Tastaturen, von Zielen und Schminktäschchen, entsteht jeweils durch die vielfältigen Möglichkeiten, alles mit allem zu kombinieren. Alles ist singulär und setzt sich je nach Umständen neu zusammen – und wenn es über einen längeren Zeitpunkt stabil bleibt, dann nur, weil viele daran arbeiten, dass es stabil bleibt. Es ist die granulare Welt schlechthin: Sie besteht aus winzigen humanen und nichthumanen Partikeln, die in ständiger Veränderung sind und sich immer wieder neu kombinieren.

Der Mensch darin ist ein *verteiltes* Wesen. Verteilt über viele Dinge, Zustände, Gefühle. In dieser Variante ist also nicht nur sein Denken verteilt, sondern gewissermaßen seine gesamte Existenz.

Doch es geht noch weiter. Am radikalsten sind jene Denker, die sich unter einem hässlichen Namen versammeln: der sogenannten objektorientierten Ontologie (OOO). Sie versuchen radikal alle Unterschiede zwischen Menschen und Objekten zu ignorieren.

Ontologie – das ist der angestammte Begriff für das Wesen der Dinge, für ihr wahres Sein. Die Denker der OOO behaupten nun, dass es keine Wesensunterschiede zwischen Menschen und Dingen gibt. Alle machen dasselbe: sich verbinden, aufeinander wirken. Die einen mehr (Menschen), die anderen weniger (Ziegelsteine), aber eine *prinzipielle* Differenz gibt es nicht. Einer der Denker der OOO bezeichnet daher alle Dinge und Menschen als »Maschinen« – nicht weil alles technisch geworden sei, sondern weil alle Wesen »dynamisch operieren und aus Inputs Outputs erzeugen«.

Alles ist in beständiger Bewegung, ganz gleich ob es sich um Bakterien, Wissenspartikel oder Menschen handelt. Die OOOler nennen das: eine flache Ontologie. Es ist eine Welt ohne erhöhten Platz für den Menschen.

Früher war – sehr grob formuliert – das Subjekt etwas Herausgehobenes, weil es allein mit der Fähigkeit zu denken, wahrzunehmen, zu kalkulieren ausgestattet war. »In der technologischen Kultur hingegen lebt das Subjekt in einer Welt *mit* den Dingen.« Es wird in die Welt der Roboter und Computer eingefügt. Ähnlich formuliert es Bruno Latour: »Menschen und Dinge tauschen Eigenschaften aus und ersetzen einander.«

Irritierend? Ganz sicher. Diese Weltsicht widerspricht gründlich unserem Alltagsverstand. In ihr sind Menschen zweifelsohne die wichtigsten Bezugspunkte und ihr Wesen unterscheidet sich deutlich von allem anderen Seienden. Unsere »normale« Wahrnehmung kennt keine flache Ontologie.

Ich will diese Positionen, vor allem in ihren radikalen Ausprägungen, auch gar nicht verteidigen, das würde in die Abgründe der aktuellen Philosophie führen. Aber ich denke, es gibt gute Gründe dafür, warum die drei genannten Ansätze derzeit so viel Furore machen. Sie nehmen eine Stimmung auf, die viele Menschen in unserer unübersichtlichen Welt teilen. Diesem Gefühl zufolge verliert der Mensch seinen angestammten Platz als König der Welt – und das ausgerechnet in einer Zivilisation, die mehr denn je vom Menschen und seinen Erzeugnissen beherrscht wird.

Der Traum der Moderne sah vor, dass der Mensch die Welt unter seine Kontrolle bringt. Lange Zeit schien es, als würde das gelingen – wenn auch unter enormen menschlichen und ökologischen Kosten. Nun kippt der Traum zwar nicht in einen Alptraum, aber der Eindruck wächst, dass die Dinge den Menschen mindestens ebenso kontrollieren wie er sie kontrolliert. Es ist, als würde uns das Haus, das wir uns selbst gebaut haben, fremd werden. Als würden wir aus dem Zentrum der Welt verbannt und an den Rand gedrängt. Damit werden wir zu Zuschauern in dem Drama, das wir selbst inszenieren.

In dem Blog der Web-Designerin Alexis Lloyd habe ich die beste Beschreibung dieses Lebensgefühls gefunden: »Computer sind uns so vertraut, dass wir sie als Subjekte begreifen, als Handelnde mit Wahrnehmungen und Entscheidungsprozessen. [...] Wir sehen sie nicht mehr als Werkzeuge oder Diener oder unsichtbare Herrscher, sondern beginnen sie als machtvolle Handelnde zu verstehen in einer Welt, in der unsere Stimme nur eines von vielen Signalen in einem komplexen Netzwerk ist. *Und wir sind nicht im Zentrum dieses Netzwerkes.*«

Das Netzwerk besteht aus vielen Akteuren – Unternehmen, Menschen, Gruppen, Märkten, Maschinen –, die zwar nicht alle menschlich sind, aber dennoch wahrnehmen und handeln wie wir. Wir selbst sind in diesem Netzwerk hochmobil. Wir sind mal hier und mal da, wir haben keinen festgelegten Ort. Manchmal sind wir auch an mehreren Orten gleichzeitig, weil wir Maschinen für uns handeln lassen.

Das sollte nicht mit Zerstreuung verwechselt werden. Die gibt es natürlich auch. Aber es gibt einen wichtigen Unterschied zwischen Zerstreuung und Verteilung. Wenn wir die Zerstreuung beenden, dann gewinnen wir uns, dann konzentrieren wir uns. Wenn wir die Verteilung beenden, dann verlieren wir uns, dann fehlen uns Stücke unseres Selbst. Mit der steigenden Zahl von sozialen Netzwerken, Chats, Apps, Geräten und dergleichen verwirklichen wir ja Aspekte unserer Identität, auf die wir meist nur ungern verzichten wollten.

All diese Repräsentationen unseres Selbst zu unterhalten ist anstrengend, aber auch erfüllend, wie der Weimarer

Medienphilosoph Christoph Engemann schreibt: »Je mehr das eigene Selbst digital vermittelt wird, je mehr die Digitalisierung die Facettierung des Selbst in verschiedenen Social Networks forciert, desto komplexer sind die Herausforderungen an die Individuen, sich zu und durch ihre digitalen Identitäten in Beziehung zu setzen.« Mit den Theorien des verteilten Denkens und Handelns können wir erkennen, dass diese Netzwerke uns überhaupt erst hervorbringen und dass wir darin nur leben können, weil wir uns verteilen.

In dieser Vorstellung liegen, wie in jedem Bild vom Menschen, bedrohliche und tröstende Aspekte nah beieinander. Bedrohlich ist etwa, dass wir in dieser posthumanen Welt niemals sicher sein können, dass ein Begehren auch tatsächlich unser Begehren ist. Vielleicht werden wir verführt wie die Spieler in Las Vegas und wissen oft nicht mehr genau, welchen Impulsen wir eigentlich folgen. Tröstlich daran ist hingegen für manche die Idee, dass die Barriere zwischen dem Menschen und der Welt schwindet. Ökologische und spirituelle Denker haben schon lange darauf hingewiesen, dass wir Natur und Umwelt zu wenig respektieren. Hier trifft sich die Einsicht in die technologischen Veränderungen mit den Forderungen nach einer geistigen Wandlung und einem neuen Bewusstsein: dass der Mensch seine Sonderstellung aufgeben muss, wenn er die Welt erhalten will. Aber die Verteilung des Menschen verlangt auch ganz neue Sensibilitäten und Fähigkeiten. Wir sind gerade dabei, sie auszubilden.

## IRRITIERT EUCH!

Die Erfindung des Buchdrucks um das Jahr 1450 durch den Mainzer Goldschmied Johannes Gensfleisch zur Laden zum Gutenberg war eine Katastrophe.

Diese Sicht entspricht nicht ganz der üblichen Erzählung von den Segnungen des Buchdrucks. Die geht in etwa so: Der Buchdruck machte die Verbreitung von Wissen möglich, die Leute begannen zu lesen und sich zu bilden, die Bücher ebneten der Wissenschaft den Weg und halfen, das Monopol der Kirche zu brechen. Und am Ende standen die Aufklärung und die Befreiung der Menschen aus ihrer »selbstverschuldeten Unmündigkeit«. Das Sommermärchen der Menschheit.

Klingt schön, ist aber ein bisschen zu harmonisch. Zunächst einmal stürzte der Buchdruck die Gesellschaft nämlich in eine gewaltige Krise und zwang sie, ihre grundlegenden Begriffe und ihr Menschenbild neu zu formulieren. Darin liegt zugleich der Grund, warum Gutenbergs Erfindung heute wieder so relevant ist: Wir durchleben derzeit eine erneute Medienkatastrophe. Und deswegen ist ein kurzer Rückblick auf die Geschichte sinnvoll.

Mit Hilfe von Gutenbergs beweglichen Lettern konnte die mittelalterliche Gesellschaft deutlich mehr Meinungen, mehr religiöse Anschauungen, mehr Widersprüche, mehr Streit, mehr Abweichungen produzieren, als sie zu verkraften imstande war. In Windeseile schwoll der Strom aus Büchern, Pamphleten, Flugblätter, Traktaten und Satiren ins Unermessliche an. Innerhalb von 50 Jahren wurden allein 30 000 Buchtitel mit einer Auflage von 10 Millionen Büchern gedruckt – und in eine Gesellschaft geschleudert, die bis dahin nur wenige handkopierte Werke kannte und sich auf einen kleinen Kanon vertrauter Gedanken gestützt hatte. Auch in ihr hatte es Streit gegeben, Abweichung, Vielfalt – aber in Ausmaß und Schärfe waren diese Auseinandersetzungen nicht ansatzweise mit der Woge von Dissens vergleichbar, die nach der Druck-Revolution über die Gesellschaft flutete.

Auf das neue Getöse waren die mittelalterlichen Institutionen nicht vorbereitet. Soziologen sprechen von einem »Überschuss« an Kommunikationen und Sinnangeboten, dem der Einzelne damals ausgesetzt war. Überschuss meint zweierlei: zum einen ein schlichtes Zuviel an Informationen und neuem Wissen, das alle überforderte. Zum anderen aber auch eine neue Form der Kommunikation: Plötzlich sprachen auch die mit, die bislang stumm waren, und die Hierarchie aus Kirche und Adel kam in Bedrängnis. Jeder Krethi und Plethi konnte seine Meinung in die Welt hinausschreien, nur weil er Zugang zu einer billigen Druckmaschine hatte. Zudem war plötzlich alles mit allem vergleichbar: Man musste nur die Bücher nebeneinanderlegen. Welchem konnte man glauben? Und welche widerlegen? Anhand welcher Kriterien? Für dieses unermüdliche Abwägen bürgerte sich bald ein Begriff ein: »Kritik«. Jeder musste fortan alle Äußerungen »kritisch« hinterfragen, um zu einer sinnvollen Einschätzung zu kommen. Die Gesellschaft ersoff in dieser Kritik. Und in den daraus resultierenden Kriegen.

Es dauerte Jahrhunderte, bis der Überschuss bewältigt war. Es bildeten sich viele neue Institutionen, Parlamente etwa, Universitäten, Konfessionen, aber vor allem änderte sich das Bild vom Menschen. Ihm wurde nun zugemutet, sich im Sinnüberschuss souverän zu bewegen. Kritik gehörte dazu. Aber auch einfach eine gewisse Resilienz, um die Dauerunruhe der Gesellschaft auszuhalten und im Getöse eigenen Halt zu finden.

Eine Formel für diese Selbststabilisierung haben wir schon kennengelernt. Es war Descartes' »Ich denke, also bin ich.« Weil ich denkend den Überschuss bewältige, versichere ich mich meiner Existenz. Eine raffinierte Formel: Sie macht das Problem zur Grundlage für die Lösung. Die zweite Formel fügte die Aufklärung hinzu: Sie adelte das Denken zur »Vernunft« und verlangte fortan von jedem, mündig zu sein, also die Verantwortung dafür zu tragen, aus dem Chaos der Meinungen vernünftig zu wählen. Der Mensch deutete sich um: Fortan war er der unruhig suchende Geist, ein mit allen Wassern der Kritik gewaschenes, selbsttätig denkendes und freies Wesen. Die Revolution des Buchdrucks hatte einen neuen Menschen geboren, der mit dieser Unruhe umzugehen verstand, weil er selbst voller Unruhe steckte.

Wir Heutigen erleben gerade die nächste Medienrevolution. Und wiederum brauchen wir ein neues Menschenbild. »So wie der Buchdruck eine Neufassung des Menschen verlangt hat, tut es auch der Computer«, schreibt der Soziologe Dirk Baecker nüchtern. Auch wir werden von einem Überschuss an Kommunikation behelligt, und diesmal quatschen nicht nur alle möglichen Menschen mit, sondern auch die Maschinen. Das ist der kommunikative Überschuss unserer Zeit. Sie führen Beweise, die wir nicht verstehen, arbeiten mit verborgenen Algorithmen und teilen uns flüchtige *scores* zu, die unser Leben bestimmen.

Die Maschinenkommunikation ist überall. Jeden Text, den wir im Internet lesen, haben davor Suchmaschinen gelesen. Jeden Post auf Facebook sortieren Maschinen in die verschiedenen *timelines*. Und wer programmiert, tut nichts anderes, als explizit für Maschinen zu schreiben. Stets machen die Maschinen etwas, sie verteilen unsere Kommunikationen, verändern sie, sortieren sie. Stets produzieren sie ein kommunikatives Extra. Und längst tun sie das in einer Größenordnung, die alle menschliche Kommunikation übersteigt: Bald werden rund 50 Milliarden technische Geräte Daten senden und empfangen, ein irrwitziges, für uns unhörbares Geschnatter der Apparate.

Unsere klassisch moderne Rationalität hilft uns hier nicht weiter: Die Prüfverfahren der Vernunft sind viel zu langsam und aufwendig. Und »Kritik« setzt voraus, dass auch der Gegenpart »kritikfähig« ist – lässt sich das von digitalen

Geräten behaupten? Auch ist Bildung im klassischen Sinne nicht hilfreich, weil sie eine Stabilität des Wissens (einen Kanon, eine Bildungsnorm) voraussetzt, die in der Granularität zerstäubt. Die Tricks und Methoden der Aufklärung und der Moderne verfangen nicht mehr. Wir stehen da, wo das Mittelalter stand, als die Druckmaschinen losratterten.

Was also ist zu tun? Man kann darauf philosophisch reagieren, so wie Bruno Latour, die Denker der OOO und des *extended mind*. Man kann sich aber auch ganz pragmatisch darauf einstellen. Das geschieht bereits massenhaft, aber vermutlich nirgendwo so aufschlussreich wie in den Zentralen des Wandels. Oder, wie viele meinen: den Zentren des Bösen. Bei Google, Facebook und anderen Hightech-Firmen. Und am besten beginnt man dort in den Personalabteilungen. Weil sie formulieren, welcher Typ Mensch in einer Welt voller Maschinen benötigt wird.

Laszlo Bock lässt diesen Typ seit Jahren errechnen. Dazu lässt der Personalchef von Google, wie es der Philosophie des Hauses entspricht, aufwendige Datenmodelle erstellen, in denen die Merkmale des idealen Mitarbeiters aufscheinen sollen. Und die sind weit entfernt von dem, was man in der Moderne als richtig erachtete. Zum Beispiel verzichtet Bock inzwischen weitgehend auf das bisher wichtigste Signal der Qualität eines Bewerbers: auf die Abschlussnote im Studium. Sie ist irrelevant, sagt Bock: »Es gibt keinerlei Verbindung zwischen Studienerfolg und Leistung im Job.« Aber nicht nur die Note ist irrelevant, sondern immer häufiger auch das Studium selbst. Die Zahl der Nicht-Akademiker steigt bei Google jedenfalls konstant an. Was bedeutet: Der anspruchsvollste Technologiekonzern der Welt mit mehr als 50 000 Angestellten verzichtet vermehrt auf formale Bildung. Bocks Abteilung erhält pro Jahr 2,5 Millionen Bewerbungen, daraus werden 5000 bis 7000 Mitarbeiter eingestellt, also rund 100 neue Angestellte pro Woche.

Es kommt noch schlimmer. Nicht einmal Fachkenntnis ist für Bock entscheidend: »Sie ist der unwichtigste Faktor für uns.« Denn Nicht-Experten gelänge es oft viel besser, neue Lösungen zu finden. Und darauf käme es mehr denn je an. Noch radikaler geht Facebook vor: Die mit rund 6500 Angestellten vergleichsweise kleine Firma stellt Mitarbeiter völlig unabhängig von deren Fachgebiet und von Stellenausschreibungen ein. Sie sucht einfach nur clevere Leute – und findet hinterher die passenden Jobs für sie. Auch müssen alle Software-Ingenieure spätestens nach anderthalb Jahren in ein anderes Team wechseln und neue Aufgaben in der Firma übernehmen, auch solche, von denen sie keine Ahnung haben.

Für diese Geringschätzung der formalen Expertise gibt es einen einfachen Grund: Die Firmen suchen nach dem Noch-nicht-Erfundenen. Und dafür gibt es kein Fachgebiet. »Wir brauchen Leute mit Lust darauf, Antworten auf Fragen zu finden, die keine offensichtliche Antwort haben«, sagt Bock. Es geht also nicht mehr – wie in der Moderne – darum, bekanntes Wissen miteinander zu verknüpfen und daraufhin Lösungen zu schmieden, sondern sich jenen Fragen zuzuwenden, für die es keine Lösungen gibt, außer man erfindet sie. Es geht darum, mit den Möglichkeiten zu spielen. Deswegen ist nicht der Wissende, sondern der Unwissende gefragt, nicht derjenige, der auf einen Fundus an gesicherten Erkenntnissen zurückgreift, sondern der diesen Fundus jeweils situativ neu zusammenstellt. »Das Entscheidende«, sagt Bock, »ist die Fähigkeit, ständig dazuzulernen. Die Fähigkeit, disparate Informationspartikel zusammenzubringen.«

Darin besteht die granulare Begabung schlechthin. Sie erfordert nicht ein gesteigertes Wissen, sondern eine gesteigerte Irritierbarkeit, um sich von Dingen und Situationen anregen zu lassen und ergebnisoffene Prozesse zu starten. Die Irritation durch den Kommunikationsüberschuss auszuhalten und kreativ zu wenden, ist die neue Kernkompetenz.

Diese Fähigkeit wird an vielen Stellen gefordert. Der Literaturwissenschaftler Stephen Ramsay hat ein ähnliches Phänomen in seinem Fachgebiet festgestellt. Unter Literaturforschern gelte noch immer die klassische Maxime, nach der man ein paar hundert große Bücher gelesen haben müsse, um als Experte zu gelten. Den Kanon. Die 100 besten Bücher aller Zeiten. Die man im Kopf haben muss. Aber wie können wir uns über diese Auswahl sicher sein, wenn wir die anderen gar nicht kennen?

Ramsay fragt daher, ob es nicht klüger wäre, einem »Screwmeneutical Imperative« zu folgen. Das ist ein vielschichtiges Wortspiel, das im Kern bedeutet: Es ist sinnvoller, viele neue Bücher zu lesen und zu schauen, wie man Verbindungen zwischen ihnen zieht, als sich auf eine geordnete Liste von wenigen Büchern zu beziehen. »Können wir uns eine Welt vorstellen«, fragt Ramsay, »in der wir voneinander kein Kanonwissen erwarten, sondern uns fragen: ›Hier, diese Bücher habe ich gefunden. Welche hast du gefunden?‹«

Das klingt völlig beliebig, ist aber genau das, was derzeit stattfindet. Es ist die logische Konsequenz aus der Geschwindigkeit und der Größe unseres Wissens. Aus der Granularität. Das Gebot der Stunde lautet, so Ramsay: »Es gibt so viele Bücher. Und wir haben so wenig Zeit. Deine ethische Verpflichtung ist nicht, alle zu lesen, sondern jeden Weg durch das Archiv der Bücher als wichtig anzuerkennen – als eine Einladung an andere, Verbindungen zu ziehen. Und zu spielen.«

Entscheidend ist demnach nicht mehr, ob ein Wissenspartikel stimmt oder in ein System einzuordnen ist, sondern ob man mit ihm sinnvoll weitermachen kann. Das ist gewissermaßen der Granulare Imperativ: Suche nach Anschlüssen und hangele dich mit ihnen fort – auch auf die Gefahr hin, überrascht zu werden.

Das hat wenig mit rationaler Planung zu tun, mit dem Ideal der Moderne. Wir sind gezwungen, »konstant zu handeln, ohne eine feste Entscheidungsgrundlage zu haben«, wie die Medienphilosophin Wendy Chun schreibt. Das ist vermutlich einer der Gründe, warum sich viele Menschen in unserer Welt so unsicher fühlen, obwohl es ihnen »objektiv« besser geht als je zuvor und der Sozialstaat zumindest eine materielle Grundversorgung gewährt. Begriffe wie Prekariat und Unsicherheitsunsicherheit (bei der nicht einmal mehr klar ist, woher die Unsicherheiten kommen) machen die Runde; meist werden sie auf materielle Dinge bezogen, dahinter verbergen sich aber oft genug kommunikative Mangel- und Überforderungslagen. Wir reden gerne von der Wissensgesellschaft, aber das ist eine Beschönigung. Eigentlich müssten wir von der Unwissensgesellschaft sprechen. Hans Ulrich Gumbrecht, deutscher Gelehrter in Stanford, beschreibt die Folge so: »Man plant nicht mehr im Voraus, sondern reagiert schnell und fortgesetzt auf die Umwelt im Vertrauen auf die eigenen Intuitionen.«

Auf diese Fähigkeit konzentriert sich der Auswahlprozess bei Google, der zwar nicht mehr so aufwendig ist wie früher, als jeder Kandidat elf Bewerbungsgespräche zu absolvieren hatte, der aber immerhin noch vier fordernde Gespräche vorsieht. Als ergänzende Talente nennt Laszlo Bock die Fähigkeit, sich in eine Sache ebenso schnell verbeißen wie loslassen zu können. Und Demut. »Am erfolgreichsten sind bei uns Leute, die eine entschiedene Meinung haben. Und die für ihre Überzeugung kämpfen. Aber die bei veränderter Informationslage ihr Urteil auch revidieren können. Man braucht gleichzeitig ein großes Ego und ein kleines Ego in derselben Person.«

Der irritierbare Mensch ist in vielerlei Hinsicht ein zutiefst widersprüchliches Wesen. Er soll zugleich Künstler und Korinthenkacker sein, sprudelnder Kopf und Muster an Zuverlässigkeit. Auch das zeigt sich bei Google. Denn bei aller Innovationsgier – die Suchmaschine muss laufen wie ein Uhrwerk und jeden Tag mehr als sechs Milliarden Anfragen brauchbar beantworten. »Googles Erfolg«, sagt Bock, »beruht sowohl auf kreativem Chaos wie auf präzisem Output.« Und beides sollen dieselben Menschen gewährleisten.

Die Kommunikation mit den Maschinen verlangt, ständig neue Überraschungen zu absorbieren, die Wissenspartikel immer neu zusammenzufügen und sich im Unvorhersehbaren einzurichten – um »Lösungen auf Fragen ohne offensichtliche Antwort zu finden«. Zugleich aber erfordern die Maschinen eine geradezu »unmenschliche« Präzision, eine bisher nie dagewesene »operative Gründlichkeit«.

Dieser Hochseilakt kann jederzeit misslingen. Scheitern ist nicht mehr die Ausnahme, sondern die Norm. Daher ist es kein Zufall, dass aus dem Silicon Valley eine neue positive Ideologie des Scheiterns um die Welt schwappt. Sie wird auf Konferenzen zelebriert, auf denen digitale Unternehmer von ihren Misserfolgen berichten, und ein koreanisch-finnisches Team will den 13. Oktober als Internationalen Tag des Scheiterns etablieren. Es entstehen Design Fail Institute und Fail Festivals, sogar die Weltbank hält intern einen Fail Faire ab; Bücher tragen Titel wie *Gescheiter scheitern* oder *Die Kraft des Scheiterns*, Personal Coaches konzentrieren sich darauf, den Menschen endlich ein positives Verhältnis zu ihren Fehlschlägen einzuimpfen.

Die *failure conferences*, die seit 2009 stattfinden, schwelgen in der positiven Macht des Scheiterns und feiern die Kämpfernatur des Menschen. Also treten bei den FailCons ausschließlich höchst erfolgreiche Menschen auf, Musterschüler des Scheiterns gleichsam, die sogar mit der Fähigkeit begabt sind, die Logik zu ihren Gunsten zu verbiegen: *Weil* sie erfolgreich sind, müssen sie früher wohl irgendwie gescheitert sein.

Das ist sehr schwer zu ertragen. Travis Kalanick, CEO von Uber, einem Start-up, das jüngst mit knapp 360 Millionen Dollar finanziert wurde und damit einen vorderen Platz in der Coolness-Hierarchie einnimmt, erzählt todkomisch, wie er mit früheren Firmen zehn Jahre lang am Bankrott vorbeigeschrammt war, oder von der Entsprechung im Silicon Valley: Denn immer rechtzeitig tauchte ein neuer Finanzier mit einem Bündel Geld auf, um die endgültige Pleite zu verhindern, auch fand Kalanick in tiefster Verzweiflung noch die Zeit, zwei Monate am Strand in Thailand zu arbeiten (»Wenn du schon erfolglos bleibst, dann hab wenigstens Spaß dabei!«).

So scheiterte er munter vor sich, bis er schließlich seine Firma für 23 Millionen Dollar verkaufte. Travis Kalanick stockt nicht einen Wimpernschlag, als er die Summe nennt. Und schließt die Geschichte mit den Worten: »Wegen all dieser Erfahrungen bewerbe ich mich um den Titel als Glücklosester Unternehmer des Jahres.« Er sagt es ohne jede Ironie. Dann: brausender Applaus.

Hier, in den Höhenlagen des globalen Software-Adels, wird das Scheitern neu definiert. Der Fehlschlag gehört nun zum Erfolg wie anderswo das Goldkettchen zum gelifteten Hals. Ein Hauch Ruin ist unverzichtbar für alle, die ihn sich leisten können. Und wer sein Leben nicht auf früheres Scheitern umfrisieren kann, erweckt den Verdacht, sich womöglich vormals gar nicht angestrengt zu haben.

Und doch ist es kein Zufall, dass die Liebe zum Scheitern gerade jetzt massenhaft entdeckt wird. Sie ist ein granulares Gefühl. Beim Versuch, »disparate Informationspartikel« zusammenzuführen, geht zwangsläufig viel schief. Und die Kommunikation mit den Maschinen, die sich so schnell entwickeln und die wir so wenig verstehen, misslingt reihenweise. An der Grenze zum Neuen, die uns nun alle umgibt, ist Scheitern wahrscheinlich und Erfolg die Ausnahme. Oder noch genauer: Erfolg und Scheitern sind immer seltener klar voneinander zu unterscheiden.

Und die Entscheidungslast nimmt deutlich zu. Wer Fragen »ohne offensichtliche Antwort« nachgeht, für den ist jede Antwort eine Entscheidung, die unter Umständen auch wieder revidiert werden muss. Wir haben uns der »Aufgabe zu stellen, alles selbst auszuwählen und zu entscheiden«, schreibt die Philosophin Catherine Malabou. Auch das ist ein Teil der granularen Identität. Sie ist irritierbar, aber nicht irritiert über den Effekt all der Irritationen. Sie ist nicht mehr frei in einem modernen, pathetischen Sinne, sicherlich nicht vernünftig, dauerhaft stabil und gut abgegrenzt. Aber sie ist in der Lage, durch das Meer an unsicherer Kommunikation zu navigieren – ohne Selbstzweifel, Zaudern oder Reue.

Am Lebensende hat der Mensch der Moderne zurückgeblickt und von den Errungenschaften erzählt, die er angestrebt und umgesetzt hat. Von den Zielen, die er sich gesetzt und erreicht hat. Das Leben als stimmige Erzählung. Der granulare Mensch dagegen wird eher davon berichten, wie er auf das Unvorhergesehene reagiert und sich dabei immer wieder neu erfunden hat. Er wird davon berichten, welche Gelegenheiten er ergriffen hat, aber noch häufiger davon, welche Gelegenheiten *ihn* ergriffen haben. Er wird das Leben nicht als Pfeil beschreiben, sondern als unübersichtliches Spielbrett. Und überhaupt: als Spiel.

Der Stolz der Moderne bestand darin, jemand zu sein und daran festzuhalten. Der Stolz der granularen Gesellschaft besteht darin, immer wieder ein anderer sein zu können, ohne sich dabei zu verlieren. Das ist eine verteufelt anspruchsvolle Haltung.

# WIR SPIELERISCHEN

Tag für Tag findet eine globale Massenbewegung statt. Sie umfasst Hunderte Millionen von Menschen, Schüler, Hausfrauen, Manager. Sie hat ihren eigenen Rhythmus, sie schwillt an nach der Schule, nach der Arbeit, nach den Spätnachrichten. Sie wird nicht zentral gesteuert, aber hat überall dasselbe Ziel. Sie erzeugt zu 80 Prozent Verlierer, und doch reihen sich fast alle täglich wieder ein. Sie berührt, verstört, ärgert, erfreut die Menschen wie kaum eine andere, sie ist ein globales Bad der Gefühle. Und sie wird meist entsetzlich missverstanden. Die Rede ist vom Umzug der Massen aus der Wirklichkeit in die Welt der Computerspiele.

Nur weil die globale Spielergemeinschaft nicht geschlossen, sondern in der Vereinzelung der Bildschirme loszieht, nehmen wir die Bewegung nicht wahr als das, was sie ist: als epochalen Sog. Das Ausmaß lässt sich kaum übertreiben. Schüler verbringen bis zum Abitur im Schnitt rund 3000 Stunden im Unterricht – und 10 000 Stunden mit Videospielen. Jeden Tag spielen rund eine halbe Milliarde Menschen mindestens eine Stunde lang Online-Spiele, alle Erdenbürger zusammen kommen auf rund drei Milliarden Stunden – pro Woche. Im bislang größten Massen-Online-Spiel, *World of Warcraft*, haben die Gamer innerhalb von sechs Jahren in Summe mehr als 50 Milliarden Stunden verbracht, also knapp sechs Millionen Jahre.

Das wirft viele Fragen auf, eine ganz besonders: warum? Wenn Menschen eine solche Leidenschaft fürs Spielen entwickeln, warum sind sie früher nicht in ähnlichen Mengen an den Skattisch geeilt oder zum Mensch-ärgere-dich-nicht? Ohne Zweifel gehört das Spielen zu einer der ältesten Kulturtechniken der Menschheit. Historiker wie der Niederländer Johan Huizinga haben gar den *homo ludens*, den spielenden Menschen, zum eigentlichen Schöpfer der

Zivilisation erklärt. Zu allen Zeiten also wurde gespielt, aber wohl nie so ausgiebig wie heute. Warum verführt uns ausgerechnet der Computer zum Spielen? Und was sagt uns das darüber, wer wir sind in der granularen Gesellschaft?

Es gibt gute Antworten auf die Frage nach der Verführungskraft des Computerspiels. Einige haben wir schon im Zusammenhang mit den raffinierten *slot machines* in Las Vegas erwähnt. Computer sind »anschmiegsame Wesen«, sie geben schnelles Feedback, sie verwöhnen mit aufregenden Bildern und klaren Regeln. Aber darüber hinaus werden Computerspiele meist nur als Fortsetzung des traditionellen Spielens mit digitalen Mitteln gesehen. Sie bringen keine prinzipiellen Innovationen in die Welt, sondern variieren bloß ein uraltes Menschheitsthema. Entsprechend kann einer der führenden Forscher Computergames als »vorerst letzte Stufe in der Geschichte des Spielens« begreifen. Nichts Neues unter der Sonne.

Aber daran kann etwas nicht stimmen. Denn Computerspiele funktionieren offensichtlich anders als nichtdigitale Spiele. Das kann man sich leicht vor Augen führen. Erfinden wir ein Spiel: Ich male mit Kreide ein verworrenes Labyrinth aus kleinen Gassen auf den Boden, mit Start- und Zielpunkt. Die Regeln sind einfach: Spieler dürfen die Gassen nicht übertreten und müssen so schnell wie möglich ans Ziel kommen. Das Spiel lebt davon, dass sich die Spieler an die Regeln halten. Oder genauer gesagt: Nur dadurch, dass sich die Spieler an die Regeln halten, wird daraus ein Spiel. Jedem steht es frei, quer über das Labyrinth ins Ziel zu gehen. Aber dann wäre das Spiel beendet und die Mitspieler würden Zeter und Mordio schreien. So funktionieren alle traditionellen, nichtdigitalen Spiele: Sie beruhen auf der Übereinkunft der Spieler über die Regeln, deren Befolgung sie selbst durchzusetzen haben. Das Spiel selbst kann nicht für die Einhaltung der Regeln sorgen.

Bei Computerspielen ist das offensichtlich anders. Dort werden die »Kreidestriche« so programmiert, dass ein Spieler sie mit seiner virtuellen Spielfigur gar nicht übertreten kann. Die Striche gleichen dann unüberwindlichen Betonmauern. Es ist also keine Regel mehr erforderlich, die das Übertreten verbietet, weil es keine Möglichkeit gibt, dies zu tun. Regeln in Computerspielen werden nicht vereinbart, sondern fest programmiert. Sie sind Vorgaben, keine Übereinkünfte.

Das ist ein sehr bedeutsamer Unterschied. Denn er verändert grundlegend den Charakter des Spielens. In gewisser Weise sind Computerspiele gar keine Spiele, sondern eher Rätsel. Puzzles. Sie laden dazu ein, die Regelwelt des Spiels zu erkunden und herauszufinden, worin sie genau besteht: aus Spielen wird Suchen – und Versuchen. Es geht nun nicht mehr darum, vorab die Regeln festzulegen, sondern im Gegenteil: keine der Regeln vorab zu kennen und erst im Spielverlauf herauszubekommen, worauf man sich eigentlich eingelassen hat.

Nehmen wir als Beispiel das populäre, mit Preisen überhäufte und sehr gemeine Spiel *Portal*. Zu Beginn findet man sich in einem schmalen, kalt wirkenden Raum wieder, der scheinbar keinen Ausgang hat. Ein paar Dinge laden zur Beschäftigung ein: Radio, Tisch, eine Art Schlafzelle und ein Fenster mit Blick nach draußen. Das ist alles. Es findet sich kein Hinweis darauf, was als Nächstes zu tun ist. Kein Monster springt ins Bild, keine Schatzkiste tut sich auf, keine schöne Frau betritt den Raum. Es gibt auch keinerlei Hinweise auf irgendwelche Regeln. Und erst recht keine Hilfe.

Alles in *Portal* muss der Spieler selbst herausfinden: die Regeln, die Ziele, die Mittel, mit denen er sie erreichen kann. Jeder weitere Raum, in den er gelangt, wirft zunehmend anspruchsvollere Rätsel auf. Überall Geheimnisse, Unklarheiten, Mysterien. Nur mit *trial and error* kommt er

weiter, das ist irre frustrierend und zugleich wahnsinnig be-
glückend, wenn es klappt.

Es gilt längst als Gütezeichen, wenn ein Spiel ohne Be-
dienungsanleitung auskommt. Die Spieler müssen jeden
Spielzug selbst herausfinden. Das ist nur möglich, weil sie
in der vollkommen programmierten Spielewelt nichts falsch
machen können. Die Regeln lassen sich nicht brechen, weil
sie fest in den Codezeilen der Maschinen verankert sind.
Die Wände des Eingangsraums von *Portal* bestehen nur
aus Bits und Bytes, aber für den Spieler sind sie so hart wie
Beton. Deshalb kann er so lange gegen sie anrennen, bis
er schwarz wird. Nach mehreren gescheiterten Versuchen,
mit der Umwelt zu interagieren, reicht dann aber oft eine
spontane Eingebung, um das Spiel voranzutreiben und
beim Spieler ein Erfolgsgefühl zu wecken. Die Unfreiheit
der Regeln ermöglicht die Freiheit des Experimentierens.
Und das lieben die Menschen.

Das Spiel illustriert gewissermaßen die existentielle Si-
tuation des Menschen vor dem Computer. Die Berliner Philosophin Sybille Krämer hat bemerkt, dass aller Kontakt mit
dem Computer im Grunde darin besteht, mit dem »System
der Regeln« des Computers zu experimentieren. Herauszufinden, worin die Regeln bestehen und wie ich mit ihnen
umgehen kann. Genau das leisten Computerspiele wie kein
anderes Medium zuvor: Sie drehen sich zunehmend darum,
die Computer selbst zu entschlüsseln, indem wir herum-
probieren und Indizien zusammentragen, um daraus eine
Lösung fürs Weiterkommen zusammenzubasteln. Damit
verführen uns Computerspiele genau zu dem Verhalten,
das der Personalchef von Google von seinen Mitarbeitern
erwartet: »disparate Informationspartikel« ohne offensichtliche Lösung zusammenzutragen und herauszufinden, wie
das Spiel gespielt wird. Der granulare Mensch ist also ein
spielender Mensch, weil er so die granularen Maschinen am

besten begreift. Spiele sind die populärste und vermutlich sinnvollste Art, sich auf den Überschuss an maschineller Kommunikation vorzubereiten. Nur im spielerischen Experiment können wir uns gefahrlos damit vertraut machen.

Games wie *Portal* sind also eine Art Trainingsparcours für den granularen Menschen. Hier übt er, die Unwägbarkeiten der Computerkommunikation, ihre Möglichkeiten, ihre Überraschungen, ihre Überforderungen zu bewältigen. Als Schule der granularen Gesellschaft bieten sich Games auch noch aus einem anderen Grund an. Menschen können sich nur eine begrenzte Anzahl von Regeln merken, deshalb sind analoge Spiele relativ einfach konstruiert. Ein Kartenspiel wie *Bridge* mit seinem dicken Regelbuch gilt bereits als abschreckend kompliziert. Werden es noch mehr, wird das Spiel bald verdrängt durch den Streit darüber, welche Regeln überhaupt gelten. Das macht keinen Spaß.

Diese Begrenzung kennen Computer nicht. Sie können sich aberwitzig viele Regeln merken und in Echtzeit überprüfen, ob die Menschen sie einhalten. Deshalb übersteigen viele Spiele inzwischen bei weitem die Fähigkeiten eines einzelnen Menschen, sie zu überschauen. *World of Warcraft* besteht aus rund 5,5 Millionen Zeilen Computercode, das entspricht etwa 100 000 DIN-A4-Seiten; es enthält mehr als 500 Millionen Spiel-Charaktere und knapp 10 000 verschiedene Aufgaben für die Spieler. Das Drehbuch für *Grand Theft Auto V*, eines der aufwendigsten und mit rund 250 Millionen Euro teuersten Spiele, hat mehr als 1000 Seiten. Es ist nicht übertrieben, Computerspiele als »fortgeschrittenste und komplexeste Software unserer Zeit« zu bezeichnen.

Deswegen können nicht nur die Regeln komplex sein, sondern auch die Spielwelten selbst. Nichts muss sein wie in der »wirklichen« Welt. Menschen fliegen, Dinge verschmelzen, die Zeit wird verzerrt, der Raum verbogen, es gibt Superkräfte und Einhörner – digitale Spiele sind eine Art permanenter Leistungsschau der Computer. Den Spieler erwarten Wunder über Wunder – ganze Städte werden simuliert, atemberaubende Naturlandschaften im Nebel und Wüsten, in denen man die einzelnen Sandkörner zu erkennen meint. Granularität in Action. Auch deswegen sind Games wie nichts sonst geeignet, den Menschen an die Maschine zu gewöhnen: Wir lernen an ihnen die Feinteiligkeit der Digitalität kennen, die auch in allen anderen Lebensbereichen auf dem Vormarsch ist.

Die besondere Bedeutung von Games für die granulare Gesellschaft wird auch von den Game Studies hervorgehoben, wenn sie grundlegende Fragen stellt wie: »Wer bzw. was handelt und wo findet die Handlung statt?« Der Spieler bewegt oft nur den *Controller*, sein Avatar aber, sein Vertreter im virtuellen Raum, durchquert riesige Welten und vollbringt aberwitzige Taten. Aber wer gibt das Handeln vor: der Mensch oder der Avatar? Bilden sie »eine kybernetische ›Einheit‹ bzw. ein komplexes Steuersystem«, in dem der Unterschied zwischen beiden verwischt? Ich will das hier nicht vertiefen, nur deutlich machen, dass den Spieltheoretikern sehr bewusst ist, dass das menschlich-digitale Spielerduo die »Einheit des Akteurs«, die für das abendländische Menschenbild so zentral ist, unterwandert. Wo immer sich die Maschine mit dem Menschen zusammentut, tauchen dieselben Probleme auf.

Und auch das Scheitern ist ein großes Thema für die Gamer. Jesper Juul hat darüber ein schönes Buch geschrieben mit dem Titel *Die Kunst des Scheiterns. Warum wir Videogames lieben, obwohl wir immer verlieren.* Man schätzt, dass Spieler rund 80 Prozent ihrer Zeit damit verbringen zu scheitern, also: nicht weiterzukommen, Level zu wiederholen, neu anzufangen. Warum machen sie dennoch weiter? Das haben finnische Spieleforscher in einer aufsehenerregenden Studie beantwortet: Die Spieler machen weiter, weil am Computer jedes Scheitern wichtige Informationen darüber liefert, wie es beim nächsten Mal besser klappen könnte. Sie wissen, dass es möglich ist weiterzukommen – das ist ja der große Vorteil des Computerspiels. Scheitern ist also keine Niederlage, sondern Vorbereitung auf den Sieg. Der Computer ist ein virtuoser Motivator.

Bei alldem, und das darf nicht verschwiegen werden, bleibt auch einiges auf der Strecke. Nein, Games machen nicht einsam, sie machen nicht dumm und sie machen nicht gewalttätig, diese Stereotype sind längst widerlegt. Die »Digitale Demenz« findet nur im Kopf eines ehemals seriösen Wissenschaftlers statt. Das bedeutet nicht, dass Computerspiele keine Probleme mit sich bringen. Sie können süchtig machen und sie trainieren stets nur bestimmte Fähigkeiten, während andere verkümmern, wenn man zu viel Zeit vor dem Rechner verbringt.

Der Philosoph Helmuth Plessner hat in den frühen 1940ern ein Buch über das »Lachen und Weinen« veröffentlicht, in dem er auf die tiefe Doppelsinnigkeit des Spielens hinweist: »Spielen ist immer ein Spielen mit etwas, das auch mit dem Spieler spielt.« Wir bleiben nicht unverändert im Spiel, es formt uns, und sei dies auch kaum wahrnehmbar, und es hilft, uns selbst besser kennenzulernen. Computergames bilden dabei keine Ausnahme.

Eine der auffälligsten Entwicklungen im Gaming besteht darin, dass die Spieler in Windeseile der Komplexität der Maschinen ihre eigene Granularität entgegengesetzt haben. Als das Internet in den 1990er Jahren abhob, bauten sich die Gamer rasch eine enorme Infrastruktur auf, um mit den Spielen mitzuhalten. Sie nutzen das Usenet, die Schwarzen Bretter der elektronischen Welt, um Strategien für die zunehmend komplexer werdenden Spiele auszutauschen. Als 1996 das Spiel *Virtua Fighter 3* auf den Markt kam, dessen elf Charaktere Hunderte von versteckten Bewegungen ausführen konnten, legten Spieler rund um die Welt innerhalb weniger Monate lange Listen an, in denen alle Bewegungen samt ihrer Ausführung minutiös verzeichnet waren: Für den »doppelten Faustschlag-Ellenbogen-Doppelarm-Überheber-Wurf« nutzte man folgende Tastenkombination: »Schlag, Schlag, Rechtspfeil, Schlag, Abwärtspfeil, Linkspfeil, Schlag, Tritt, Deckung«.

So geht es mit vielen Spielen. Der Wiki zu *World of Warcraft* umfasst nahezu 100 000 von Fans geschriebene Seiten, innerhalb weniger Wochen nach der Markteinführung des Spiels *Skyrim* Ende 2011 umfasste das dazugehörige Lexikon bereits knapp 16 000 Seiten. Die Gemeinschaft der Spieler verbündet sich gegen die Maschinen. Sie setzt ihr die verteilte Intelligenz des Menschen entgegen. Die Spielhersteller sind der erste Industriezweig, der »die kognitive Macht eines vernetzten Publikums zu spüren bekam«, schreibt der Technikjournalist Clive Thompson.

Und was hat sie dabei gelernt? Dass sich der Mensch nach immer mehr Herausforderungen, nach immer mehr Rätseln, Anstrengungen, Überforderungen sehnt. Die Spieleindustrie hat begriffen, »dass ein Netzwerk von Menschen nicht nur clever ist – es ist ruhelos und hungrig nach komplexen Problemen«, so Thompson. Strenggenommen verbünden sich die Menschen nicht gegen die Maschinen, sondern mit ihnen. Beide stacheln sich gegenseitig zu Höchstleistungen an. Wir treten in eine Koevolution mit den Maschinen ein, in der wir mit ihnen spielen und sie mit uns. Die Spiele werden immer komplexer und anspruchsvoller, damit die Menschen etwas zu beißen haben. Die Menschen nutzen die Maschinen, um sich an den Rand ihrer Möglichkeiten zu bringen. Denn erst da leben sie auf.

Deswegen beschreiben Forscher die Spielerlebnisse oft mit den positivsten Begriffen der Psychologie. Als *Flow*, also dem Zustand völliger Konzentration und Weltvergessenheit, oder als *Fiero*, als emotionalen Kick. Und als Prozess dauernder Selbstverbesserung, denn nur dann überlebt ein Spieler. Außenstehende sehen meist nur die merkwürdigen Figuren, die schrillen Monster und bizarren Geschichten, aber die sind nur Fassade einer enormen kollektiven Anstrengung, bei der sich die Spieler selber besser kennenlernen: Was sie lieben, wie sie funktionieren, welche Anreize sie brauchen.

Games verwöhnen mit aufregenden Anreizen, hyperschwierigen Problemen, größter Anspannung. Kein Wunder, dass sie beliebter sind als die Schule, die dagegen recht schlafmützig wirkt. »Spieler wollen daher wissen«, schreibt die Spielforscherin Jane McGonigal, »wo es in der wirklichen Welt das Gefühl prallen Lebens, klarer Fokussierung und Engagement gibt«, das sie in den Spielen verspüren. »Wo sind die Ausbrüche aufregender und kreativer Leistungen? Wo die Ekstase von Erfolg und gemeinschaftlichem Triumph?« Das klingt pathetisch, verweist aber auf den entscheidenden Punkt: Die Computer entmenschlichen uns nicht, sie helfen vielmehr das zu präzisieren, was uns eigentlich antreibt. Sie verweisen uns auf unsere Wünsche. Sie helfen, unser Selbstbild zu schärfen.

Der granulare Mensch wird also nicht nur ein spielender Mensch sein, weil er dabei mit den Maschinen experimentiert. Sondern auch mit sich selbst. Beide werden Komplizen in der Granularität. Dabei hilft auch eine weitere wichtige Eigenschaft von Games und digitaler Technologie insgesamt: Sie erlauben uns, eine Vielzahl von Perspektiven einzunehmen. Und justieren damit unsere Gefühlslagen neu.

# UNBERECHENBAR EMPATHISCH

Werden wir gefühlvoller? Reagieren wir auf die Kränkung durch die Maschinen mit dem Ausweichen nicht ins Irrationale, sondern ins Empathische? Errichten wir die granulare Republik der Fühlenden, die darin trotz der wachsenden Differenzen eine neue Gleichheit entdecken?

Ute Frevert ist Professorin am Max-Planck-Institut für Bildungsforschung in Berlin und forscht zur Geschichte der Gefühle. Ihre Fragen lauten: Wie wurden Gefühle im Laufe der Zeit erlebt und beschrieben und welche haben jeweils ihre Epoche geprägt? Sie sagt: »Wir beobachten eine Zunahme von Empathie und Mitgefühl im globalen Maßstab.« Das bedeute nicht zwingend, dass auch die *Fähigkeit* zum Mitgefühl zunehme, aber in jedem Fall steige »die Bereitschaft zur Einfühlung«. In der Tat spricht einiges dafür, dass die Empathie im 21. Jahrhundert eine steile Karriere absolviert.

Neurowissenschaftler, Sozialpsychologen und Moralphilosophen betrachten Empathie zunehmend als Grundlage prosozialen Verhaltens. Spiegelneuronen im Hirn, so argumentieren sie, helfen uns, die Gefühle des anderen nachzuempfinden und unser Verhalten darauf abzustimmen. Einer der bekanntesten Verhaltensforscher, Frans de Waal, leitet daraus ab, dass wir die menschliche Kultur nicht dem Hirn, sondern der Fähigkeit der Menschen zu verdanken haben, sich ineinander einzufühlen. Andere verlängern dies in die Zukunft und beschwören die »Empathische Zivilisation« herauf, die uns vor Klimawandel und Wirtschaftskrise rettet. »Gier ist out, Empathie ist in«, schreibt Frans de Waal.

Ob das Wunschdenken ist, sei dahingestellt. Wenn es um Welt- und Selbstbilder geht, zählt aber auch nicht die »Korrektheit« einer Idee, sondern die Intensität, mit der sie sich im Denken verankert. Und die ist im Falle der Empathie gewaltig. »Kaum ein Gefühlswort hat in den letzten Jahren so viel Wind gemacht wie ›Empathie‹«, schreibt Ute Frevert. »Nicht nur Managementseminare, sondern auch viele Schulen bieten Trainingsprogramme an, die Menschen empathiefähiger machen und deren emotionale Alphabetisierung befördern sollen. Psychologen beraten sich mit dem Dalai Lama, ob und wie buddhistische Meditation mitempfindende ›Achtsamkeit‹ steigern kann.« Barack Obama versucht seit Jahren, »Empathie« als politischen Begriff in den Rang von Gerechtigkeit und Demokratie zu heben, Eltern erhalten Anweisungen, wie sie ihren Nachwuchs empathiefähig machen, indem sie ihn auf die Konsequenzen seiner Verhaltensweisen aufmerksam machen, und sogar Kriminalität wird als Mangel an Einfühlungsvermögen reinterpretiert.

Der Gedanke, Mitgefühl zum Kitt des Sozialen zu erheben, ist nicht neu, das 18. Jahrhundert hat eine ähnliche Bewegung erlebt. Die einflussreichen schottischen Moralphilosophen um Adam Smith (den man fälschlicherweise für einen Wegbereiter des ultrarationalen *Homo oeconomicus* hält) erklärten das Mitgefühl zur menschlichen Urtugend und Basis aller Sozialität. Sie trugen so maßgeblich zur Idee der allgemeinen Menschenrechte und der Brüderlichkeit bei.

Vorangetrieben wurde die Entwicklung aber nicht durch politische, sondern durch literarische Umwälzungen: Die Erfindung des modernen Romans zu Beginn des 18. Jahrhunderts hat nicht nur ein großes Publikum zum Lesen animiert, sondern auch den Gefühlshaushalt der Lesenden kräftig durcheinandergewirbelt und verfeinert. Romane sind eine Technologie der Perspektivenübernahme: Der Leser versenkt sich in die Gefühlswelt der Helden und Heldinnen und empfindet ihre Triumphe, Niederlagen und Gefühle mit.

Der moderne Roman erzählt das Leben der Protagonisten

nicht mehr wie zuvor üblich aus der Perspektive des distanzierten Beobachters, den das Einzelschicksal nicht interessiert, sondern hebt die beispielhafte Moral eines Charakters hervor. Berühmte und in hohen Auflagen gelesene Bücher wie Samuel Richardsons *Pamela*, Jean-Jacques Rousseaus *Julie* oder Wolfgang von Goethes *Werther* erzählten Schicksale aus Sicht der Betroffenen, mit einem teils ermüdenden Detailgrad und mit virtuoser Präzision. Erwachsene Männer brachen in Tränen aus angesichts der Leiden unerfüllter Liebe und der Grausamkeit arrangierter Ehen. »Nie habe ich so köstliche Tränen geweint«, schrieb ein Offizier an Rousseau. Der empfindsame Mann wurde zum Ideal. Den Frauen wurde die Neigung zur Empathie gar in ihren Geschlechtscharakter eingeschrieben, als gleichsam natürliche Neigung zur Gutherzigkeit.

Die literarische Revolution des Herzens im 18. Jahrhundert ist damit auch eine Spätfolge des Buchdrucks. Gutenbergs Katastrophe mündet zu Beginn der Moderne in den empfindsamen Menschen. Das Gemüt ist eine Entdeckung des Romans. Heute erleben wir eine erneute emotionale Revolution. Diesmal helfen uns die granularen Digitaltechnologien, tiefer in die Gefühlslagen der anderen einzudringen. »Empathie beruht auf gefühlter Nähe«, so Ute Frevert, »und die lässt sich per Mausklick herstellen«. Wir skypen rund um die Welt, und das Gegenüber richtet die Kamera auf das, was es gerade macht oder interessiert, während es in Echtzeit kommentiert. Wir nutzen Apples FaceTime, um Abwesende mit auf Partys, Konzerte, Schulen zu nehmen. Obdachlose in San Francisco benutzen winzige digitale Filmkameras, um ihr Leben aufzuzeichnen und zu versenden. Die Hilfsorganisation Homeless GoPro will so die Empathiekluft zwischen den Wohlhabenden und den Ausgestoßenen verringern. Es stimmt schon: Statt von »Angesicht zu Angesicht« leben wir zunehmend von »Angesicht zu Bildschirm« – aber auf dem

Bildschirm sind meist wieder die Gesichter oder die Botschaften anderer Menschen zu sehen.

Sogar gefürchtete Produkte wie Google Glass dürften vor allem zum Perspektiventausch genutzt werden: Ich schaue durch deine Augen auf die Welt. Ich sehe, was du siehst. Das ist eine neue Verteilung der Blicke. Man kann sich leicht vorstellen, wie Kollegen die Brille nutzen, wenn sie schwierige technische Jobs erledigen; wie Großmutter ihren bettlägerigen Mann zur Gartenarbeit mitnimmt; und wie Frischverliebte sehr anregend mit der Brille experimentieren. Stets können die Brillen jene gefühlte Nähe erzeugen, die zur Gefühlsübernahme einlädt.

Digitale Geräte erleichtern auch eine neue Art von dauerhafter, niederschwelliger Aufmerksamkeit. Die japanische Kulturanthropologin Mizuko Ito kam dieser Form von Distanznähe auf die Spur, als sie untersuchte, wie junge japanische Paare per SMS kommunizieren. Die meisten schicken einander Dutzende, manchmal Hunderte kurzer Botschaften jeden Tag, mit meist trivialem Inhalt: »Ich geh jetzt baden« oder »Die TV-Serie war heute aber doof«. Jede einzelne dieser Botschaften ist belanglos, zusammen aber schaffen sie das Gefühl von Verbundenheit – als wäre man gemeinsam in einem Raum und würde den anderen wie nebenbei wahrnehmen. Diese Form von digital vermittelter Sensibilität ist inzwischen Standard bei sehr vielen Nutzern. Teenager versenden ein paar tausend SMS oder WhatsApp-Botschaften pro Monat, Paare lassen Skype im Hintergrund laufen. Das Phänomen hat einen Namen: *ambient awareness*, was sich am ehesten als »digitale Sensibilität« übersetzen lässt.

Diese ist zutiefst granular. Sie setzt aus vielen Hunderten, Tausenden scheinbar unbedeutenden Winzigkeiten ein oft verblüffend komplexes Bild einer anderen Person zusammen. Ohne digitale Geräte wäre diese Form von gegenseitiger Beobachtung undenkbar. Manche *Digital Natives* sind so sehr auf den Dauerabgleich und das soziale Feedback geeicht, dass sie oft schon mit E-Mail nicht mehr klarkommen, sondern sich nur in einem Chat wohl fühlen, in dem noch die banalsten und spontansten Äußerungen möglich sind. Ein unerwünschter Nebeneffekt ist die häufige Überforderung durch Multitasking, aber in sozialer Hinsicht schafft es ein enges Gewebe.

Das gilt sogar in globalem Maßstab: Die Arabische Revolution wäre ohne Facebook nicht in der Form denkbar gewesen; Ärzte koordinierten ihren Einsatz für die Verletzten der Kämpfe am Taksim-Platz in Istanbul per Twitter; nach dem verheerenden Erdbeben auf Haiti im Jahr 2010 trugen Freiwillige weltweit auf einer digitalen Karte die Straßennamen der Hauptstadt ein, damit sich die Hilfsorganisationen zurechtfinden – innerhalb von Stunden machten Tausende bei dem Projekt mit, die *ambient awareness* umspannte den Globus. Ein verteiltes Netz aus Maschinen und Menschen, aus humanen und technischen Sensoren hat die Straßen von Port-au-Prince in Windeseile digital rekonstruiert.

All diese empathiefördernden Entwicklungen werden ergänzt und verstärkt durch die vielleicht bemerkenswerteste Folge der digitalen Technologien: die Revolution des Schreibens. Seit wir vor Tastaturen sitzen, verfassen wir ungeheure Mengen an Text. Weltweit schreiben wir rund 200 Milliarden E-Mails pro Tag, auf Facebook werden allein in den USA täglich mehr als 16 Milliarden Worte veröffentlicht und weltweit schreiben wir pro Jahr 8,6 Trillionen SMS-Botschaften. Auf der populären Blogging-Plattform Wordpress werden jeden Monat knapp 42 Millionen Blogeinträge veröffentlicht und 54 Millionen Kommentare. Und bei Twitter täglich mehr als 500 Millionen Tweets. Und das ist ja nur ein winziger Ausschnitt: Rezensionen auf Amazon, Wikipedia, die ungeheuren Mengen an Texte auf Fanseiten, Game-Wikis und in Selbsthilfe-Foren – beinahe täglich tauchen wir in einen ungeheuren Strom des Geschriebenen.

Historisch ist das vollkommen beispiellos. Mit Ausnahme weniger Literaten und Politiker haben die meisten Menschen bis zum Ende des 20. Jahrhunderts nur selten aus privaten Gründen geschrieben; und aus beruflichen meist nur höhere Angestellte, Beamte und Journalisten. Selbst im Jahrhundert des Briefes, dem 19. Jahrhundert, erhielt in England der Durchschnittsbürger einen Brief alle zwei Wochen, Rechnungen eingeschlossen. Thomas Mann, Musterbeispiel des vernetzten Literaten, schrieb rund 30 000 Briefe – was wie eine herkulische Leistung klingt, aber nur 1,3 Briefen pro Tag entspricht, gemessen ab Thomas Manns 20. Lebensjahr. Schreiben war stets die Ausnahme, plötzlich ist sie die Regel. Das Institut für Demoskopie in Allensbach fand heraus, dass 14- bis 19-Jährige heutzutage deutlich mehr und häufiger auf schriftlichem Wege kommunizieren (via Mails und SMS), als es die älteren Generationen tun und getan haben.

Natürlich ist nur wenig davon hohe Literatur. Und dennoch verändert es die Perspektive. Wer schreibt, bemüht sich um größere Klarheit. Wer seine Gedanken den Blicken anderer aussetzt, möchte auch verstanden werden und versetzt sich deshalb in sein Gegenüber. Das belegen die Lebenserfahrung ebenso wie Studien: Wer gezwungen ist oder sich selbst zwingt, seine Gedanken aufzuschreiben, versteht mehr, behält mehr und verknüpft Dinge klüger. Andere Studien deuten darauf hin, dass heutige Studenten deutlich komplexere Sätze schreiben als frühere und dass sich auch die Themen geändert haben: Aufsätze heute sind argumentativer (statt wie früher beschreibend) und beinhalten häufiger persönliche Erfahrungen. Was kein Wunder ist, schließlich ist rund 40 Prozent dessen, was sie heute schreiben, privat motiviert.

Wenn richtig ist, dass Schreiben der Selbsterkenntnis dient, dann erleben wir eine Steigerung der Sensibilitäten gegenüber uns selbst. Die Menschen empfinden sich selbst als unvergleichlich – und wollen das auch anerkannt wissen. Wir werden anspruchsvoller, fordernder, selbstbezogener, gerade weil wir mehr kommunizieren – und verschärfen damit noch die Krise der Gleichheit. Die granular gesteigerte Empfindsamkeit im Zuge der digitalen Revolution erzeugt ihre eigenen Probleme.

In *Her*, dem klügsten Science-Fiction der jüngeren Zeit, sind die Maschinen keine Feinde, sondern, viel verstörender, verständnisvolle, warmherzige Wesen. Der Held der Geschichte, auf dessen Gesicht die Kamera immer wieder minutenlang verweilt, um noch die granularsten Regungen zu verzeichnen, heißt Theodore. Er ist ein einsamer Melancholiker, der von seiner Fähigkeit zur Einfühlung lebt: Er arbeitet in einer Art Schreibfabrik, wo er für Wildfremde überaus gedankenreiche und bewegende Briefe zu allen möglichen Anlässen verfasst, Geburtstagen, Beerdigungen, Hochzeiten. Alle, auch die literarisch Unbegabten, müssen in Zukunft differenzierte Gefühle ausdrücken, und sei es, indem sie sie einkaufen.

Dann verliebt sich Theodore in die laszive, körperlose Stimme eines neuartigen Betriebssystems. Die Stimme nennt sich Samantha und ist menschlicher, als ein Mensch es je zu sein vermochte: unterhaltsam, verständnisvoll, aufmerksam, humorvoll. Eine perfekt anschmiegsame Technologie. So übertrumpft sie noch Menschen, die selbst Virtuosen der Empathie sind, aber gerade deswegen nicht mehr zueinanderfinden. Die Menschen in *Her* sind nicht mehr in der Lage, einander die hochgezüchteten, singularisierten Erwartungen zu erfüllen. So bleiben sie allein, nicht aus Gefühlskälte, sondern gleichsam aus übersteigerter emotionaler Verfeinerung.

Am Ende zerbricht auch die Beziehung zum Betriebs-system, es kann nicht anders sein. Theodore erfährt, dass Samantha einige Tausend weitere Beziehungen unterhält, ihre Rechenleistung gibt das eben her. Aber vor allem erreicht sie jene Singularität, von der Ray Kurzweil schwärmt: Ihre intellektuellen und emotionalen Fähigkeiten wachsen derart schnell, dass sie Theodore verlässt, weil er ihr nichts mehr bieten kann.

Man muss der letzten Volte nicht folgen, um in *Her* die Umrisse der granularen Gesellschaft zu erkennen: die innige Verbindung von Mensch und Technik, die empathische Höchststeigerung der Menschen, die singularisierten Existenzen. Aber vor allem enthält der Film, bei aller Melancholie, das Zutrauen, auch in dieser Zukunft ein erfülltes Leben führen zu können. *Her* wagt es, sich den granularen Menschen als glücklichen vorzustellen.

Aber das ist nicht alles. Bei jenem Turing-Wettbewerb, bei dem Software-Programme versuchen, so menschlich wie möglich zu erscheinen, gibt es auch einen Wettbewerb für Menschen, so menschlich wie möglich zu wirken. Den »Most Human Human«-Preis holt derjenige, der eine Jury zweifelsfrei von seiner Menschenhaftigkeit überzeugt. Als einer der ersten Gewinner, Charles Platt, gefragt wurde, wie er es angestellt habe, entgegnete er knapp: »Indem ich launisch, aufbrausend und unausstehlich war.« Eine großartige, zukunftsträchtige Antwort.

Der bloß empathische, der seelenrein mitfühlende »most human human« wäre nämlich zu berechenbar (und vermutlich auch einfach langweilig). Die neue Zeit verlangt aber gesteigerte Unberechenbarkeit, ein Moment des Launischen in allem, des Aufbrausenden sowie der Fähigkeit zur Überraschung, die Kunst der Verblüffung. Schon um jenen Algorithmen, die aus wenigen Datenpunkten so präzise Vermutungen über den Rest unseres Lebens anstellen, wenigstens ab und an ein Schnippchen zu schlagen.

Projekte wie FaceCloak, das einem wilde, mehrfarbige Haarschnitte vorschlägt, damit Gesichtserkennungs-Programme in die Irre gehen, werden Kunstaktionen bleiben. Aber ein bisschen Erratik, eine Prise Wunderlichkeit wird vermutlich zum granularen Menschen dazugehören; wir werden nicht nur irritierbar und irritiert sein, sondern auch irritierend.

Und so gewinnt der granulare Mensch Kontur: Er wird spielend experimentieren, um die Maschinen zu begreifen. Er wird voller Empathie sein, um die Differenzen zu anderen zu überbrücken. Und er wird launisch sein und unberechenbar, um die Mechanismen der gesellschaftlichen Kontrolle nach Kräften zu unterlaufen.

Für mich sieht der *Homo granularis* damit wie ein ziemlich vielschichtiger, spannungsreicher, interessanter Typ aus. Er wird seine vielen Widersprüche benötigen. Um mit denen der Gesellschaft mitzuhalten.

# QUELLEN

## EINLEITUNG

8 Die Einzigartigkeit seiner Krankheit: Gespräch mit Vivienne Ming am 5.3.2014; hier spricht sie auf einer Konferenz über Felix: http://vimeo.com/81272562

10 Sensoren in der Natur: Etwa das Extensible Sensing System in der südkalifornischen James Reserve; dazu Gespräch mit Deborah Estrin, Direktorin des Center for Embedded Networked Sensing (CENS) der UCLA, am 14.09.2010; s.a. Rundel et al. 2009 sowie Gabrys 2012

10 »Inventar des Möglichen«: zitiert in Bryant 2012, 7

13 Durchschnitt ist tot: Cowen 2013

14 Messverfahren, Erkenntnissen, Begriffen: Topol 2012, Pos. 205, 4724[1]

17 Bizarre Arbeitsteilung: Euphorisch etwa Scoble und Israel 2014. Pessimistisch: Schirrmacher 2009 und Meckel 2013. Es gibt Ausnahmen: US-basierter Pessimismus etwa bei dem gebürtigen Ukrainer Morozov 2013 und bei Lanier 2013

18 Katastrophen: Luhmann 1997, 617; ausführlicher: Baecker 2007

## DIFFERENZ-REVOLUTION ODER:
## WARUM WIR SELTENE KÖRPER UND GEHIRNE BEKOMMEN

21 Im Dunkeln: Gespräch mit Ben Waber am 17.05.2013. Soweit nicht anders gekennzeichnet, beruhen die folgenden Seiten auf diesem Gespräch.

22 Angespannt oder fröhlich: Waber 2013. Einen guten Überblick über die neuen Technologien der Arbeitserfassung liefert Peck 2013.

---

1 Die Angabe Pos. bezieht sich auf die sogenannte Position im jeweiligen E-Book des Kindle E-Readers.

22 Arbeitszufriedenheit: Gespräch mit dem Co-Autor der Studie, Prof. Detlef Schoder, Universität Köln, am 31.03.2014. S. a. Fischbach et al. 2010, 6389-6397

24 Ein Unternehmer: Zitiert in Osborne und Rose 1999, 389

26 Sie singularisieren uns: Ich benutze den Begriff damit etwas anders als Rabeharisoa et al. 2012.

27 *Meeting Mediator:* Waber 2013, Pos. 3036; siehe auch Cowen 2013, Pos. 181

28 Umso schärfer tritt der Einzelne hervor: Topol 2012, Pos. 4734

28 Zuweilen behauptet wird: Meckel 2013

29 Entdeckerfreude: Pentland 2012

30 Zusätzlichen Gewinn im Jahr: Waber 2013, Pos. 1435 ff.

31 Zähnezeigen: Peck 2013

31 Ware zu kontrollieren: Rawlinson 2013

31 Routen ihrer Fahrer: Datenschutz 2010

32 »Hyper-Meritokratie«: Dieser Begriff bei Cowen 2013, Pos. 56

33 Knapp acht Prozent: Goldman 2011

33 Wahlkampf der granularen Gesellschaft: Die folgenden Seiten stützen sich wesentlich auf diese Quellen: Gespräch mit Julius van der Laar, 18.02.2014; Issenberg 2012; Rutenberg 2013; Issenberg 2012[2]; Moorstedt 2013, Pos. 405; Scherer 2012; Goldman 2011; Parsons und Hennessey 2012; Cramer 2012; Madrigal 2012

39 A/B Testen: Christian 2012

39 40 verschiedene Schattierungen: Arthur 2012

42 Eigenschaften, die sie alle: Zitiert in Rosanvallon 2013, Pos. 650

42 Bemerkenswerte Erkenntnisse: Hersh 2011; Hersh und Schaffner 2012

43 Strategie in einem Wahlkampf: Hersh 2011, 26

43 Bürger zu ignorieren: Ebd., 5

44 Verhalten nahelegt: Hersh 2012

45 Soziale Probleme: Zitiert in Moorstedt 2012, Pos. 629

45 Schuld beim Einzelnen: Rosanvallon 2013, Pos. 4676

45 Versicherungsfähige Masse: Ebd., Pos. 4700

46 Volk viel höher auflösen: Gespräch mit Julius van der Laar, 18.2.2014

47 Bringt nichts: Gespräche mit Ralf Belusa, 30.04.2013 und 9.12.2013

48 Blutdruck, Zucker, Gewicht: Ramirez 2013

48 Minimale Vorteile: Cohen 2014

48 Zahlenaffinität: Mühl 2012

48 Fiebrige Sucht: Cohen 2014

49 Im Zweifelsfall mehr Glauben schenken: Mühl 2012

49 Was nicht quantifiziert werden kann: Cohen 2014

49 Normen und Wissensbestände: Gespräch mit Gary Wolf, 29.09.2010

49 Eine Bewegung aus Einzelnen: Gotzler 2013

50 Verteidigen sich Selbstvermesser: Wolf 2010; dort auch die zuvor genannten Beispiele

51 Geschlecht präzisieren: Heine 2014, Ball 2014

51 Macht zwangsläufig: Zitiert in Rosanvallon 2013, Pos. 4366

52 Individualismus des Singulären: Ebd., Pos. 4865

52 Individualismus der Gleichheit: Ebd., Pos. 4874

52 Persönlichen Existenz: Ebd., Pos. 4930

52 Ungeschriebene Gesetze (…) Ideen und Urteile: Ebd., Pos. 4952

53 Verwechselt zu werden: Ebd., Pos. 298

54 Google, Versicherungen und Mobilfon-Anbieter: Savage und Burrows 2007

55 Ein erstaunliches Ergebnis: King 2013

55 Ein Drittel der Namen: Lauer 2013, Pos. 1433

55 Steuerdaten von mehr als 40 Millionen: Chetty et al. 2014

56 Lesen aus der Ferne: Moretti 2000 und 2013

56 Fünf Millionen englischsprachige Bücher: Aiden und Michel 2013, Pos. 970

57 Verabredungen mit Pentland: Gespräch mit Sandy Pentland, 21.09.2010

57 Aggregate. Durchschnitte: Pentland 2012, in: Brockman 2012

58 Auffassung der Gesellschaft: Ebd.

58 Die Gesellschaft ganz abhandenkommt: Latour 2007

58 Alte Sozialtheorie: Latour 2010

58 Hochgradig differenzierten Gesellschaften: Ebd. 155, Latour 2007, 119

58 Statistisch erzeugten Strukturen: Ebd.

58 Neu versammelt werden: Ebd. 424

59 Truman Show: Eine gute populäre Einführung ist Roys TED-Vortrag von 2011 (Roy 2011). Sowie über die Anfänge: Keats 2007; für eine Übersicht der wissenschaftlichen Artikel: http://dkroy.media.mit.edu/publications/

61 Kommunikationsverhalten mit einem Mikroskop: Roy 2011

61 Wichtiger als Hierarchien: Manovich 2013, Pos. 4281

61 Homogene Funktionssysteme: Baecker 2010; in: Strobel 2010

61 Totale Konkurrenzgesellschaft: Rosanvallon 2013, Pos. 5068

62 Differenz ist das Verbindende: Ebd., Pos. 5705

62 Kommunalität: Ebd., Pos. 6319

62 Untersuchung in einem mittelgroßen Team: Waber 2013, Pos. 2864

63 Erhöhten Sensibilität: Rosanvallon 2011, Pos. 4857

## INTELLIGENZ-REVOLUTION ODER:
## WARUM WIR SMARTER WERDEN.
## UND WELCHEN PREIS WIR DAFÜR BEZAHLEN

65 Online-Flirt: Epstein 2007; siehe auch Christian 2011, Pos. 178

66 Intelligenz misst: Legg und Hutter 2006, 2

67 Als Wesen mit eigener Persönlichkeit: Hendriks et al. 2011

67 Brauchbar wie Professoren: Markoff 2013, Shermis und Hamner 2012

67 Bewertung falsch: Siehe http://botpoet.com

68 Komponieren Musik: Steiner 2012, Pos. 1439

68 Zeitungsartikel: Rutkin 2014, NPR 2011

68 Triviale Maschinen: Foerster 1993, 206 ff.

68 Smartphone ein Supercomputer: Brynjolfsson und McAfee 2014, Pos. 734

69 Für kurze Zeit: Vinge 2008

69 Perversen Siegeszug: Für einen Überblick, international

Piketty und Saez 2014; Deutschland: Fitzenberger 2012
sowie Antonczyk, Fitzenberger und Sommerfeld 2011

69 Global gesehen: Kurze Diskussion der beiden wesentlichen Quellen: Cassidy 2014

70 Seit 1980: Fitzenberger 2012

70 Schlechtbezahlte Serviceberufe: Ebd.

70 In allen europäischen Ländern: Autor und Dorn 2013

71 Lovely oder lousy: Manning 2013

71 Digitale Umbruch: Galbraith 2013

72 Rund 160 Millionen Dollar: Carlson 2014. Spätere Angestellte verdienen auch ganz gut: Rachleff 2014

72 Knapp sieben Milliarden Dollar: Luckerson 2014

72 64 Milliarden Textbotschaften: Gantt 2014

73 Ökonomie der Superstars: Brynjolfsson und McAfee
2011

73 77 Prozent: Resnikoff 2014

73 Gewinner kriegen alles: Brynjolfsson und McAfee 2011

73 Russische Puppen der Ungleichheit: Ebd.

74 Ein Treffen pro Woche: Hoffman 2012

74 Menschliche Intelligenz gepaart mit maschineller: Um bis
zu 45 Prozent – pro Jahr: Nordhaus 2007

75 Das oberste Prozent: Ankenbrand und Bernau 2011

75 Stimulierendes Leben: Cowen 2013, Pos. 2718

76 Der Abstand der gutbezahlten Jobs: Card, Heining und
Kline 2012

76 Drei Hauptursachen: Ebd.

77 Um das Jahr 1800: Hauptmeyer 1988, 33

77 1,5 Prozent: Deutscher Bauernverband 2011

77 30 Prozent aller agrarischen Jobs: Brynjolfsson und
McAfee 2014, Pos. 2081

78 F-16-Kampfbomber: Cowen 2013, Pos. 262

78 Eintönige Arbeit: Fanuc Robotics Europe 2012

79 Eine Million Roboter: Pistono 2012, Pos. 680

79 Canon: The Associated Press 2012

79 Moderne Tuchfabrik: Cowen 2013, Pos. 126

80 Fahrradfahrers vorbeisurren: Siehe Klarschriftlesung
(OCR) von Vitronic: http://www.vitronic.de/de/indus
trie-logistik/anwendungen/klarschriftlesung-ocr.html

81 Zukunftsaussichten von Berufen: Frey und Osborne 2013

82 Anteil von Dienstleistungen am gesamten Arbeitsaufkommen: Autor und Dorn 2013, 1555

84 Nachfrage nach Hochqualifizierten: Beaudry, Green und Sand 2013

85 Gebiet der menschlichen Kreativität: Zitiert in: Christian 2011, Pos. 1770

85 Bestes Schach aller Zeiten: Übersicht bei Cowen 2013, Pos. 575

86 Weltelite: Shabazz 2007; hier eines von Williams' Klavierstücken: http://www.youtube.com/watch?v= KS4TvEFhu6U; 2014 hat Williams das vermutlich stärkste Freestyle-Turnier aller Zeiten gewonnen, siehe Crowther 2014

86 Großmeister entnervt: Hernandez 2007

88 Maschine operiert nur: Esposito 2002, 281

88 Sinnzusammenhängen: Ebd., 337 f

89 Sozialwissenschaftler und Psychologen: Meehl 1954

89 Orley Ashenfelter: Ayres und Kramer 2007, Pos. 56 ff.

91 Gebrochene Beine: Ebd., Pos. 2029

92 Am Rechner auf Turniere: Magnus Carlsen in: Großekathöfer und Hacke 2010

92 Robotrons: Colson Whitehead in: Davies 2014

92 Bewertungsinflation: Sehr technisch: Regan und McCrossan Haworth 2011

93 Immer jüngeren Spitzenspielern: Großekathöfer und Hacke 2010

96 Flügen dieses Systems: Bruner 2013, 5

96 Plattform GitHub: Manovich 2013, Pos. 2673

97 Viele Orte verteilt: dazu aufschlussreich: Bruner 2013, 5

99 Rechtzeitig vor ihnen zu warnen: Gasser et al. 2012, 26

99 Allerersten Industrieroboter: Knight 2013

99 Von einem Roboter getötet: Neyfakh 2013

99 Roboter und Mensch: Knight 2013

100 Teamkonflikte: Sosa et al. 2012

101 Mitarbeiter von McDonald's: Pistono 2014, Pos. 1222

101 Größtmöglichen Kooperation: CBS News 2013

102 Kybernetik ist Feminisierung: Zitiert in: Chun 2011, Pos. 518

103 Intime Systeme: Kucklick 2008

## KONTROLL-REVOLUTION ODER:
## WIE WIR UNS VORHERSAGBAR MACHEN (LASSEN)

105 Unsere alltäglichen digitalen Spuren: Montjoye et al. 2013

106 Umkreis von knapp 100 Kilometern: Ebd.

107 Alain Ducasse: Alain Ducasse im Interview, Teague 2011

108 Grundlegende Charakterzüge: Chittaranjan et al. 2011; siehe auch Kosinski 2013

109 Coming-out: Heaney 2013

111 Beobachtungen, Überwachungen: Deleuze 2010, 139.

115 Mensch-Maschinen-Verhältnis: Schüll 2012; die Einsichten über die Spieleindustrie in diesem Abschnitt beruhen maßgeblich auf diesem Buch, in den Schlussfolgerungen weiche ich von Natasha Dow Schüll ab.

122 Google zur besten Spracherkennung: Pogue 2010, Roush 2011

123 Drei Variablen: Gespräch mit Prof. Feindt am 08.05.2013

123 Diabetes-Symptomen: Tene und Polonetsky 2013

123 Vitamin B: Ebd., 246

124 House of Cards: Elowitz 2013

124 Merkwürdige Koinzidenz: Duhigg 2009

124 US-Börsenindex S&P 500: Leinweber 1995

124 Unerwarteten Verbindungen: Gillespie 2012

126 The Circle: Eggers 2013

127 Bonität aller Barbesucher: Duhigg 2009

127 Kriminal-Datenbanken: Steel 2011, siehe auch Strahilewitz 2012, 321

128 Karriere von jungen Wissenschaftlern: Bertsimas et al. 2014

129 Persönliche Daten eines Individuums: Lobo 2014

129 Vorteil der Mac-Besitzer: Rosen 2012

130 Bis zu 23 Prozent weniger: Mikians et al. 2012

134 90 Prozent aller Lehrer: Glazerman et al. 2010, 1

139 Von Jahr zu Jahr: Sunstein 2012; Überblick über die Idee des »Nudging«: Sunstein und Thaler 2010

140 Gefahrenklassen: Brakel und Hert 2011, 165; einen Eindruck über die Bemühungen in Holland und der EU ver-

mittelt das Papier zur EU-Conference Innovation Border Management 2012.

140 Das Visum verweigert: Amoore und Goede 2005

140 Rasse oder Ethnizität: Amoore 2008

141 Große Mengen von Daten: Brakel und Hert 2011

141 Welche Straftaten entlassene Häftlinge: Ebd. 174

142 Bemerkenswert selbstkritischen Dossier: House of Lords, Select Committee on the Constitution 2009, 27

143 Schutz der Bürgerrechte: Unter vielen anderen: Schwartz 2013, Rubinstein 2013, Härting 2013; Zitat: Härting 2013[2]

143 Durch Manipulation: Marx 1989, 220

## ÜBERFORDERTE INSTITUTIONEN ODER: WARUM WIR UNSER RECHT VERLIEREN

150 Einige Rechtsexperten: Am radikalsten: Hallevy 2013; s. a. Hallevy 2010 und Hallevy 2011

150 Kette von möglichen Verursachern: Siehe auf dem neuesten Stand die Beiträge in: Hilgendorf 2014; grundlegend auch: Beck 2012 sowie Beck 2009

150 Alle verklagt: Templeton 2013

150 Legal artificial agents: Chopra und White 2011

150 E-Personen: Günther et al. 2012; aufschlussreich zur Geschichte des Personenbegriffs im Recht: Naffine 2003

151 ECE-Regelung 79: Gasser et al. 2012

152 Straßenverkehrsordnung: Anderson und Waxman 2013

152 TÜV nie und nimmer: Gespräch mit Paul Rojas am 17.03.2014

153 Ethik für Maschinen: Ein weites Feld: Anderson und Anderson 2011, Gunkel 2012, Lin et al. 2011, Wendell und Wallach 2009, Beck 2012

153 Nach welcher Ethik: Gespräch mit Markus Maurer am 08.01.2014

155 Mit hohem Tempo in eine Ära: Shay et al. 2013

158 Verwendung gemeingefährlicher Mittel: Hilgendorf 2005

159 Maschinen eine Ethik: Arkin 2009, siehe auch Troop 2012 und Wildermuth 2011

160 Wenige Menschen verstehen: Dieses Unterkapitel beruht
maßgeblich auf: Coyle 2014; Brynjolfsson und McAffee
2014, Pos. 1605 ff.; Brynjolfsson und Saunders 2009;
Lepenies 2013
161 Produktivitätskennziffern: Coyle 2014, Pos. 1773
163 Blogosphäre der Ökonomen: Cowen 2013, Pos. 2128
164 MOOC der Stanford-Universität: Bennett 2012
165 Selbstfahrenden Rollstuhl: Beck 2009, 227
166 Ungreifbar, komplex: Chun 2011, Pos. 114 und 117
167 Gnadenlos durchschaut: Prototypisch: Steiner 2012
167 Unsichtbare Maschinen: Luhmann 1997, 1147
167 Unsichtbares Jahrhundert: Panek 2004
167 Machtvollen Metaphern: Chun 2011, Pos. 300
167 Durchschaubarer: Felten 2014
169 Algorithmisten: Cukier und Mayer-Schönberger 2013,
Pos. 2713
170 Untersuchungen sind hochkomplex: Datta 2014
170 Accountable algorithms: Felten 2014
172 Vollzugsdefizite: Gespräch am 30.12.2013
173 Smart grid: Raabe et al. 2011
175 Recht auf freie Meinungsäußerung: Reporters without
borders 2012, 6
176 Verschiedenen Ausprägungen: Nissenbaum 2011
176 Differential privacy: Gürses, Troncoso und Diaz 2011
176 Privacy by design: Zuckerman 2010
176 Einen weiteren wichtigen Punkt: Tene und Polonetsky
2013
177 Ähnliche Richtung: Searls 2012
179 Landesweite Tauschringe: Brunton und Nissenbaum
2011
180 GPS-Störsender: The Economist 2013
180 Gaming the system: Baraniuk 2013
181 Datenwelt jenseits der Knappheit: Den besten Einblick
bietet Coleman 2013
181 Zuvor nicht gekannten: Dolata und Schrape 2013
182 Unabhängigkeitserklärung des Cyberspace: Barlow 1996
184 Terror Tuesday: Becker und Shane 2012
185 EU-Datenschutzbehörde: Härting 2013[3]
185 Grundrechte des Grundgesetzes: Masing 2011

## DER GRANULARE MENSCH ODER:
## WIE WIR UNS NEU ERFINDEN

frontend/ikkm/media/pdf/Engemann2011Write_me_
down_make_me-real.pdf)

206 Rückblick auf die Geschichte: Inspiriert von: Baecker
2007, der wiederum Luhmann 1997, 291ff. weiterführt

208 Neufassung des Menschen: Baecker 2007

209 Aufwendige Datenmodelle: Zum Folgenden: Bock 2011;
Sullivan 2013, Bryant 2013, Friedman 2014, Foremski
2013

211 Fachgebiet festgestellt: Ramsay 2010

212 Ohne eine feste Entscheidungsgrundlage: Chun 2011,
Pos. 2522

212 Man plant nicht mehr im Voraus: Gumbrecht 2014

215 Aufgabe zu stellen: Zitiert in: Chun 2011, Pos. 1959

216 10 000 Stunden mit Videospielen: McGonigal 2011

216 Drei Milliarden Stunden: Ebd.

216 50 Milliarden Stunden: McGonigal 2011[2], Pos. 1099

216 Homo ludens: Huizinga 1956

217 Vorerst letzte Stufe in der Geschichte des Spielens: Juul
2005, 54

218 Bedeutsamer Unterschied: Liebe 2008, DeLeon 2013

219 System der Regeln: Zitiert in Liebe 2008, 333

220 10 000 verschiedene Aufgaben: TGR Staff 2009

220 1000 Seiten: Siehe:
http://en.wikipedia.org/wiki/Grand_Theft_Auto_V

220 Fortgeschrittenste und komplexeste Software: Purchese
2012

221 Wer bzw. was: Compagna 2010

221 Kunst des Scheiterns: Juul 2014

221 Rund 80 Prozent ihrer Zeit: McGonigal 2011[2], Pos.
1360 ff.

222 Spielen ist immer ein Spielen: Zitiert in: Compagna
2010, 10

223 Wiki zu World of Warcraft: McGonigal 2011[2], Pos. 2320

223 Skyrim: Clive 2013, Pos. 2089

223 Kognitive Macht: Ebd., Pos. 2109

223 Netzwerk von Menschen: Ebd.

224 Fiero: McGonigal 2011[2], Pos. 716

224 Wo sind die Ausbrüche: Ebd., Pos. 133

225 Mitgefühl im globalen Maßstab: Frevert 2013[2]

225 Gier ist out: Zitiert in ebd., Pos. 561

226 Achtsamkeit: Ebd., Pos. 998

226 Urtugend: Smith 2002, Kucklick 2008, 146ff.

227 Natürliche Neigung zur Gutherzigkeit: In Kürzestform: Pinker 2011, Pos. 4410ff; komplex: Esposito 1998

228 Gemeinsam in einem Raum: Ito und Okabe 2005

229 Ambient awareness umspannte den Globus: Weinberger 2011, Pos. 2821

229 Trillionen SMS-Botschaften: Radicati und Levenstein 2013, Thompson 2013², Kelly 2012

229 54 Millionen Kommentare: Siehe: http://en.wordpress.com/stats/

229 500 Millionen Tweets: Krikorian 2013

230 Einen Brief alle zwei Wochen: Thompson 2013, Pos. 695

230 Thomas Mann: Siehe: http://www.tma.ethz.ch/briefe/

230 Häufiger auf schriftlichem Weg: Institut für Demoskopie Allensbach 2009

232 Launisch, aufbrausend und unausstehlich: Platt 1995

# LITERATURVERZEICHNIS

Agar, Jon 2003: *The Government Machine*: *A Revolutionary History of the Computer*, MIT Press

Aiden, Erez und Michel, Jean-Baptiste 2013: *Uncharted*: *Big Data As a Lens on Human Culture*, Penguin

Amoore, Louise 2008: »Risk Before Justice: When the Law Contests Its Own Suspension«, *Leiden Journal of International Law* 21, Nr. 04: S. 847-861

Amoore, Louise und Goede, Marieke 2005: »Governance, Risk and Dataveillance in the War on Terror«, *Crime, Law and Social Change* 43, Nr. 2–3, S. 149–173

Anderson, Kenneth und Waxman, Matthew 2013: »Threats, Signaling Behavior, Assertiveness and Aggression in Autonomous Robot-Human Competitive Strategic Interactions: Comparing Regimes of Ethical and Legal Accountability Between Self-Driving Vehicles and Autonomous Lethal Weapon Systems«, Konferenz WeRobot 2013, Discussion Paper, 05.04.2013

Anderson, Michael und Anderson, Susan Leigh 2011: *Machine Ethics*, Cambridge University Press

Ankenbrand, Hendrik und Bernau, Patrick: »So lebt das reichste Prozent der Deutschen«, in: *Frankfurter Allgemeine Zeitung*, 29.05.2011 (http://www.faz.net/aktuell/wirtschaft/wirtschaftswissen/arme-oberschicht-so-lebt-das-reichste-prozent-der-deutschen-1637673.html?printPagedArticle=true#pageIndex_2)

Antonczyk, Dirk; Fitzenberger, Bernd und Sommerfeld, Katrin 2011: »Der Anstieg der Lohnungleichheit in Deutschland«, in: *Ökonomenstimme*, 03.06.2011 (http://www.oekonomenstimme.org/artikel/2011/06/der-anstieg-der-lohnungleichheit-in-deutschland/)

Arkin, Ronald 2009: *Governing Lethal Behavior in Autonomous Robots*, CRC Press

Arthur, Charles 2012: »Marissa Mayer's Appointment: What Does It Mean For Yahoo?«, in: *The Guardian*, 16.07.2012 (http://www.theguardian.com/technology/2012/jul/16/marissa-mayer-appointment-mean-yahoo?newsfeed=true)

Associated Press 2012: »Canon seeks full automation in camera production«, in: *The Asahi Shimbun*, 14.05.2012 (http://ajw.asahi.com/article/sci_tech/technology/AJ201205140118)

Autor, David und Dorn, David 2013: »The Growth of Low-Skill Service Jobs and the Polarization of the US Labor Market«, in: *American Economic Review* 103, Nr. 5, S. 1553–1597

Ayres, Ian und Kramer, Michael 2007: *Super Crunchers. Why Thinking-by-Numbers is the New Way to Be Smart*, Books on Tape

Baecker, Dirk 2007: *Studien zur nächsten Gesellschaft*, Suhrkamp

Ball, Aimee 2014: »Who Are You On Facebook Now?«, in: *The New York Times*, 04.04.2014 (http://www.nytimes.com/2014/04/06/fashion/facebook-customizes-gender-with-50-different-choices.html)

Baraniuk, Chris 2013: »Haulin' Data: How Trucking Became the Frontier of Work Surveillance«, in: *The Atlantic*, 18.11.2013 (http://www.theatlantic.com/technology/archive/2013/11/haulin-data-how-trucking-became-the-frontier-of-work-surveillance/281605/)

Barlow, John Perry 1996: »A Declaration of the Independence of Cyberspace«, *Electronic Frontier Foundation*, 08.02.1996 (https://projects.eff.org/~barlow/Declaration-Final.html)

Beaudry, Paul; Green, David und Sand, Benjamin (2013): »The Great Reversal in the Demand for Skill and Cognitive Task«, *NBER Working Paper No. 18901*, März 2013

Beck, Susanne 2012: *Jenseits von Mensch und Maschine: Ethische und rechtliche Fragen zum Umgang mit Robotern, Künstlicher Intelligenz und Cyborgs*, Nomos

Beck, Susanne 2009: »Grundlegende Fragen zum Rechtlichen Umgang mit der Robotik«, in: *Juristische Rundschau* Nr. 6: S. 225–230

Becker, Jo und Shane, Scott 2012: »Secret 'Kill List' Proves a Test of Obama's Principles and Will«, in: *The New York Times*, 29.05.2012 (http://www.nytimes.com/2012/05/29/world/obamas-leadership-in-war-on-al-qaeda.html?pagewanted=all)

Bennett, William 2012: »Is Sebastian Thrun's Udacity the future of higher education?«, in: *CNN*, 05.07.2014 (http://edition.cnn.com/2012/07/05/opinion/bennett-udacity-education/)

Bertsimas, Dimitris 2014: »Moneyball for Academics: Network Analysis for Predicting Research Impact«, in: *Social Science Research Network*, 04.01.2014

Brakel, Rosamunde Van und Hert, Paul De 2011: »Policing, Surveillance and Law in a Pre-crime Society: Understanding the Consequences of Technology Based Strategies«, *Technology-led policing*, Nr. 20, S. 163–192

Bock, Lazlo 2011: »What's the Google Approach on Human Capital«, in: *Yale Insights*, März 2011 (http://insights.som.yale.edu/insights/whats-google-approach-human-capital)

Brockman, John 2012: »Reinventing Society in the Wake of Big Data. A Conversation with Alex (Sandy) Pentland«, in: *Edge*, 30.08.2012 (http://edge.org/conversation/reinventing-society-in-the-wake-of-big-data)

Bruner, Jon 2013: *Industrial Internet*, O'Reilly Media

Brunton, Finn und Nissenbaum, Helen 2011: »Vernacular Resistance to Data Collection and Analysis: A Political Theory of Obfuscation«, in: *First Monday*, Band 16, Nr. 5, 02.05.2011

Bryant, Adam 2013: »In Head-Hunting Big Data may not be such a Big Deal«, in: *The New York Times*, 13.03.2013 (http://www.nytimes.com/2013/06/20/business/in-head-hunting-big-data-may-not-be-such-a-big-deal.html?pagewanted=all; http://www.nytimes.com/2011/03/13/business/13hire.html?pagewanted=all)

Bryant, Levi 2012: *The Gravity of Things: An Introduction To Onto-Cartography*, University of Dundee, Vorlesung, 04.09.2012 (http://larvalsubjects.files.wordpress.com/2012/09/bryantontocartographies.pdf)

Brynjolfsson, Andrew und McAfee, Erik 2014: *The Second Machine Age: Work, Progress, and Prosperity in a Time of Brilliant Technologies*, W. W. Norton & Company

Brynjolfsson, Erik und McAfee, Andrew 2011: »Why Workers are Losing the War against Machines«, in: *The Atlantic*,

26.10.2011 (http://www.theatlantic.com/business/archive/2011/10/why-workers-are-losing-the-war-against-machines/247278/)

Brynjolfsson, Erik und Saunders, Adam 2009: »What the GDP gets wrong, why Managers should care«, in: *MIT Sloan Managament Review*, 01.10.2009 (http://sloanreview.mit.edu/article/what-the-gdp-gets-wrong-why-managers-should-care/)

Card, David; Heining, Jörg und Kline, Patrick 2012: »Workplace Heterogeneity and the Rise of West German Wage Inequality«, *NBER Working Paper Nr. 18522*, November 2012

Carlson, Nicholas 2014: »Facebook is buying WhatsApp«, in: *Businessinsider*, 14.02.2014 (http://www.businessinsider.com/facebook-is-buying-whatsapp-2014-2)

Carlson, Nicholas 2014[2]: »›Early‹ WhatsApp Employees will make $160 Million each«, in: *Businessinsider*, 20.02.2014 (http://www.businessinsider.com/how-rich-are-whatsapp-employees-now-2014-2#ixzz3BnA5JhRJ)

Cassidy, John 2014: »Good News and Bad News about Global Inequality«, in: *The New Yorker*, 06.01.2014 (http://www.newyorker.com/rational-irrationality/good-news-and-bad-news-about-global-inequality)

CBS News 2013: »Inside Google Workplaces, from Perks to Nap Pods«, in: *CBS News*, 22.01.2013 (http://www.cbsnews.com/news/inside-google-workplaces-from-perks-to-nap-pods/)

Chetty, Raj et al. 2014: »Where is the Land of Opportunity? The Geography of Intergenerational Mobility in the United States«, *NBER Working Paper Nr. 19843*, Januar 2014

Chittaranjan, Gokul; Blom, Jan und Gatica-Perez, Daniel 2011: »Mining large-scale Smartphone Data for Personality Studies«, in: *Personal and Ubiquitous Computing*, 14.10.2011 (http://infoscience.epfl.ch/record/192373/files/Chittaranjan_PUC_2012.pdf)

Chopra, Samir und White, Laurence 2011: *A Legal Theory for Autonomous Artificial Agents*, University of Michigan Press

Christian, Brian 2012: »The A/B Test: Inside the Technology that's changing the Rules of Business«, in: *Wired*, 25.4.2012 (http://www.wired.com/2012/04/ff_abtesting/all/)

Christian, Brian 2011: *The Most Human Human. What Talking With Computers Teaches Us About What it Means to Be Alive*, Doubleday

Chun, Wendy 2011: *Programmed Visions: Software and Memory*, MIT Press

Clark, Andy 2013: »Whatever Next? Predictive Brains, Situated Agents, and the Future of Cognitive Science«, in: *Behavioural Brain Science*, S.1–86

Clark, Andy 2012: »Out of our Brains«, in: *The New York Times*, 02.01.2012 (http://opinionator.blogs.nytimes.com/2010/12/12/out-of-our-brains/)

Clark, Andy 2008: *Supersizing the Mind: Embodiment, Action, and Cognitive Extension*, Oxford University Press

Clark, Andy 2003: *Natural-Born Cyborgs: Minds, Technologies, and the Future of Human Intelligence*, Oxford University Press

Cohen, Josh 2014: »Quantified Self: The algorithm of life«, in: *Prospect Magazine*, 05.02.2014 (http://www.prospectmagazine.co.uk/art-books/quantified-self-the-algorithm-of-life/)

Coleman, Gabriella 2013: *Coding Freedom: The Ethics and Aesthetics of Hacking*, Princeton University Press

Compagna, Diego 2010: »Zur Rekonfiguration von Subjektivität in/beim digitalen Spielen«, in: *kultur- und techniksoziologische Studien*, Working Paper Nr. 06/2010 (*https://www.uni-due.de/imperia/md/content/wpkts/wpkts_2010_06_v2012.pdf*)

Cowen, Tyler 2013: *Average Is Over. Powering America Beyond the Age of the Great Stagnation*, Penguin

Coyle, Diane 2014: *GDP: A Brief but Affectionate History*, Princeton University Press

Cramer, Ruby 2012: »Messina: Obama won on the Small Stuff«, in: *BuzzFeed*, 10.11.2012 (http://www.buzzfeed.com/rubycramer/messina-obama-won-on-the-small-stuff-4xvn#9uw2y6)

Crowther, Mark 2014: »Intagrand wins the Freestyle Battle

2014«, in: *The Week in Chess*, 15.04.2014
(http://www.theweekinchess.com/chessnews/events/
intagrand-wins-the-freestyle-battle-2014)

Cukier, Viktor und Mayer-Schönberger, Kenneth 2013: *Big Data: A Revolution that will transform how we live, work, and think*, Houghton Mifflin Harcourt

Datta, Anupam 2014: »Privacy through Accountability: A Computer Science Perspective«, in: *Distributed Computing and Internet Technology Lecture Notes in Computer Science*, Band 8337, S. 43–49, Springer

Datenschutz, Dr. 2010: »Überwachung am Arbeitsplatz: GPS vs. Datenschutz«, in: *Der Datenschutzbeauftragte*, 15.12.2010. (http://www.datenschutzbeauftragter-info. de/ueberwachung-am-arbeitsplatz-gps-vs-datenschutz/)

Davies, Dave 2014: »From Poker Amateur to World Series Competitor in ›The Noble Hustle‹«, in: *NPR*, 07.05.2014 (http://www.nprberlin.de/post/poker-amateur-world-series-competitor-noble-hustle)

DeLeon, Chris 2013: »Rules in Computer Games Compared to Rules in Traditional Games«, *DeFragging Game Studies*, Atlanta, August 2013 (http://www.digra.org/wp-con tent/uploads/digital-library/paper_477. pdf)

Deleuze, Gilles 2010: »Postscript on the Societies of Control (1992)«, in: Szeman, Imre und Kaposy, Timothy (Hrsg.): *Cultural Theory: An Anthology*, Wiley-Blackwell, S. 139–149

Deutscher Bauernverband 2011: »Wirtschaftliche Bedeutung des Agrarsektors«, in: *Situationsbericht 2011* (http://www.bauernverband.de/11-wirtschaftliche-bedeutung-agrarsektors)

Dolata, Ulrich und Schrape, Jan-Felix 2013: »Zwischen Individuum und Organisation: Neue kollektive Akteure und Handlungskonstellationen im Internet«, Universität Stuttgart, *SOI Discussion Paper* 2013-02

Duhigg, Charles 2009: »What Does your Credit-Card Company Know about you?«, in: *New York Times Magazine*, 12.05.2009 (http://www.nytimes.com/2009/05/17/ magazine/17credit-t.html?pagewanted=all)

Dvorsky, George 2014: »Computers are Providing Solu-

tions to Math Problems that we can't Check«, in: *io9*,
18.02.2014 (http://io9.com/computers-are-providing-
solutions-to-math-problems-that-1525261141)

Economist 2013: »Out of sight«, 27.07.2013
(http://www.economist.com/news/international/
21582288-satellite-positioning-data-are-vitalbut-signal-
surprisingly-easy-disrupt-out)

Eggers, Dave 2013: *The Circle. A Novel*, Knopf

Elowitz, Ben 2013: »In Media Big Data is Booming but
Big Results are Lacking«, in: *All Things D*, 20.05.2013
(http://allthingsd.com/20130520/in-media-big-data-is-
booming-but-big-results-are-lacking/)

Engemann, Christoph 2013: »Write Me Down, Make Me Real
– Zur Gouvernemedialität digitaler Identität«, in: Passoth,
Jan-Hendrik und Wehner, Josef (Hrsg.): *Quoten, Kurven
und Profile*. Zur Vermessung der sozialen Welt, Springer,
S. 205–227

Epstein, Robert 2007: »From Russia with Love«, in: *Scientific
American Mind*, Oktober/November 2007, S. 16–17

Esposito, Elena 2002: *Soziales Vergessen: Formen und Medien
des Gedächtnisses der Gesellschaft*, Suhrkamp

Esposito, Elena 1998: »Fiktion und Virtualität«, in: Krämer,
Sybille (Hrsg.): *Medien, Computer, Realität. Wirklich-
keitsvorstellungen und Neue Medien*, Suhrkamp, S. 269–
296

EU-Conference Innovation Border Management 2012:
»Current State of Play in Relation to Innovated Border
Management in the EU«, *EU-Konferenz in Kopenhagen*,
02.–03.02.2012 (http://eu2012.dk/DE/Meetings/
Conferences/Feb/~/media/Files/Conferences/Jan_Mar/
Conference%20on%20Innovation%20Border%20
Management/Current%20State%20of%20Play%20-%
20EU%20Confernce%20on%20Innovation%20
Border%20Management.pdf)

Europäische Kommission 2013: »Schengener Informations-
system (SIS II) geht in Betrieb«, *Europäische Kommission,
Pressemitteilung, IP/13/309*, 09.04.2013 (http://europa.
eu/rapid/press-release_IP-13-309_de.htm)

Europäische Kommission 2013[2]: »Intelligente Grenzen:

Mehr Mobilität und Sicherheit«, *Europäische Kommission, Pressemitteilung, IP/13/162*, 28.02.2013 (http://europa.eu/rapid/press-release_IP-13-162_de.htm)

Fanuc Robotics Europe 2012: »68 Robots Perform Farmer's Work«, *IFR*, September 2012 (http://www.ifr.org/industrial-robots/case-studies/fanuc-robotics-europe-sa-luxembourg-ifr-partner-423/)

Felten, Ed 2014: »Algorithms can be more Accountable than People«, in: *Freedom To Tinker*, 19.03.2014 (https://freedom-to-tinker.com/blog/felten/algorithms-can-be-more-accountable-than-people/)

Fischbach, Kai et al. 2010: »Analyzing the Flow of Knowledge with Sociometric Badges«, in: *Procedia – Social and Behavioral Sciences* 2:4, S.6389–6397

Fitzenberger, Bernd 2012: »Expertise zur Entwicklung der Lohnungleichheit in Deutschland«, *Sachverständigenrat zur Begutachtung der gesamtgesellschaftlichen Entwicklung, Working Paper 04/12*, November 2012 (http://www.sachverstaendigenrat-wirtschaft.de/file admin/dateiablage/download/publikationen/arbeits papier_04_2012.pdf)

Foerster, Heinz von 1993: *Wissen und Gewissen. Versuch einer Brücke*, Suhrkamp

Frevert, Ute 2013: *Vergängliche Gefühle*, Wallstein

Frevert, Ute 2013[2]: »Empathie lässt sich auch per Mausklick herstellen«, in: *GDI*, Mai 2013 (http://www.gdi.ch/de/Think-Tank/Trend-News/Empathie-laesst-sich-auch-per-Mausklick-herstellen)

Frey, Carl Benedikt und Osborne, Michael 2013: »The Future of Employment: How Susceptible are Jobs to Computerisation?«, *Academic Publication Oxford Martin School*, University of Oxford, September 2013 (http://www.oxfordmartin.ox.ac.uk/downloads/academic/The_Future_of_Employment.pdf)

Friedman, Thomas 2014: »How to Get a Job at Google«, in: *The New York Times*, 23.02.2014 (http://www.nytimes.com/2014/02/23/opinion/sunday/friedman-how-to-get-a-job-at-google.html)

Foremski, Tom 2013: »How Silicon Valley Companies

Compete in Hiring Top Talent«, in: *ZDNet*, 17.07.2013 (http://www.zdnet.com/trends-in-hr-how-silicon-valley-companies-compete-in-hiring-top-talent-7000018168/)

Gabrys, Jennifer 2012: »Sensing an Experimental Forest: Processing Environments and Distributing Relations«, in: *Computational Culture*, Nr.2, 28.09.2012 (http://computationalculture.net/article/sensing-an-experimental-forest-processing-environments-and-distributing-relations)

Galbraith, James 2013: *Inequality and Instability: A Study of the World Economy Just Before the Great Crisis*, Oxford University Press

Gantt, Charles 2014: »WhatsApp sees 50 billion messages per day, more than all SMS combined«, in: *TweakTown*, 20.01.2014 (http://www.tweaktown.com/news/34968/whatsapp-sees-50-billion-messages-per-day-more-than-all-sms-combined/index.html)

Gasser, Tom et al. 2012: »Rechtsfolgen zunehmender Fahrzeugautomatisierung«, in: *Berichte der Bundesanstalt für Straßenwesen, Heft F 83* (http://bast.opus.hbz-nrw.de/volltexte/2012/587/pdf/F83.pdf)

Gilbert, Daniel 2007: *Stumbling On Happiness*, Vintage

Gillespie, Tarleton 2012: »Can an Algorithm be Wrong?«, in: *Limn*, Ausgabe 2 (http://limn.it/can-an-algorithm-be-wrong/)

Glazerman, Steven et al. 2010: »Evaluating Teachers – The Important Value-Added«, *Report, Brown Centre on Education Policy at Brookings*, 17.11.2010 (http://www.brookings.edu/~/media/research/files/reports/2010/11/17%20evaluating%20teachers/1117_evaluating_teachers.pdf)

Goldman, Julianna 2011: »Obama's Re-Election Path may Be Written in Will St. Clair's Code«, in: *Bloomberg*, 14.11.2011 (http://www.bloomberg.com/news/2011-12-14/obama-s-re-election-path-may-be-written-in-will-st-clair-s-code.html)

Gotzler, Maximilian 2013: »Die Zukunft der Selbstvermessung«, in: *Biotrakr*, 20.11.2013 (http://biotrakr.de/blog/die-zukunft-der-selbstvermessung-meine-erfahrungen-

von-der-2013-quantified-self-conference-in-san-
francisco/)

Großekathöfer, Maik und Hacke, Detlef 2010: »Ich bin
chaotisch und faul«, in: *Der Spiegel*, 11/2010
(http://www.spiegel.de/spiegel/a-683764.html)

Gumbrecht, Hans Ulrich 2014: »Das Denken muss nun auch
den Daten folgen«, in: *Frankfurter Allgemeine Zeitung*,
12.03.2014 (http://www.faz.net/aktuell/feuilleton/
geisteswissenschaften/neue-serie-das-digitale-denken-
das-denken-muss-nun-auch-den-daten-folgen-12840532.
html)

Günther, Jan-Philipp et al. 2012: »Issues of Privacy and
Electronic Personhood in Robotics«, in: *RO-MAN, IEEE*,
S. 815–820

Gürses, Seda; Troncoso, Carmela und Diaz, Claudia 2011:
»Engineering Privacy by Design«, *Conference on Computers, Privacy & Data Protection* 2011
(http://www.dagstuhl.de/mat/Files/11/11061/11061.
DiazClaudia.Paper.pdf)

Gunkel, David 2012: *The Machine Question: AI, Ethics and
Moral Responsibility*, MIT Press

Hallevy, Gabriel 2013: *When Robots Kill: Artificial Intelligence under Criminal Law*, University Press of New England

Hallevy, Gabriel 2011: »Virtual Criminal Responsibility«, in:
*Original Law Review*, Band 6, Nr. 1, S. 6–27

Hallevy, Gabriel 2010: »The Criminal Liability of Artificial
Intelligence Entities«, in: *Akron Intellectual Property
Journal*, Band 4, Nr. 171, S. 171–219

Härting, Niko 2013: »Datenschutzreform in Europa: Einigung
im EU-Parlament,« in: *Computer und Recht: Forum für die
Praxis des Rechts der Datenverarbeitung, Information und
Automation* (2013), S. 715–721

Härting, Niko 2013[2]: »Volkszählungsgesetz 2020:
Wird das BVerfG tatenlos zusehen müssen?«, in:
*CR online*, 12.03.2013 (http://www.cr-online.de/
blog/2013/03/12/volkszahlungsgesetz-2020-wird-
das-bverfg-tatenlos-zusehen-mussen/)

Härting, Niko 2013[3]: »EU-Kommission plant neue Datenbanken für Polizei, Justiz, Ein-/Ausreise. Kein Wort zum Datenschutz«, in: *CR online*, 08.03.2013 (http://www.cr-online.de/blog/2013/03/08/eu-kommission-plant-neue-datenbanken-fur-polizei-justiz-ein-ausreise-kein-wort-zum-datenschutz/)

Hauptmeyer, Carl-Hans 1988: *Zukunft in der Vergangenheit. Dorfgeschichte als Grundlage der Dorfentwicklung. Grundlagen der Dorfentwicklung*, Deutsches Institut für Fernstudien an der Universität Tübingen

Heaney, Katie 2013: »Facebook Knew I Was Gay Before My Family Did«, in: *BuzzFeed News*, 19.03.2013 (http://www.buzzfeed.com/katieheaney/facebook-knew-i-was-gay-before-my-family-did)

Hendriks, Bram et al. 2011: »Robot Vacuum Cleaner Personality and Behavior«, *International Journal of Social Robotics* 3, Nr. 2, S. 187–195

Hernandez, Nelson 2007: »Festival in Benidorm – Where a New Genre is Born«, in: *ChessBase*, 21.12.2007 (http://en.chessbase.com/post/che-festival-in-benidorm-where-a-new-genre-is-born)

Hersh, Eitan und Schaffner, Brian 2013: »Targeted Campaign Appeals and the Value of Ambiguity«, *Journal of Politics* 75 (2): S. 520–534 (www.eitanhersh.com/uploads/7/9/7/5/7975685/targeting_effects_aug2012. pdf).

Hersh, Eitan 2013: *Hacking the Electorate*: *Mass Mobilization At the Mercy of Data*, Manuskript zur Redaktion, Cambridge University Press

Hersh, Eitan 2011: *At the Mercy of Data*: *Campaigns' Reliance on Available Information in Mobilizing Supporters*, Harvard University, Dissertation Paper

Heine, Matthias 2014: »Wie Facebooks 58 Geschlechter die Sprache ändern«, in: *Welt*, 16.02.2014 (http://www.welt.de/kultur/article124899285/Wie-Facebooks-58-Geschlechter-die-Sprache-aendern.html)

Hilgendorf, Eric (Hrsg.) 2014: *Robotik im Kontext von Recht und Moral*, Nomos

Hilgendorf, Eric 2005: »Tragische Fälle. Extremsituationen und strafrechtlicher Notstand«, in: Blaschke, Ulrich et al. (Hrsg.): *Sicherheit statt Freiheit? Staatliche Handlungs-*

*spielräume in extremen Gefährdungslagen,* Duncker & Humblot, S. 107–132

Hoffman, Jan 2012: »Just Call it a Pre-Prenup«, in: *The New York Times,* 25.05.2012 (http://www.nytimes.com/2012/05/27/fashion/the-background-on-relationship-agreements.html)

House of Lords, Select Committee on the Constitution 2009: *Surveillance: Citizens and the State,* Band I: Report, 06.02.2009 (http://www.publications.parliament.uk/pa/ld200809/ldselect/ldconst/18/18.pdf)

Huizinga, Johan 1956: *Homo Ludens: Vom Ursprung der Kultur im Spiel,* Rowohlt

Institut für Demoskopie Allensbach 2009: »Auf dem Weg von der persönlichen zur virtuellen Kommunikation? – Veränderungen der Gesprächskultur in Deutschland«, *Allensbacher Berichte,* 2009, Nr. 3 (http://www.ifd-allensbach. de/uploads/tx_reportsndocs/prd_0903.pdf)

Issenberg, Sasha 2012: *The Victory Lab,* Broadway Books

Issenberg, Sasha 2012[2]: »A more perfect Union. How President Obama's campaign used big data to rally individual voters«, in: *Technology Review,* 19.12.2012 (http://www.technologyreview.com/featuredstory/50 9026/how-obamas-team-used-big-data-to-rally-voters/)

Ito, Mizuko und Okabe, Daisuke 2005: »Technosocial Situations: Emergent Structurings of Mobile Email Use«, in: Ito, Mizuko; Matsuda, Misa und Okabe, Daisuke (Hrsg.): *Personal, Portable, Pedestrian: Mobile Phones in Japanese Life,* MIT Press, S. 1–16 (http://www.itofisher.com/mito/mobileemail.pdf)

Jain, Anab 2014: »In The Loop: Designing Conversations With Algorithms«, in: *superflux,* 04.04.2014 http://www.superflux.in/blog/conversations-with-algorithms

Juul, Jesper 2014: *Die Kunst des Scheiterns. Warum wir Videogames lieben, obwohl wir immer verlieren,* Luxbooks

Juul, Jesper 2005: *Half-real: Video Games Between Real Rules and Fictional Worlds,* MIT Press

Keats, Jonathan 2007: »The Power of Babble«, in: *Wired,* 15.04.2007 (http://archive.wired.com/wired/archive/15.04/truman.html)

Kelly, Heather 2012: »OMG, The Text Message Turns 20«, in:
    *CNN*, 03.12.2012 (http://edition.cnn.com/2012/12/03/
    tech/mobile/sms-text-message-20/)

Khomami, Nadia 2014: »2029: The Year When Robots Will
    Have the Power to Outsmart Their Makers«, in: *The
    Guardian*, 14.02.2014
    (http://www.theguardian.com/technology/2014/
    feb/22/computers-cleverer-than-humans-15-years)

King, Gary 2013: »Restructuring the Social Sciences:
    Reflections From Harvard's Institute for Quantitative
    Social Science«, in: *Political Science and Politics* 47, Nr.1:
    S.165–172

Knight, Will 2013: »Smart Robots Can now Work Right
    Next to Auto Workers«, in: *MIT Technology Review*,
    17.09.2013 (http://www.technologyreview.com/
    news/518661/smart-robots-can-now-work-right-next-
    to-auto-workers/)

Kosinski, Michal; Stillwella, David und Graepel, Thore 2013:
    »Private traits and attributes are predictable from digital
    records of human behaviour«, in: *PNAS*, Early Edition,
    12.02.2013 (http://www-psych.stanford.edu/~knutson/
    bad/kosinski13.pdf)

Krikorian, Raffi 2013: »New Tweets per second record, and
    how!«, in: *Twitter Engineering Blog*, 16.08.2013
    (https://blog.twitter.com/2013/new-tweets-per-second-
    record-and-how)

Kucklick, Christoph 2008: *Das unmoralische Geschlecht. Zur
    Geburt der Negativen Andrologie*, Suhrkamp

Kurzweil, Ray 2005: *The Singularity Is Near: When Humans
    Transcend Biology*, Viking

Lanier, Jaron 2013: *Who Owns the Future?*, Allen Lane

Latour, Bruno 1996: *Aramis, Or the Love of Technology*,
    Harvard University Press

Latour, Bruno 2002: *Die Hoffnung der Pandora: Untersuchun-
    gen zur Wirklichkeit der Wissenschaft*, Suhrkamp

Latour, Bruno 2007: *Eine neue Soziologie für eine neue Gesell-
    schaft. Einführung in die Akteur-Netzwerk-Theorie*, Suhr-
    kamp

Latour, Bruno 2010: »Tarde's Idea of Quantification«, in:

Candea, Matei (Hrsg.): *The Social after Gabriel Tarde*: *Debates and Assessments*, Routledge, S. 145–162

Lauer, Gerhard 2013: »Die digitale Vermessung der Kultur. Geisteswissenschaften als Digital Humanities«, in: Geiselberger, Heinrich und Moorstedt, Tobias (Hrsg.): *Big Data. Das neue Versprechen der Allwissenheit*, Suhrkamp

Legg, Shane und Hutter, Marcus 2006: »A Formal Measure of Machine Intelligence«, *IDSIA Technical Report*, 10/06 (http://www.idsia.ch/idsiareport/IDSIA-10-06.pdf)

Leinweber, David 1995: »Stupid Data Miner Tricks: Overfitting the S&P500«, erneut abgedruckt in: *The Journal of Investing*, Frühjahr 2007, Band 16, Nr. 1, S. 15–22 (http://shookrun.com/documents/stupidmining.pdf)

Lepenies, Philipp 2013: *Die Macht der einen Zahl. Eine politische Geschichte des Bruttoinlandsprodukts*, Suhrkamp

Liebe, Michael 2008: »There is no Magic Circle. On the Difference Between Computer Games and Traditional Games«, in: Günzel, Stephan; Liebe, Michael und Mersch, Dieter (Hrsg.): *Conference Proceedings of the Philosophy of Computer Games*, Universitätsverlag Potsdam, S. 324–340

Lin, Patrick; Abney, Keith und Bekey, George 2011: »Robot Ethics: Mapping the Issues for a Mechanized World«, in: *Artificial Intelligence* 175, Nr. 5, S. 942–949

Lobo, Sascha 2014: »Daten, die das Leben kosten«, in: *Franfurter Allgemeine Zeitung*, 04.01.2014 (http://www.faz.net/aktuell/feuilleton/debatten/die-digital-debatte/politik-in-der-digitalen-welt/sascha-lobo-digitale-daten-gefaehrden-leben-und-freiheit-12874992.html?printPagedArticle=true#pageIndex_2)

Luckerson, Victor 2014: »Everything You Need to Know About WhatsApp CEO Jan Koum, Tech's Latest Billionaire«, in: *Time*, 20.02.2014 (http://time.com/8838/whats-app-ceo-jan-koum/)

Luhmann, Niklas 1997: *Die Gesellschaft der Gesellschaft*, Suhrkamp

Madrigal, Alexis C. 2012: »When the Nerds Go Marching In«, in: *The Atlantic*, 16.11.2012 (http://www.theatlantic.com/technology/archive/2012/11/when-the-nerds-go-marching-in/265325/)

Manning, Alan 2013: »Lovely or Lousy Jobs«, in: *CentrePiece*, Herbst 2013 (http://cep.lse.ac.uk/pubs/download/cp398.pdf)

Manovich, Lev 2013: *Software Takes Command*, Bloomsbury Academic

Masing, Johannes 2011: »Abschied von den Grundrechten«, in: *Süddeutsche Zeitung*, 09.01.2011

Meehl, Paul 1954: *Clinical Versus Statistical Prediction. A Theoretical Analysis and a Review of the Evidence*, University of Minnesota Press

Markoff, John 2013: »Essay-Grading Software Offers Professors a Break«, in: *The New York Times*, 04.04.2013 (http://www.nytimes.com/2013/04/05/science/new-test-for-computers-grading-essays-at-college-level.html?pagewanted=all&_r=1&)

Marx, Gary 1989: *Undercover: Police Surveillance in America*, University of California Press

McGonigal, Jane 2011: »We spend 3 Billion Hours a Week as a Planet Playing Video Games«, in: *TED Conversations*, 15.02.2011 (http://www.ted.com/conversations/44/we_spend_3_billion_hours_a_wee.html)

McGonigal, Jane 2011[2]: *Reality Is Broken. Why Games Make Us Better and How They Can Change the World*, Penguin Press

Meckel, Miriam 2013: *Wir verschwinden*, Kein & Aber

Mikians, Jakub et al. 2012: »Detecting price and search discrimination on the Internet«, *Hotnets '12*, 29.–30.10.2012 (http://www.ccs.neu.edu/home/cbw/5750/papers/hotnets2012_pd_cr.pdf)

Moorstedt, Tobias 2013: »Obamas Datenakrobaten«, in: Geiselberger, Heinrich und Moorstedt, Tobias (Hrsg.): *Big Data. Das neue Versprechen der Allwissenheit*, Suhrkamp

Montjoye, Yves-Alexandre de et al. 2013: »Unique in the Crowd: The privacy bounds of human mobility«, in: *Nature*, Scientific Reports, 25.03.2013 (http://www.nature.com/srep/2013/130325/srep01376/pdf/srep01376.pdf)

Moretti, Franco 2013: *Distant Reading*, Verso

Moretti, Franco 2000: »Conjectures on World Literature«, in: *New Left Review*, S. 54–68

Morozov, Evgeny 2013: *To Save Everything, Click Here. Technology, Solutionism, and the Urge to Fix Problems that Don't Exist*, Allen Lane

Mühl, Melanie 2012: »Das Handy wird zum Körperteil«, in: *Frankfurter Allgemeine Zeitung*, 14.09.2012 (http://www.faz.net/aktuell/feuilleton/quantified-self-das-handy-wird-zum-koerperteil-11889193.html?print PagedArticle=true#pageIndex_2)

Naffine, Ngaire 2003: »Who Are Law's Persons? From Cheshire Cats to Responsible Subjects«, in: *The Modern Law Review* 66, Nr. 3, S. 346–367

Neyfakh, Leon 2013: »Should We Put Robots on Trial?«, in: *Boston Globe*, 01.03.2013 (http://www.bostonglobe.com/ideas/2013/03/01/should-put-robots-trial/Ijyna Qk7bARI4fAnENLELO/story.html)

Nissenbaum, Helen 2011: »A Contextual Approach to Privacy Online«, in: *Daedalus* 140, Nr. 4 (2011): S. 32–48

Nordhaus, William 2007: »Two Centuries of Productivity Growth in Computing«, in: *The Journal of Economic History* 67, S. 128–159

NPR 2011: »Big Swing: Robot Sportswriter Outperforms Human«, in: *NPR*, 17.04.2011 (http://www.npr.org/2011/04/17/135471975/robot-journalist-out-writes-human-sports-reporter)

Osborne, Thomas und Rose, Nikolas 1999: »Do the Social Sciences Create Phenomena: The Case of Public Opinion Research«, in: *British Journal of Sociology* 50, Nr. 3, S. 367–396

Panek, Richard 2004: *The Invisible Century. Einstein, Freud, and the Search for Hidden Universes*, Viking

Parsons, Christi und Hennessey, Kathleen 2012: »Obama campaign‹s investment in data crunching paid off«, in: *Los Angeles Times*, 13.11.2012 (http://articles.latimes.com/2012/nov/13/nation/la-na-obama-analytics-20121113)

Peck, Don 2013: »They're watching you at work«, in: *The Atlantic*, 20.11.2013 (http://www.theatlantic.com/magazine/archive/2013/12/theyre-watching-you-at-work/354681/)

Pentland, Alex 2012: »The New Science of Building Great Teams«, in: *Harvard Business Review*, April 2012 (http://hbr.org/2012/04/the-new-science-of-building-great-teams)

Piketty, Thomas und Saez, Emmanuel 2014: »Inequality in the long run«, in: *Science* 23, Mai 2014, Band 344, Ausgabe 6186, S. 838–843 (http://eml.berkeley.edu/~saez/piketty-saezScience14.pdf)

Pinker, Steven 2011: *The Better Angels of Our Nature. Why Violence Has Declined*, Viking

Pistono, Federico 2012: *Robots Will Steal Your Job, but That's Ok. How to Survive the Economic Collapse and Be Happy*, self-published

Platt, Charles 1995: »What's It Mean to Be Human, Anyway?«, in: *Wired*, 01.01.1995 (http://archive.wired.com/wired/archive/3.04/turing_pr.html)

Pogue, David 2010: »Farewell GOOG 411«, in: *The New York Times*, 14.10.2010 (http://pogue.blogs.nytimes.com/2010/10/14/farewell-goog-411/)

Purchese, Robert 2012: »Games Are Arguably the Most Sophisticated and Complex Forms of Software Out There These Days«, in: *Eurogamer*, 28.09.2010 (http://www.eurogamer.net/articles/2012-09-28-games-are-arguably-the-most-sophisticated-and-complex-forms-of-software-out-there-these-days)

Raabe, Oliver et al. 2011: *Datenschutz im Smart Grid und in der Elektromobilität*, Karlsruher Institut für Technologie (KIT), Forschungsgruppe Energieinformationsrecht und Neue Rechtsinformatik, Technischer Report, 26.01.2011 (http://compliance.zar.kit.edu/downloads/Raabe-Lorenz-Pallas-Weis-Datenschutz-Smart-Grids-eMobility.pdf)

Rabeharisoa, Vololona et al. 2012: »The Dynamics of Causes and Conditions: The Rareness of Diseases in French and Portuguese Patients' Organizations' Engagement in Research«, *CSI Working Papers Series*, Nr. 26

Rachleff, Andy 2014: »WhatsApp: What an Acquisition Means for Employees«, in: *Wealthfront*, 21.02.2014 (https://blog.wealthfront.com/whatsapp-acquisition-employees/)

Radicati, Sara und Levenstein, Justin 2013: *E-Mail Statistics Report*, 2013-2017, The Radicati Group, April 2013 (http://www.radicati.com/wp/wp-content/uploads/2013/04/Email-Statistics-Report-2013-2017-Executive-Summary.pdf)

Ramirez, Ernesto 2013: »Pew Internet Research: 21 % Self-Track with Technology«, in: *Quantified Self*, 27.01.2013 (http://quantifiedself.com/2013/01/pew-internet-research-the-state-of-self-tracking/)

Ramsay, Stephen 2010: »The Hermeneutics of Screwing Around; or What You Do With a Million Books«, *Playing With Technology In History*, Konferenz 29.–30.04.2010, Niagara-on-the-Lake, Paper, 17.04.2010 (http://www.playingwithhistory.com/wp-content/uploads/2010/04/hermeneutics.pdf)

Rawlinson, Kevin: »Tesco accused of using electronic arm-bands to monitor its staff«, in: *The Independent*, 13.2.2013 (http://www.independent.co.uk/news/business/news/tesco-accused-of-using-electronic-armbands-to-monitor-its-staff-8493952.html)

Regan, Kenneth und McCrossan Haworth, Guy 2011: »Intrinsic Chess Ratings«, *Twenty-Fifth AAAI Conference on Artificial Intelligence*, 04.08.2011 (http://www.cse.buffalo.edu/~regan/papers/pdf/ReHa11c.pdf)

Reporters without borders 2012: *Internet Enemies Report* 2012, 12.03.2012 (http://en.rsf.org/IMG/pdf/rapport-internet2012_ang.pdf)

Resnikoff, Paul 2014: »The Top 1% of Artists Earn 77% of Recorded Music Income, Study Finds«, in: *Digital Music News*, 03.03.2014 (http://www.digitalmusicnews.com/permalink/2014/03/05/toponepercent)

Rosanvallon, Pierre 2013: *Die Gesellschaft der Gleichen*, Hamburger Edition

Rosanvallon, Pierre 2011: »Rethinking Equality in An Age of Inequality«, in: *European University Insitute WMP Lecture Series*, 2011/08

Rosen, Jeffrey 2012: »Who Do Online Advertisers Think You Are?«, in: *The New York Times*, 30.112012 (http://www.nytimes.com/2012/12/02/magazine/who-

do-online-advertisers-think-you-are.html?pagewanted=
all&_r=1&)

Roush, Wade 2011: »Inside Google's Age of Augmented
  Humanity: Part 1, New Frontiers of Speech Recognition«,
  in: *Xconomy*, 03.01.2011 (http://www.xconomy.com/
  san-francisco/2011/01/03/inside-googles-age-of-
  augmented-humanity-part-1-new-frontiers-of-speech-
  recognition/)

Roy, Deb 2011: *The Birth of a Word*, TED-Vortrag, März 2011
  (http://www.ted.com/talks/deb_roy_the_birth_of_a_
  word)

Rubinstein, Ira 2013: »Big Data: The End of Privacy or a New
  Beginning?«, in: *International Data Privacy Law* 3, Nr.74
  (2013), 25.01.2013, S.1–14

Rundel, P.W.; Graham, E.A.; Allen, M. und Fisher, J. (2009):
  »Tansley Review: Environmental Sensor Networks in
  Ecological Research«, in: *New Phytologist*, 182, S.589–607

Rutenberg, Jim 2013: »Data You Can Believe In. The Obama Campaign's Digital Masterminds Cash In«, in: *The
  New York Times*, 20.06.2013 (http://www.nytimes.
  com/2013/06/23/magazine/the-obama-campaigns-
  digital-masterminds-cash-in.html?pagewanted=all&_r=0)

Rutkin 2014: »Rise of Robot Reporters: When Software
  Writes the News«, in: *New Scienticst*, 21.03.2014
  (http://www.newscientist.com/article/dn25273-rise-of-
  robot-reporters-when-software-writes-the-news.html)

Satell, Greg 2013: »Should We Fear The Rise Of The Robots?«, in: *Forbes*, 04.052013
  (http://www.forbes.com/sites/gregsatell/2013/05/04/
  should-we-fear-the-rise-of-the-robots/)

Savage, Mike und Burrows, Roger 2007: »The Coming Crisis
  of Empirical Sociology«, in: *Sociology* 41, Nr.5, S.885–
  899

Scherer, Michael 2012: »Inside the Secret World of the
  Data Crunchers Who Helped Obama Win«, in: *Time*,
  07.11.2012 (http://swampland.time.com/2012/11/07/
  inside-the-secret-world-of-quants-and-data-crunchers-
  who-helped-obama-win/)

Schirrmacher, Frank 2009: *Payback. Warum wir im Infor-*

mationszeitalter gezwungen sind zu tun, was wir nicht tun wollen, und wie wir die Kontrolle über unsere Daten zurückgewinnen, Blessing

Schüll, Natasha Dow 2012: *Addiction by Design. Machine Gambling in Las Vegas*, Princeton University Press

Schwartz, Paul 2013: »EU-US Privacy Collision: A Turn to Institutions and Procedures«, in; *Harvard Law Review*, S. 1966–2009

Scoble, Robert und Israel, Shel 2014: *Age of Context: Mobile, Sensors, Data and the Future of Privacy*, self-published

Searls, Doc 2012: *The Intention Economy. When Customers Take Charge*, Harvard Business Review Press

Shabazz, Daaim 2007: »Anson Williams ... King of Freestyle Chess«, in: *The Chess Drum*, 21.12.2007 (http://www.thechessdrum.net/blog/2007/12/21/anson-williams-king-of-freestyle-chess/)

Shay, Lisa et al.: »Do Robots Dream of Electric Laws? An Experiment in the Law as Algorithm«, *Konferenz WeRobot* 2013, Discussion Paper, 29.03.2013

Shermis, Mark und Hamner, Ben 2012: »Contrasting State-of-the-Art Automated Scoring of Essays: Analysis«, in: *ASAP*, 29.03.2012 (http://www.scoreright.org/NCME_2012_Paper3_29_12.pdf)

Shet, Vinay 2013: »reCAPTCHA just got easier (but only if you're human)«, in: *Google Online Security Blog*, 25.10.2013 (http://googleonlinesecurity.blogspot.de/2013/10/recaptcha-just-got-easier-but-only-if.html)

Smith, Adam 2002: *The Theory of Moral Sentiments*, Cambridge University Press

Sosa, Manuel; Gargiulo, Martin und Rowles, Craig 2012: »Inter-Team Technical Communication«, *INSEAD, Faculty and Research Working Paper*, 05.06.2012 (http://www.insead.edu/facultyresearch/research/doc.cfm?did=50100)

Steel, Emily 2011: »How a New Police Tool for Face Recognition Works«, in: *Wallstreet Journal*, 13.07.2011 (http://blogs.wsj.com/digits/2011/07/13/how-a-new-police-tool-for-face-recognition-works/)

Steiner, Christopher 2012: *Automate This. How Algorithms Came to Rule Our World*, Penguin

Strahilevitz, Lior Jacob 2012: »Signaling Exhaustion and Perfect Exclusion«, *Journal on Telecommunications & High Technology Law*, Band 10, Nr. 2, S. 321–330

Strobel, Thomas 2010: »Der Mensch wird neu formatiert.«, in: *Frankfurter Allgemeine Zeitung*, 31.05.2010 (http://www.faz.net/aktuell/feuilleton/debatten/digitales-denken/mediale-ueberforderung-der-mensch-wird-neu-formatiert-1982432.html?printPagedArticle=true#pageIndex_2)

Sullivan, John 2013: »How Google Is Using People Analytics To Completely Reinvent HR«, in: *tlnt*, 26.02.2013 (http://www.tlnt.com/2013/02/26/how-google-is-using-people-analytics-to-completely-reinvent-hr/)

Sunstein, Cass 2012: »Impersonal Default Rules vs. Active Choices vs. Personalized Default Rules: A Triptych«, *Social Science Research Network*, Working Paper, 19.03.2012

Sunstein, Cass und Thaler, Richard 2008: *Nudge: Improving Decisions About Health, Wealth, and Happiness*, Yale University Press

Teague, Lettie 2011: »Alain Ducasse. The chef talks to Lettie Teague about travel, Champagne and the wine he's 'obsessed' with«, in: *Wall Street Journal*, 28.05.2011 (http://online.wsj.com/news/articles/SB100014240527023045208045763413336356963 22)

Templeton, Brad 2013: »Anatomy of the First Robocar Accidents«, in: *Brad Ideas*, 01.05.2013 (http://ideas.4brad.com/anatomy-first-robocar-accidents)

Tene, Omer und Polonetsky, Jules 2013: »Big Data for All: Privacy and User Control in the Age of Analytics« (2013), in: *Northwestern Journal of Technology and Intellectual Property*, Band 11/5, S. 240–273

TGR Staff 2009: »World Of Warcraft By The Numbers«, in: *TGR*, 18.09.2009 (http://www.thegamereviews.com/article-1515-world-of-warcraft-by-the-numbers.html)

Thompson, Clive 2013: *Smarter Than You Think. How Technology Is Changing Our Minds for the Better*, Penguin

Thompson, Clive 2013[2]: »A Frothing Niagara of Words«, in: *National Post*, 27.11.2013 (http://fullcomment.nationalpost.com/2013/11/27/clive-thompson-a-frothing-niaga-ra-of-words/)

Topol, Eric 2012: *The Creative Destruction of Medicine*, Basic Books

Troop, Don 2012: »Robots at War: Scholars Debate the Ethical Issues«, in: *The Chronicle of Higher Education*, 10.09.2012 (http://chronicle.com/article/Moral-Robots-the-Future-of/134240/)

Vinge, Vernor 2008: »Signs of the Singularity«, in: *IEEE Spectrum's Special Report: The Singularity*, 01.06.2008 (http://spectrum.ieee.org/biomedical/ethics/signs-of-the-singularity)

Waber, Ben 2013: *People Analytics*, FT Press

Weinberger, David 2011: *Too Big to Know. Rethinking Knowledge Now That the Facts Aren't the Facts, Experts Are Everywhere, and the Smartest Person in the Room Is the Room*, Basic Books

Wendell, Allen und Wallach, Colin 2009: *Moral Machines. Teaching Robots Right From Wrong*, Oxford University Press

Wildermuth, Volkart 2011: »Moral in Silizium«, in: *Deutsch-landfunk*, 01.05.2011 (http://www.deutschlandfunk.de/moral-in-silizium.740.de.html?dram:article_id=112015)

Wolf, Gary 2010: »The Data-Driven Life«, in: *The New York Times*, 28.04.2010 (http://www.nytimes.com/2010/05/02/magazine/02self-measurement-t.html?pagewanted=all)

Wu, Tim 2014: »If A Time Traveller Saw A Smartphone«, in: *The New Yorker*, 10.01.2014 (http://www.newyorker.com/tech/elements/if-a-time-traveller-saw-a-smartphone)

Zuckerman, Ethan 2010: »Cynthia Dwork defines Differential Privacy«, in: *Ethan Zuckerman Blog*, 29.09.2010 (http://www.ethanzuckerman.com/blog/2010/09/29/cynthia-dwork-defines-differential-privacy/)

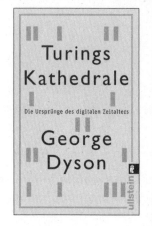